Alle Rechte, einschließlich das des vollständigen oder
auszugsweisen Nachdrucks in jeglicher Form, sind vorbehalten.

Der Preis dieses Bandes versteht sich einschließlich
der gesetzlichen Mehrwertsteuer.

Umwelthinweis:
Dieses Buch wurde auf chlor- und säurefreiem Papier gedruckt.

Megan Hart

Dirty

Roman

Aus dem Amerikanischen von
Tess Martin

MIRA® TASCHENBUCH
Band 35009
9. Auflage: Juli 2012

MIRA® TASCHENBÜCHER
erscheinen in der Cora Verlag GmbH & Co. KG,
Valentinskamp 24, 20350 Hamburg
Deutsche Erstveröffentlichung

Titel der nordamerikanischen Originalausgabe:
Dirty
Copyright © 2007 by Megan Hart
erschienen bei: SPICE Books
Published by arrangement with
HARLEQUIN ENTERPRISES II B.V./S.àr.l.

Konzeption/Reihengestaltung: fredebold&partner gmbh, Köln
Umschlaggestaltung: pecher und soiron, Köln
Redaktion: Claudia Wuttke, Stefanie Kruschandl
Titelabbildung: Mauritius Images GmbH, Mittenwald
Satz: Buch-Werkstatt GmbH, Bad Aibling
Druck und Bindearbeiten: CPI – Ebner & Spiegel, Ulm
Printed in Germany
Dieses Buch wurde auf FSC-zertifiziertem Papier gedruckt.
ISBN 978-3-89941-382-3

www.mira-taschenbuch.de

1. KAPITEL

Unsere Geschichte begann so:

Wir begegneten uns in einem Süßwarenladen. Er drehte sich um, lächelte mich an, und ich war so überrascht, dass ich zurücklächelte.

Das *Sweet Heaven* war kein einfacher Süßwarenladen für Kinder, sondern ein gehobener Gourmet-Tempel; hier gab es keine billigen Lutscher oder vertrockneten Schokoküsse; hierhin ging man, wenn man mit schlechtem Gewissen Trüffelpralinen für die Frau des Chefs kaufen wollte, weil man mit ihm bei einer Geschäftsreise nach Milwaukee gevögelt hatte.

Er kaufte Jelly Beans, nur schwarze, und musterte die Tüte mit Schokolinsen in meiner Hand, ebenfalls alle in einer Farbe.

„Sie wissen, was Grün bedeutet." Der verwegene Zug um seine Lippen war anziehend.

„St. Patrick's Day?" Das war nämlich genau der Grund, warum ich sie in Grün kaufte.

Er schüttelte den Kopf. „Nein. Die Grünen steigern die Lust."

Ich bin ja schon ziemlich oft angemacht worden, meistens von wenig feinsinnigen Männern, die glauben, das, was sie zwischen den Beinen haben, wäre ein Ausgleich für das, was zwischen ihren Ohren fehlt. Manchmal bin ich trotzdem mit einem von ihnen nach Hause gegangen, einfach, weil es sich gut anfühlte, zu begehren und begehrt zu werden, auch wenn alles meist nur gespielt war und üblicherweise enttäuschend endete.

„Das ist eine Erfindung von pubertierenden Jungs, deren überschwängliche Fantasien leider selten erfüllt werden."

Sein Lächeln wurde breiter. Dieses strahlend weiße Lächeln war das Schönste an seinem ebenmäßig geschnittenen Gesicht. Sein Haar hatte die Farbe von feuchtem Sand, seine Augen waren blaugrün – er war attraktiv, doch wenn er lächelte, war er atemberaubend.

„Sehr gute Antwort", sagte er.

Er streckte eine Hand aus. Als ich sie ergriff, zog er mich näher an sich heran, so nah, dass er mir ins Ohr flüstern konnte. Sein heißer Atem tanzte über meine Haut, und ich erschauerte. „Mögen Sie Lakritze?"

Allerdings, und so schob er mich um ein Regal herum und griff in ein Glas voller kleiner schwarzer Rechtecke, auf dem ein Etikett mit dem Bild eines Kängurus klebte.

„Dann probieren Sie mal das." Er hielt mir ein Stück hin, und ich öffnete die Lippen, obwohl auf einem Schild deutlich zu lesen war: Probieren verboten. „Kommt direkt aus Australien."

Die Lakritze lag auf meiner Zunge. Weich, duftend und auf eine Weise klebrig, dass ich mit der Zunge über meine Zähne fuhr. Ich schmeckte seine Finger dort, wo er meine Lippen berührt hatte. Er lächelte.

„Ich kenne eine hübsche Bar", sagte er, und ich ließ mich von ihm dorthin bringen.

The Slaughtered Lamb. Ein grausiger Name für eine kleine Bar, versteckt in einem Gässchen mitten in Harrisburg. Verglichen mit den angesagten Tanzschuppen und teuren Restaurants in dieser Gegend wirkte der Laden irgendwie fehl am

Platz und deswegen umso reizvoller.

Er wählte für uns zwei Plätze an der Bar, abseits der Collegestudenten, die in einer Ecke Karaoke sangen. Weil mein Barhocker wackelte, musste ich mich an der Theke festhalten. Ich bestellte eine Margarita.

„Nein." Er schüttelte den Kopf, und ich hob eine Augenbraue. „Sie möchten bestimmt Whiskey."

„Ich habe noch nie Whiskey getrunken."

„Eine Jungfrau." Bei jedem anderen Mann hätte dieser Kommentar albern geklungen und meinerseits nur ein Verdrehen der Augen nach sich gezogen.

Doch bei ihm funktionierte es.

„Eine Jungfrau", stimmte ich zu, und das Wort fühlte sich ungewohnt auf meiner Zunge an, als ob ich es ziemlich lange nicht mehr benutzt hätte.

Er bestellte uns jeweils ein Glas Jameson's Irish Whiskey und stürzte seinen, so wie es sich gehört, in einem Zug hinunter. Mir war Alkohol wahrlich nicht fremd, auch wenn ich noch nie Whiskey probiert hatte, doch ich machte es ihm nach, ohne das Gesicht zu verziehen. Es gibt einen guten Grund, warum Whiskey Feuerwasser genannt wird, aber nach dem ersten Brennen breitete sich der Geschmack in meinem Mund aus und erinnerte mich an den Duft von verbrannten Blättern. Sehr angenehm. Warm. Sogar ein bisschen romantisch.

Sein Blick hellte sich auf. „Es gefällt mir, wie Sie ihn heruntergeschluckt haben."

Ich war auf der Stelle wahnsinnig erregt.

„Noch einen?", fragte der Barkeeper.

„Noch einen", entgegnete mein Begleiter. Und zu mir

sagte er: „Sehr gut gemacht."

Dieses Kompliment freute mich, wobei mir nicht klar war, warum es mir auf einmal so wichtig erschien, ihm zu gefallen.

Wir tranken also eine Weile, und der Whiskey zeigte mehr Wirkung, als ich gedacht hätte. Oder vielleicht lag es auch an der Gesellschaft meines Begleiters, jedenfalls fing ich an, über seine spitzen, aber irgendwie netten Kommentare über die anderen Gäste zu kichern. Die Frau im Geschäftsanzug in einer Ecke war ein Callgirl, das gerade Pause hatte. Der Mann mit der Lederjacke ein Leichenbestatter. Mein Begleiter erfand Geschichten über jeden Gast und den freundlichen Barkeeper, der seiner Meinung nach früher Fruchtgummis angebaut hatte.

„Fruchtgummis werden nicht angebaut." Ich beugte mich vor, um seine Krawatte zu berühren, die auf den ersten Blick mit den üblichen Punkten und Kreuzen gemustert zu sein schien. Ich hatte jedoch bemerkt, dass es sich um winzige Totenköpfe mit gekreuzten Knochen handelte.

„Nicht?" Er schien enttäuscht zu sein, dass ich nicht mitspielte.

„Nein." Ich zupfte an seiner Krawatte und blickte in seine blaugrünen Augen, die inzwischen mit der Schönheit seines Lächelns konkurrieren konnten. „Fruchtgummi wächst wild."

Er warf den Kopf in den Nacken und brach in schallendes Gelächter aus. Ich beneidete ihn darum, wie natürlich er dem Impuls nachgab, laut zu lachen. Ich hätte befürchtet, dass die Leute mich komisch anschauten.

„Und Sie?", fragte er schließlich. Sein Blick durchbohrte

mich. „Was sind Sie?"

„Ein Fruchtgummidieb", flüsterte ich mit meinen vom Whiskey tauben Lippen.

Er streckte die Hand nach einer Haarsträhne aus, die sich aus meinem langen französischen Zopf gelöst hatte, und zwirbelte sie zwischen den Fingern. „So gefährlich wirken Sie meiner Ansicht nach gar nicht."

Wir sahen uns an, zwei Fremde, lächelten – und ich dachte, dass es schon lange her war. „Möchten Sie mich nach Hause begleiten?"

Das wollte er.

An diesem Abend versuchte er nicht, mich zu lieben, was mich nicht überraschte. Allerdings versuchte er auch nicht, mich zu vögeln, was mich doch etwas wunderte. Er küsste mich nicht einmal, obwohl ich zögerte, bevor ich den Schlüssel ins Schloss steckte und noch ein wenig mit ihm lachte und plauderte, bevor ich Gute Nacht sagte.

Nicht mal nach meinem Namen hatte er gefragt. Auch nicht nach meiner Telefonnummer. Er ließ mich einfach, ein wenig schwankend vom Whiskey, vor meiner Tür zurück. Ich sah, wie er die Straße hinunterging und das Kleingeld in seiner Hosentasche klimpern ließ. Erst als er in der Dunkelheit hinter der Straßenlaterne verschwand, ging ich ins Haus.

Am nächsten Morgen, als ich mir unter der Dusche den Zigarettenrauch aus den Haaren wusch, musste ich an ihn denken. Ich dachte an ihn, während ich meine Beine, die Achseln und mein Haar zwischen den Beinen rasierte. Ich putzte meine Zähne, betrachtete mein Gesicht im Spiegel und versuchte mir vorzustellen, wie er meine Augen wohl gesehen hatte.

Bei genauerem Betrachten waren sie blau mit weißen und goldenen Sprenkeln. Viele Männer machten mir deswegen Komplimente. Einer Frau zu sagen, sie habe schöne Augen, ist vermutlich der schnellste Weg, um herauszufinden, ob man als Nächstes eine Hand auf ihren Schenkel legen darf. Er hatte meine Augen nicht erwähnt. Er hatte mir, um genau zu sein, kein einziges Kompliment gemacht, außer über die Art und Weise, wie ich den Whiskey trank.

Ich dachte an ihn, als ich mich für die Arbeit anzog. Schlichte weiße Unterhose, bequemer Schnitt und angenehmer Stoff, passender BH mit einem Hauch von Spitze, gerade genug, um hübsch auszusehen, aber dafür gemacht, meine Brüste eher zu stützen als hervorzuheben. Ein schwarzer, fast knielanger Rock. Eine weiße Bluse mit Knöpfen. Schwarz und Weiß wie immer, weil es einem die Wahl erleichtert und mich die Einfachheit von Schwarz und Weiß beruhigt.

Auf der Fahrt zur Arbeit dachte ich an ihn, die Ohren verschlossen mit Kopfhörern, um die willkürlichen Gespräche von Fremden auszublenden, Schutzschild der modernen Zivilisation. Die Fahrt dauerte nicht länger als sonst, war aber auch nicht kürzer, ich zählte die Haltestellen wie immer und warf dem Busfahrer dasselbe Lächeln zu.

„Ich wünsche Ihnen wie immer einen schönen Tag, Miss Kavanagh."

„Danke, Bill."

Ich dachte auch an ihn, als ich exakt fünf Minuten vor Dienstbeginn die Treppe zu meinem Bürogebäude hinauflief.

„Sie sind heute spät dran", sagte Harvey Willard, der Sicherheitsbeamte. „Genau eine Minute."

„Der Bus ist schuld", erklärte ich mit einem Grinsen, von dem ich wusste, dass es ihn erröten lassen würde. Obwohl natürlich nicht der Bus dafür verantwortlich war, sondern allein die Tatsache, dass ich, in Gedanken versunken, langsamer gelaufen war.

Mit dem Fahrstuhl nach oben, den Flur entlang in mein Büro und hinter meinen Schreibtisch. Alles war wie immer, und doch hatte sich alles verändert. Nicht einmal der Zettel mit den vielen Telefonnummern konnte meine Gedanken von dem Rätsel, das er mir aufgab, losreißen.

Ich kannte nicht einmal seinen Namen. Hatte ihm meinen nicht verraten. Ich hatte gedacht, es würde leicht werden – zwei Fremde, die dasselbe Bedürfnis verspürten. Die übliche Verführung, bei der man keine Namen brauchte, die alles nur kompliziert machten.

Ich mochte es nicht, wenn Männer meinen Namen wussten. Damit hätte ich ihnen eine gewisse Macht über mich gegeben, die sie nicht verdienten. Als ob die Tatsache, dass sie beim Orgasmus meinen Namen riefen, diesen Moment für alle Ewigkeit festhalten könnte. Wenn es gar nicht anders ging, nannte ich ihnen einen falschen Namen, und wenn sie ihn später mit heiserer Stimme herausschrien, musste ich jedes Mal lächeln.

Heute lächelte ich nicht. Ich war abgelenkt, verärgert und durcheinander … und wäre wohl enttäuscht gewesen, wenn ich noch in der Lage gewesen wäre, mich täuschen zu lassen.

Ich arbeitete an dem Problem wie an einer meiner Kalkulationen. Stellte eine Gleichung auf, entschlüsselte die individuellen Komponenten, fügte logische hinzu und zog die unverständlichen ab. Bis zur Mittagspause war es mir noch immer nicht gelungen, ihn in eine unbedeutende Erinnerung zu verwandeln.

„Hattest du letzte Nacht ein heißes Date?", fragte Marcy Peters, die Königin der toupierten Haare und knallengen Röcke. Marcy gehört zu den Frauen, die sich selbst als Mädchen bezeichnen, die weiße Pumps zu hautengen Jeans tragen und deren Blusen immer ein wenig zu weit aufgeknöpft sind.

Sie schenkte sich einen Becher Kaffee ein. Ich trank Tee. Wir saßen an einem kleinen Tisch und packten die kurz zuvor gelieferten Sandwiches aus – ihres mit Thunfisch und meines wie üblich mit Truthahn.

„Wie immer", war meine Antwort, und wir lachten, zwei Frauen, miteinander durch etwas verbunden, was nichts mit gemeinsamen Interessen zu tun hatte, sondern dazu diente, uns vor den Haien zu schützen, mit denen wir zusammenarbeiteten.

Marcy hält sich die Haie mit ihrer unverblümt zur Schau gestellten Weiblichkeit vom Hals, sie ist blond, drall und durchaus bereit, ihre Vorzüge einzusetzen, um zu erreichen, was sie will.

Ich ziehe die etwas indirektere Methode vor.

Marcy lachte über meine Antwort, weil die Elle Kavanagh, die sie kannte, keine Verabredungen hatte, schon gar keine heißen. Die Elle Kavanagh, die sie kannte, war die Juniorchefin eines Finanzunternehmens, in deren Gegenwart selbst eine strenge Oberlehrerin mit Brille und Dutt so sexy wirkte wie Marilyn Monroe.

Marcy wusste überhaupt nichts über mich oder mein Leben außerhalb der vier Wände von *Triple Smith and Brown*.

„Hast du schon das Neueste über Flynn gehört?" So stellte sich Marcia ein Gespräch beim Mittagessen vor: Tratsch über Kollegen und Kunden verbreiten.

„Nein", antworte ich, um sie zu beruhigen und weil sie es irgendwie immer schaffte, die besten Geschichten aufzuschnappen.

„Mr.. Flynns Sekretärin hat an Bob die falschen Unterlagen geschickt. Bob kümmert sich um dieses Kundenkonto, nicht wahr?"

„Genau."

Marcys Augen funkelten. „Offenbar hat sie ihm die privaten Rechnungen von Mr. Flynn gemailt, und nicht die geschäftlichen."

„Das ist noch nicht besonders spannend."

„Wie es scheint, listet Mr. Flynn all seine Hundert-Dollar-Nutten und seine geschmuggelten Zigarren penibelst auf!" Sie drehte sich auf ihrem Stuhl.

„Dumm gelaufen für seine Sekretärin, fürchte ich."

Marcy grinste. „Sie hat Bob einen geblasen. Und er hat es Mr. Flynn nicht verraten."

„Bob Hoover?" Diese Neuigkeit kam nun wirklich unerwartet.

„Tja. Ist das zu glauben?"

„Ich schätze, ich kann so ziemlich alles über jeden glauben", sagte ich ehrlich. „Die meisten Leute sind bei ihren Bettgeschichten anspruchsloser, als man annehmen sollte."

„Ach wirklich?" Sie warf mir einen listigen Blick zu. „Und woher willst du das wissen?"

„Reine Spekulation." Ich stand auf und warf meinen Müll in den Eimer.

Marcy wirkte nicht enttäuscht, sondern vielmehr interessiert. „Aha."

Ich schenkte ihr ein süßes und sanftes Lächeln und überließ es ihr, sich in eine Meditation über mein geheimnisvolles Sexleben zu versenken.

Tatsache ist, dass die meisten Menschen in Bezug auf ihre Sexpartner tatsächlich anspruchsloser sind, als sie zugeben wollen. Aussehen, Intelligenz, Sinn für Humor, Reichtum, Macht ... nicht jeder kann mit diesen Qualitäten aufwarten, und die wenigsten besitzen mehr als eine davon. Hier ist die Wahrheit: Fette, hässliche und dumme Menschen werden ebenfalls gevögelt, die Medien berichten bloß nicht in dem Maße darüber wie über fantastisch aussehende Filmstars. Man muss einem Mann nicht seine Titten unter die Nase halten, um ihm zu demonstrieren, dass man auf der Suche nach einem Abenteuer ist. Selbst Frauen mit dem verklemmten Bibliothekarinnen-Look wie ich lassen sich, mit heruntergezogenem Höschen an eine raue Hauswand gedrückt, vögeln.

Oder zumindest habe ich das vor drei Jahren getan, als ich das letzte Mal darauf aus war. Im *Sweet Heaven* war ich nicht darauf aus gewesen, sondern wollte lediglich meine Schokoladensucht befriedigen. Warum aber war ich dann mit ihm etwas trinken gegangen? Warum hatte ich ihn gebeten, mich nach Hause zu begleiten und mich darüber geärgert, als er mich mit einem kurzen Winken einfach an der Tür stehen ließ?

Die Tatsache, dass ich an diesem Tag nicht nach einem Abenteuer gesucht hatte, machte es nur noch schlimmer. Hätte ich ihn in einer Bar statt im *Sweet Heaven* kennengelernt, hätte ich mein Haar offen getragen, die Bluse aufgeknöpft – hätte er mich dann gebeten, hineinkommen zu dürfen? In meinen Körper zu dürfen? Hätte er mich vor der Tür geküsst, mich an der Hüfte umfasst und fest an sich gedrückt?

Ich würde es nie erfahren.

Den ganzen Tag dachte ich an ihn, auch den nächsten, und mein Begehren stieg stetig an, als würde man Wasser in eine Vase voller Steine gießen. Die Gedanken an ihn füllten meine wachen Stunden aus, schlichen sich in meine Träume und sorgten für verschwitzte Nächte zwischen zerwühlten Bettlaken.

Unablässig musterte ich mein Gesicht und fragte mich, was er darin entdeckt hatte, um mit mir in eine Kneipe zu gehen, aber nicht ins Bett. Hatte ich irgendetwas falsch gemacht? Hatte ich etwas Falsches gesagt, eine Schwäche gezeigt, über seine Witze zu laut gelacht oder vielleicht nicht laut genug?

Mir war klar, wie obsessiv ich mich aufführte, wie ich immer und immer wieder jede gemeinsame Sekunde mit ihm in meinem Kopf kreisen ließ und aus allen möglichen Blickwinkeln betrachtete. Wie ich analysierte, kalkulierte und grübelte.

Ich konnte nicht vergessen, wie sein Atem mich gestreift hatte, als er mir ins Ohr flüsterte: „Mögen Sie Lakritze?"

Ich konnte die Wärme seiner Hand auf meiner nicht vergessen, als er mir nach dem ersten Schluck Whiskey gratulierte. Ich konnte das Blitzen seiner blaugrünen Augen oder die kleine, aber perfekte Kerbe in seinem Kinn nicht vergessen, auch nicht die blassen Sommersprossen auf seiner Nase und der Stirn. Genauso wenig wie seine Stimme und sein Lachen, diese tiefe, warme Tonlage, die in mir den Wunsch weckte, mich an ihm zu reiben wie eine schnurrende Katze.

Als ich das letzte Mal einen Mann in einer Bar aufgabelte, habe ich ihn mit nach Hause genommen, wo er sich über meinen Rock ergoss und nach Bier riechende Tränen auf mein Gesicht tropfen ließ. Dann beschimpfte er mich und wollte, dass ich ihm das Geld für all die Drinks zurückzahlte, die er mir ausgegeben hatte. Das war meine letzte schlechte Erfahrung, eine von vielen. Jungs, die mit ihrem Schwanz nicht richtig umgehen konnten, ältere Männer, die glaubten, zwei Minuten Rumgefummel gingen als Vorspiel durch, nett aussehende Kerle, die sich in brutale Scheißkerle verwandelten, kaum dass die Tür hinter ihnen ins Schloss gefallen war.

Enthaltsamkeit schien mir die bessere Wahl, und was zunächst wie eine Herausforderung schien, wurde nach und nach zur Gewohnheit. Als ich ihn im *Sweet Heaven* traf, war es drei Jahre, zwei Monate, eine Woche und drei Tage her, dass ich das letzte Mal Sex gehabt hatte.

Und jetzt, mit diesem namenlosen Fremden in meinem Kopf, konnte ich an nichts anderes mehr denken. Wenn ein Mann auf der Straße meinen Blick auffing, krampfte sich mein Schoß zusammen wie Finger um eine Blume. Meine Brustwarzen rieben immerzu gegen den Stoff meines BHs. Mein Slip rieb an meiner Haut und drängte mich, den kleinen Knopf zu streicheln, ganz egal wo, wann oder unter welchen Umständen.

Ich war geil.

Bei meinen Verabredungen mit Männern ging es nie um Gefühle. Es ging darum, eine Leere in mir auszufüllen, die dunklen Wolken zu vertreiben, denen ich meist entkommen konnte, aber manchmal … eben nicht. Ich ging in Kneipen, auf Partys und in den Park, um Männer zu finden, die mich für ein paar Stunden ablenken konnten, mich alles vergessen ließen, was in mir vorging. Ich benutzte Sex, um den Schmerz in mir zu betäuben. Das wusste ich. Ich wusste, warum ich es tat. Ich wusste, warum ich wie eine Bibliothekarin aussah und mich wie eine Nutte aufführte.

Bis jetzt hatte es keine Rolle gespielt. Ich hatte Männer getroffen, die mich zum Lachen brachten, zum Stöhnen und sogar einige wenige, bei denen ich gekommen bin. Bis jetzt hatte ich keinen getroffen, den ich nicht vergessen konnte.

Zwei Wochen lang stolperte ich auf diese Weise durchs Leben. Weil ich mit Zahlen so gut umgehen kann, litt meine Arbeit nicht darunter, alles andere allerdings schon. Ich vergaß, Rechnungen zu bezahlen, Kleider aus der Reinigung zu holen, meinen Wecker zu stellen.

An diesen Frühlingstagen wurde es immer noch früh genug Abend, sodass ich manchmal im Dunkeln nach Hause fuhr. Ich saß im Bus auf meinem üblichen Platz, den Mantel und die Aktentasche ordentlich über meinen Schoß gebreitet, die Beine übereinandergeschlagen. Ich starrte aus dem Fenster und stellte mir sein Gesicht vor und seinen Atem, und dann, mit der Hilfe des schaukelnden Busses, legte ich los.

Zuerst spannte ich die Muskeln meiner Schenkel rhythmisch an. Meine Klit wurde zu einem kleinen, harten Knoten und rieb an dem weichen Stoff meines Slips. Versteckt unter dem Mantel und der Aktentasche, rutschte ich auf meinem Sitz herum. Bei meinen züchtig gefalteten Händen wäre niemand jemals auf die Idee gekommen, was ich da tat.

Die silbernen Lichtstreifen der Straßenlampen wanderten über meinen Schoß die Brust hinauf, um hinter mir zu verschwinden und mich in Dunkelheit zu tauchen, die kurz darauf erneut von einem Lichtstrahl durchbrochen wurde. Ich begann meinen Rhythmus den Lichtern anzupassen.

In meinem Bauch machte sich ein angenehmes Gefühl breit. Ich hielt die Luft an und ließ sie leise durch meine halb geöffneten Lippen entweichen, bis meine Lungen zu brennen begannen. Dabei blickte ich stur durchs Fenster nach draußen, ohne etwas zu erkennen. Ab und zu spiegelte sich der Geist meines Gesichts im Fenster, dann stellte ich mir vor, dass er mich ansah.

Meine Finger über der Aktentasche verkrampften sich, die Füße bewegte ich auf und ab, auf und ab, während ich die Schenkel zusammenpresste und so meine Klit mit kleinen, aber perfekten Bewegungen liebkoste. Ich sehnte mich so sehr danach, meine Finger um die harte Perle kreisen zu lassen, sie in mich zu schieben und mich damit zu ficken, während der Bus auf sein Ziel zubrauste – aber ich tat es nicht. Ich schaukelte und presste, und jede Straßenlampe, an der wir vorbeikamen, trieb mich weiter auf den Höhepunkt zu.

Ich zitterte am ganzen Körper durch die Anstrengung, möglichst still zu sitzen, wo ich doch nichts anderes wollte, als mich zu winden. Nie zuvor hatte ich mir auf diese verstohlene Weise Genuss verschafft. Man masturbierte allein zu Hause, im Bad oder im Bett, kurz und schmerzlos, um die Spannung zu lösen. Aber das hier geschah fast gegen meinen Willen. Meine Gedanken an ihn, die Bewegungen des Busses, meine Enthaltsamkeit, alles zusammen sorgte dafür, dass mein Körper von einem Feuer verzehrt wurde, das nur ein Orgasmus löschen konnte.

Schweiß rann meinen Rücken hinunter und in meine Pospalte. Dieses feine Kitzeln, das so sehr an die Berührung einer Zunge erinnerte, gab mir schließlich den Rest. Mein Körper wurde steif. Meine Nägel hinterließen winzige Linien im Leder meiner Aktentasche. Meine Perle zuckte und krampfte sich zusammen, pures Glück schoss durch meinen ganzen Körper.

Ich erbebte, zog aber weniger Aufmerksamkeit auf mich, als wenn ich hätte niesen müssen. Ich tarnte mein Aufstöhnen mit einem Hüsteln, das kaum jemand wahrnahm. Ich fühlte mich entspannt und sank erschöpft in meinem Sitz zusammen, während der Bus zum Halten kam.

Meine Haltestelle.

Mit zittrigen Beinen stand ich auf, überzeugt davon, dass der Duft nach Sex mich umgab wie Parfüm, aber niemandem schien das aufzufallen. Ich stieg aus, hob mein Gesicht zum Abendhimmel und ließ die feuchte Luft darüberstreichen. Es war mir egal, dass meine Bluse und mein Haar nass wurden.

Ich hatte mich in aller Öffentlichkeit selbst befriedigt, mir dabei sein Gesicht vorgestellt und kannte noch nicht mal seinen Namen.

Zumindest linderte diese Soloeinlage in einem öffentlichen Verkehrsmittel ein wenig meine Sehnsucht. Nun konnte ich mich wieder auf die Zahlen konzentrieren, die mit wunderbarer Zuverlässigkeit meine Gedanken ausfüllten. Ich stürzte mich in die Arbeit und übernahm von Bob Hoover einige wichtige Kunden. Er selbst war viel zu sehr damit beschäftigt, sich von Mr. Flynns Sekretärin einen blasen zu lassen.

Mir machte das nichts aus. Es bot mir die Möglichkeit, meinen Vorgesetzten zu beweisen, dass ich meinen Titel, mein Eckbüro und meine zusätzlichen Urlaubstage verdiente. Und ich musste keine Gründe erfinden, um länger im Büro zu bleiben, statt nach Hause in meine leere Wohnung oder in eine Bar zu gehen und meine Willenskraft zu erproben.

„Sex", verkündete Marcy beim Mittagessen, „ist wie dieses Schokoladen-Éclair." Versonnen drehte sie eines der kleinen länglichen Dinger zwischen ihren Fingern.

Mir hatte sie einen Doughnut mit Puderzucker mitgebracht. „Du meinst: voller Sahne, und hinterher würde man sich am liebsten übergeben?"

Sie verdrehte die Augen. „Himmel, was für eine Art von Sexleben führst du eigentlich, Elle?"

„In letzter Zeit gar keines."

„Ich bin schockiert." Ihr Ton bewies das Gegenteil. „Aber kein Wunder, bei dieser Einstellung."

Marcy hatte zwar eine unmögliche Frisur und einen furchtbaren Klamottengeschmack, aber sie konnte mich zum Lachen bringen. „Dann erklär du mir, warum Sex wie dieses Eclair ist."

„Zum einen ist es verführerisch genug, um dich alles andere vergessen zu lassen." Sie leckte etwas Schokolade von dem Gebäck. „Und zum anderen ist das gut so, weil es einen glücklich macht."

Ich rutschte auf meinem Stuhl ein wenig nach hinten und betrachtete sie. „Ich vermute, du hattest letzte Nacht Sex?"

Als sie ein unschuldiges Gesicht aufsetzte, wurde mir etwas klar: Ich mochte sie. Sie klimperte mit den Wimpern.

„Wer? Diese kleine Alte hier?"

„Ja, du." Ich legte den Doughnut zurück in die Schachtel und nahm stattdessen das letzte Éclair. „Und du kannst es kaum erwarten, mir davon zu erzählen. Also hör auf, Zeit zu verschwenden und leg los, bevor wieder ein Kollege reinkommt und wir dann so tun müssen, als ob wir über die Arbeit sprächen."

Marcy lachte. „Ich war mir nicht sicher, ob du es hören willst."

Ich musterte sie. „So denkst du von mir, nicht wahr? Du glaubst, dass ich Sex nicht mag?"

Sie blickte mich über ihren schokoladenverklebten Teller an, mit ernstem Lächeln und einem etwas merkwürdigen Ausdruck in ihrem Blick. Etwas wie Mitleid. Ich runzelte die Stirn.

„Ich weiß nicht, Elle. Dazu kenne ich dich nicht gut genug, aber manchmal habe ich den Eindruck, dass du eigentlich nichts besonders magst, von deiner Arbeit mal abgesehen."

Etwas zu hören, was man sowieso weiß, sollte eigentlich keine Überraschung sein, und doch ist es meist so. Ich wollte etwas entgegnen, doch plötzlich war mein Hals wie zugeschnürt, Tränen brannten in meinen Augen. Ich blinzelte sie weg und legte eine Hand auf meinen Magen, der sich bei ihren Worten zusammengezogen hatte.

Marcy war trotz ihres Auftretens als naive Blondine alles andere als dumm. Sie drückte meine Hand, bevor ich sie wegziehen konnte, und ließ sie schnell wieder los.

„Hey", sagte sie sanft. „Ist schon gut. Wir alle haben unsere Probleme."

Genau in diesem Moment hatte ich die Chance, Marcy

als Freundin zu gewinnen. Als wirkliche Freundin. Ich habe schon so oft kurz vor etwas gestanden, und fast immer war ich zurückgeschreckt. Sobald die Wahrheit eine Tür öffnen konnte, log ich. Sobald ein Lächeln eine Verbindung tiefer werden lassen konnte, wandte ich das Gesicht ab.

Aber dieses Mal, überraschend für mich und wahrscheinlich auch für sie, tat ich es nicht. Ich lächelte sie an. „Erzähl mir von deinem Date gestern Abend."

Und das tat sie. So detailliert, dass ich rot wurde. Das war die schönste Mittagspause, die ich je hatte.

Als es Zeit war, zurück in unsere Büros zu gehen, hielt sie mich kurz zurück. „Ich finde, du solltest irgendwann mal mitkommen."

Ich gestattete ihr, wieder meine Hand zu drücken, weil sie so ernsthaft wirkte und weil wir so viel Spaß miteinander hatten. „Klar."

„Wirklich?", kreischte sie, und aus dem Händedruck wurde eine spontane Umarmung, bei der mein ganzer Körper sich versteifte. Marcy klopfte mir auf den Rücken und trat einen Schritt zurück. Falls ihr aufgefallen war, dass ich mich bei der Umarmung in einen Holzklotz verwandelt hatte, so erwähnte sie es nicht. „Gut."

„Gut." Ich nickte lächelnd.

Ihre Begeisterung war ansteckend, und es war lange her, dass ich eine Freundin gehabt hatte. Später, an meinem Schreibtisch, ertappte ich mich dabei, wie ich vor mich hin summte.

Doch Euphorie hält auch unter den besten Umständen nicht lange an, und als ich später meine Wohnungstür aufschloss und den Anrufbeantworter blinken sah, löste sich meine Hochstimmung sofort in Luft auf.

Ich werde nicht oft zu Hause angerufen. Sprechstundenhilfen, Telefonmarketing, falsch verbunden, mein Bruder Chad … und meine Mutter. Die blinkende Vier schien sich über mich lustig zu machen, während ich die Post auf einen Tisch fallen ließ und den Schlüssel an einen kleinen Haken neben der Tür hängte. Vier Nachrichten an einem Tag? Die mussten alle von ihr sein.

Seine eigene Mutter zu hassen ist ein derartiges Klischee, dass Komiker auf der Bühne damit ihr Publikum zum Lachen bringen. Psychiater bauen ihre komplette Karriere darauf auf, diesen Hass zu diagnostizieren. Die Grußkartenindustrie stochert in dieser Wunde und verursacht bei den Kunden ein derart schlechtes Gewissen, dass sie freiwillig fünf Dollar für ein Stück Papier bezahlen, auf denen ein paar nette Worte stehen, die sie nicht selbst geschrieben haben und ein Gefühl beschwören, das sie nicht kennen.

Ich hasse meine Mutter nicht.

Ich habe es versucht, wirklich. Denn wenn ich sie hassen würde, könnte ich sie vielleicht endlich aus meinem Leben verbannen, fertig mit ihr sein, den Schmerzen, die sie mir zufügt, ein Ende bereiten. Doch die traurige Tatsache ist, dass ich nicht gelernt habe, meine Mutter zu hassen. Das Beste, was mir gelingt, ist, sie zu ignorieren.

„Ella, nimm ab."

Die Stimme meiner Mutter klang wie ein Nebelhorn, das voller Verachtung die anderen Schiffe warnt, auf Abstand zu mir zu bleiben, dem Grund all ihrer Enttäuschung. Ich kann sie nicht hassen, aber ich kann ihre Stimme hassen und dass sie mich Ella und nicht Elle nennt.

Ella ist der Name für ein Waisenkind, das sich in der Gosse

herumdrückt. Elle ist viel eleganter. So heißt eine Frau, die von den Leuten ernst genommen werden will. Sie besteht darauf, mich Ella zu nennen, weil sie weiß, dass mich das ärgert.

Bis zur vierten Nachricht hatte sie mir erklärt, wie wenig lebenswert das Leben mit einer so undankbaren Tochter wie mir sei. Dass die Tabletten, die der Arzt ihr verschrieben hatte, nicht halfen. Wie peinlich es sei, die Nachbarin Karen Cooper bitten zu müssen, für sie in die Apotheke zu gehen, wo sie doch eine Tochter hätte, die sich eigentlich um sie kümmern müsste.

Sie hat auch einen Mann, der für sie gehen könnte, aber auf diese Idee kam sie nie.

„Und vergiss nicht", ich schrak zusammen, als ihre Stimme plötzlich lauter wurde, „du hast gesagt, du würdest uns bald besuchen."

Daraufhin entstand eine kurze Pause, als ob sie überzeugt wäre, dass ich doch zu Hause war und sie nur lange genug zu warten bräuchte, bis ich aufgab. Dann klingelte das Telefon wieder. Resigniert nahm ich ab. Ich machte mir nicht die Mühe, mich zu verteidigen. Sie sprach volle zehn Minuten, bis ich endlich die Chance hatte, etwas zu sagen.

„Ich war bei der Arbeit, Mutter", erklärte ich, als sie kurz schwieg, um sich eine Zigarette anzuzünden.

Sie zischte verächtlich. „So lange!"

„Ja, Mutter. So lange." Es war zehn nach acht. „Ich fahre mit dem Bus nach Hause, das weißt du doch."

„Aber du hast doch dieses schicke Auto. Warum fährst du nicht damit?"

Ich wollte ihr nicht schon wieder sämtliche Gründe dafür aufzählen, warum ich zwar ein Auto besaß, aber trotzdem öffentliche Verkehrsmittel benutzte, was schneller und bequemer war. Sie hätte ja sowieso nicht hingehört.

„Du solltest endlich einen Ehemann finden", sagte sie, und ich unterdrückte ein Stöhnen. Die Tirade näherte sich ihrem Ende. „Wobei ich nicht weiß, wie dir das jemals gelingen soll. Männer mögen es nicht, wenn Frauen klüger sind als sie. Oder mehr Geld verdienen. Oder …", sie machte eine bedeutungsvolle Pause, „… nicht richtig auf sich achten."

„Ich achte auf mich, Mutter." Ich meinte das finanziell gesehen. Sie dagegen sprach von Maniküre und Kosmetikbehandlungen.

„Ella." Ihr Seufzen am anderen Ende klang sehr laut. „Du könntest so hübsch sein …"

Während sie sprach, sah ich in den Spiegel und betrachtete das Gesicht einer Frau, die meine Mutter nicht kannte. „Mutter. Es reicht. Ich lege auf."

Ich stellte mir vor, wie sie ihren Mund verzog, weil ihre einzige Tochter sie unfair behandelt hatte. „Gut."

„Ich rufe dich bald an."

Sie schnaubte. „Vergiss nicht, dass du mich bald besuchen wolltest."

Allein bei der Vorstellung tat sich ein Abgrund vor mir auf. „Ja, ich weiß, aber …"

„Du musst mit mir zum Friedhof gehen, Ella."

Die Frau in dem Spiegel sah erschrocken aus. Dabei war ich gar nicht erschrocken. Ich fühlte gar nichts. Egal was mein Spiegelbild zeigte.

„Ich weiß, Mutter."

„Bilde dir nicht ein, dass du dich dieses Jahr wieder herausreden kannst …"

„Auf Wiederhören, Mutter."

Während sie noch weiterquakte, legte ich auf und wählte umgehend eine andere Nummer. „Marcy, hier ist Elle."

Marcy reagierte Gott sei Dank erfreut, als ich ihr Angebot annahm, mit ihr nach der Arbeit auszugehen. Und genau diese Reaktion brauchte ich. Bei zu viel Begeisterung hätte ich es mir vielleicht noch einmal anders überlegt, bei zu wenig gleich alles wieder zurückgenommen.

„Blue Swan", sagte sie mit fester Stimme, als würde sie mir die Hand reichen, um mir über eine schwankende Brücke zu helfen. Und im Grunde war es auch so. „Kleiner Laden, aber die Musik ist gut, und die Leute sind ganz unterschiedlich. Außerdem ist es nicht zu teuer und kein Anmach-Schuppen."

Wie süß von ihr, dass sie nach wie vor glaubte, ich hätte Angst vor Männern. Sie konnte ja nicht wissen, dass ich früher einmal mit vier verschiedenen Männern in ebenso vielen Tagen geschlafen hatte. Sie wusste nicht, dass es nicht der Sex war, vor dem ich mich fürchtete. Ihre Freundlichkeit ließ mich lächeln, und wir beschlossen, am Freitag nach der Arbeit dorthin zu gehen. Warum ich meine Meinung geändert hatte, wollte sie gar nicht wissen.

Ich legte auf und starrte noch immer die Frau im Spiegel an. Sie sah aus, als würde sie jeden Moment in Tränen ausbrechen. Sie tat mir leid, diese Frau mit dem dunklen Haar, diese Frau, die immer nur Schwarz und Weiß trug. Die hätte hübsch sein können, wenn sie nur mehr auf sich geachtet hätte, wenn sie nur nicht so intelligent wäre und so viel Geld verdiente. Sie tat mir leid, aber ich beneidete sie, weil sie zumindest weinen konnte und ich nicht.

2. KAPITEL

Eine Gestalt in Schwarz erwartete mich, als ich am frühen Donnerstagabend, ausnahmsweise zeitiger als sonst, von der Arbeit kam. Schwarzes Sweatshirt, die Kapuze über das schwarz gefärbte Haar gezogen. Schwarze Jeans und Turnschuhe. Schwarz lackierte Fingernägel.

„Hi Gavin." Ich steckte den Schlüssel ins Schloss, und er stand auf.

„Hi Miss Kavanagh. Kann ich Ihnen beim Tragen helfen?"

Er nahm mir die Tüte aus der Hand, bevor ich protestieren konnte, und folgte mir hinein. Dort hängte er sie ordentlich an den Haken neben der Tür. „Ich bringe Ihnen Ihr Buch zurück."

Gavin wohnte nebenan. Seine Mutter hatte ich noch nicht kennengelernt, aber ich sah sie oft, wenn sie zur Arbeit ging. Und ich hörte gelegentlich Stimmen durch die Wand, weshalb ich meinen Fernseher auch nie zu laut stellte.

„Hat es dir gefallen?"

Er zuckte mit den Schultern und legte das Buch auf den Tisch. „Nicht so gut wie das erste."

Ich hatte ihm *Der Ritt nach Narnia* von C. S. Lewis ausgeliehen. „Viele Leute haben nur *Der König von Narnia* gelesen, Gav. Möchtest du das nächste auch?"

Der fünfzehnjährige Gavin sah aus wie ein typischer Möchtegern-Gothic mit seinen Jack-Skellington-Klamotten und dem dick aufgetragenen Kajal. Dabei war er ein ganz netter Junge, der gerne las und viele Freunde zu haben schien. Vor etwa zwei Jahren tauchte er an meiner Tür auf, um zu fragen, ob er meinen Rasen mähen dürfe. Da ich nur ein kleines Stückchen Rasen von der Größe eines Kleinwagens habe, brauchte ich eigentlich keinen Gärtner. Weil er so ernsthaft wirkte, heuerte ich ihn aber trotzdem an.

Inzwischen half er mir dabei, Tapeten herunterzureißen und den Boden abzuschleifen, und er lieh sich Bücher aus. Er war still, höflich und viel fröhlicher, als ein Gothic-Kid eigentlich sein dürfte. Und er war sehr geschickt darin, den restlichen Kleister abzukratzen, nachdem wir Tapetenschichten der letzten zwanzig Jahre von meinen Esszimmerwänden gerissen hatten.

„Ja, klar. Ich bringe es Ihnen am Montag zurück."

Gavin folgte mir in die Küche, wo ich eine Schachtel mit Schokokeksen auf den Tisch stellte. „Bring es mir zurück, wann immer du magst."

Er nahm sich einen Keks. „Brauchen Sie heute Abend bei den Tapeten noch Hilfe?"

Wir sahen einander an, und ich blinzelte. Er sah erschrocken aus. Ich musste mich wegdrehen, um ihn mit meinem Lachen nicht zu beleidigen.

„Ich bin fertig", gelang es mir, zu antworten. „Allerdings könnte ich Hilfe beim Spachteln einer Wand brauchen, wenn du magst."

„Klar, klar." Er klang erleichtert.

Ich steckte eine Tiefkühlpizza in den Ofen. „Und wie geht es dir, Gav? Ich habe dich schon seit ein paar Tagen nicht mehr gesehen."

„Oh. Meine Mom … sie heiratet wieder."

Ich nickte und deckte den Tisch mit Tellern und Gläsern. Wie sprachen meist nicht sehr viel, Gavin und ich, was uns beiden nur recht war. Er half mir dabei, mein Haus zu renovieren, und ich entlohnte ihn mit Keksen und Pizza, mit Büchern und einfach mit einem Ort, wo er hingehen konnte, wenn seine Mutter nicht da war, was recht oft der Fall zu sein schien.

Ich gab ein unverbindliches Murmeln von mir, während ich Milch in die Gläser füllte. Gavin nahm zwei Servietten aus dem Küchenschrank und wusch sich die Hände, bevor er sich setzte. Sein schwarzer Nagellack war abgesplittert.

„Sie sagt, der Typ wäre der Richtige."

Nachdem ich geriebenen Käse und Knoblauchpulver auf den Tisch gestellt hatte, warf ich ihm einen Blick zu. „Das ist schön für sie."

„Ja." Er zuckte die Achseln.

„Werdet ihr umziehen?"

Seine dunklen Augen in dem bleichen Gesicht wurden groß. „Ich hoffe nicht!"

„Das hoffe ich auch. Mein komplettes Esszimmer muss noch gestrichen werden." Ich lächelte ihn an, und nach kurzem Zögern lächelte er zurück.

Man musste nicht Gedanken lesen können, um zu ahnen, dass ihn etwas quälte, und auch nicht gerade ein Genie sein, um zu wissen, was. Ich hätte mich nun als Mentorin aufspielen, ihm verständnisvolle Fragen stellen können. Aber wir hatten keine solche Beziehung, in der man sich gegenseitig das Herz ausschüttete. Er war der Nachbarsjunge, der mir beim Renovieren half. Ich weiß nicht, was ich für ihn verkörperte, aber mit Sicherheit nicht seine Therapeutin.

Die Uhr am Ofen klingelte, und ich legte brutzelnde Pizzastücke auf die Teller. Er streute Knoblauchpulver darüber, ich geriebenen Käse. Beim Essen diskutierten wir über das

Buch, das ich ihm geliehen hatte und über unsere Lieblings-Krimiserie im Fernsehen. Wir fragten uns, ob in der nächsten Folge der Name des Mörders verraten werden würde. Später räumten wir zusammen die Geschirrspülmaschine ein, und Gavin warf die Pizzareste weg. Als ich umgezogen aus dem ersten Stock wieder nach unten kam, hatte er bereits die Folie auf dem Boden ausgebreitet und eine Dose mit Voranstrich-mittel geöffnet.

Dann hörten wir Musik und malten einige Zeit vor uns hin, bis er nach Hause gehen musste. Zuvor durchstöberte er meine Bücherregale und suchte sich ein weiteres Buch aus.

„Worum geht es hier?" Er hob die ramponierte Ausgabe von *Der kleine Prinz* in die Höhe.

„Um einen kleinen Prinzen aus dem All." Das war die leichte Antwort. Jeder, der diese Geschichte von Antoine de Saint-Exupéry gelesen hat, weiß, dass es um viel mehr geht.

„Cool. Darf ich das auch mitnehmen?"

Ich zögerte. Das Buch war ein Geschenk gewesen. Zugleich stand es aber auch seit Jahren im Regal und setzte Staub an, ohne dass ich es auch nur eines Blickes gewürdigt hatte. „Sicher."

Da grinste er mich zum ersten Mal an diesem Abend an. „Toll. Danke, Miss Kavanagh!"

Nachdem er gegangen war, starrte ich einen Moment auf die leere Stelle in dem Regal, bevor ich anfing aufzuräumen.

In dieser Nacht träumte ich von einem Raum voller Rosen und wachte keuchend mit weit aufgerissenen Augen auf. Zwar verscheuchte ich den Traum, indem ich das Licht anknipste, aber gegen die Dunkelheit meiner Gedanken konnte es nichts ausrichten. Ein paar Minuten blieb ich liegen, bevor ich mich geschlagen gab und nach dem Telefonhörer griff.

„Haus der Lust."

Ich musste lächeln. „Hallo Luke."

Ich habe den Liebhaber meines Bruders nie kennengelernt. Die beiden leben in Kalifornien, eine ganze Welt entfernt von meinem sicheren Nest in Pennsylvania. Chad kommt nie nach Hause. Und ich hasse es, zu fliegen. Insofern hat ein Treffen bisher nicht stattgefunden.

Trotzdem waren wir einander nicht fremd, und seine nächsten Worte wärmten mich von innen. „Wie geht es meinem Mädchen?"

„Mir geht's gut."

Luke schnalzte mit der Zunge, sagte aber nichts weiter. Kurz darauf war Chad am Apparat und benahm sich weniger rücksichtsvoll.

„Hier ist es schon nach Mitternacht, Süße. Was ist los?"

Chad ist mein jüngerer Bruder, was allerdings niemand glauben würde, so wie er mich bemuttert. Ich kuschelte mich tiefer in mein Kissen und zählte die Risse in der Decke. „Ich kann nicht schlafen."

„Schlecht geträumt?"

„Ja." Ich schloss die Augen.

Er seufzte. „Was ist los, Mäuschen? Hackt deine Mutter wieder auf dir herum?"

Ich wies ihn nicht darauf hin, dass es sich dabei auch um seine Mutter handelte. „Sie hackt nicht mehr als sonst auf mir herum. Sie will, dass ich mit ihr gehe."

Ich musste ihm nicht sagen, wohin. Chad gab einen empörten Ton von sich, ich konnte mir sein Gesicht genau vorstellen und musste lächeln – und das war ja schließlich der Grund, weshalb ich ihn angerufen hatte.

„Sag der alten Hexe, dass sie dich verdammt noch mal in Ruhe lassen soll. Sie kann selbst fahren, wohin zur Hölle sie auch immer will. Sie soll endlich ihre gemeinen Klauen von dir lassen."

„Du weißt genau, dass sie nicht fahren kann, Chaddie."

Er ließ eine Tirade von Flüchen und farbenfrohen Beleidigungen los.

„Deine Kreativität und deine Vehemenz sind beeindruckend", erklärte ich ihm. „Du bist ein wirklicher Meister der Beschimpfungen."

„Und, geht es dir jetzt besser?"

„Wie immer."

Er schnaubte. „Was gibt es sonst noch?"

Ich dachte an den Mann, den ich im *Sweet Heaven* getroffen hatte. „Nichts."

Chad schwieg, um mir die Gelegenheit zu geben, noch etwas hinzuzufügen, und als ich es nicht tat, schnaubte er erneut. „Ella, Baby, Süße, Schnuckel. Bei dir ist es mitten in der Nacht, und du rufst mich doch bestimmt nicht an, um über die alte Hexe zu sprechen. Da ist noch etwas. Raus damit."

Ich liebe meinen Bruder von ganzem Herzen, aber ich konnte ihm auf keinen Fall von meiner lüsternen Fixierung auf einen Fremden erzählen, der einen Hang zu merkwürdigen Krawatten und schwarzen Lakritzen hatte. Manche Dinge sind einfach zu persönlich, um sie mit jemandem zu teilen, nicht einmal mit jemandem, der deine dunkelsten Geheimnisse kennt. Ich murmelte etwas über die Arbeit und mein Haus, was er als Antwort nur zögerlich akzeptierte, aber immerhin.

Danach sprachen wir über seine Arbeit in einem Altenheim, von seinen Plänen, Lukes Familie zu treffen und über den Hund, den die beiden sich anschaffen wollten. Er führte ein angenehmes kleines Leben, mein Bruder. Guter Job. Hübsches Haus. Ein Partner, der ihn liebte und unterstützte. Ich entspannte mich, während er sprach, mein Körper verschmolz mit dem Bett, und so langsam bekam ich den Eindruck, doch wieder einschlafen zu können.

Als er die Bombe platzen ließ.

„Luke möchte Kinder." Seine Stimme war zu einem Flüstern geworden.

Ich mag ja gelegentlich ein wenig eigenartig sein, aber selbst ich wusste, dass die angemessene Antwort auf diese Bekanntmachung nicht lautete: Was zum Teufel soll das?, sondern eher: Oh, das klingt gut.

Ich sagte nichts von beidem. „Was möchtest *du* denn, Chaddie?"

Er seufzte. „Keine Ahnung. Er meint, ich wäre ein wunderbarer Vater. Ich bin mir da nicht so sicher."

Ich hatte keinen Zweifel daran, wusste aber auch, warum ihm die Vorstellung Angst machte. „Du hast sicher viel Liebe zu geben."

„Ja, aber Kinder … Kinder brauchen auf jeden Fall jede Menge … davon."

„Stimmt."

Wir schwiegen eine Weile, durch die Entfernung getrennt, aber in unseren Gefühlen vereint. Schließlich räusperte er sich. Als er wieder sprach, klang er wie immer.

„Wir denken ja bisher nur darüber nach. Ich bin der Meinung, wir sollten uns erst mal diesen Hund anschaffen. Sehen, wie wir damit zurechtkommen."

Nicht einmal für ein Haustier würde ich die Verantwortung übernehmen wollen.

„Wird schon werden, Chad. Und egal, wofür du dich entscheidest, du weißt, dass ich immer für dich da bin."

„Tante Ella." Er lachte.

„Tante Elle", korrigierte ich ihn.

„Elle", bestätigte er. „Ich hab dich lieb, mein Hasenschnäuzchen."

Das war einer seiner groteskeren Kosenamen, aber ich wollte nicht mit ihm zanken. „Ich hab dich auch lieb, Chad. Gute Nacht."

Nachdem wir aufgelegt hatten, begann ich zu grübeln. Ein Kind? Mein Bruder ... ein Vater?

Mit dem Bild von lachenden Babys vor Augen schlief ich wieder ein, und das war bedeutend angenehmer, als rote Rosen zu sehen.

Der Freitag kam schneller, als ich erwartet hatte. Das *Blue Swan* kannte ich nicht, aber es war dort genau so, wie Marcy gesagt hatte. Man hatte eher das Gefühl, in einem intimen kleinen Café mit Tanzfläche zu sein, Dancefloor-Musik, angenehmes blaues Licht, weiche Sofas, eine interessante Auswahl an Drinks, und an der schwarz gestrichenen Decke blinkten Sterne.

Marcy stellte mich ihrem neuen Freund vor, Wayne. Er sah aus, wie man als leitender Angestellter aussieht, mit Hundert-Dollar-Haarschnitt und schicker Designerkrawatte, einfarbig, ohne Totenköpfe und gekreuzte Knochen. Er schüttelte mir die Hand und, das muss man ihm lassen, nahm meine

Brüste nicht übertrieben unter die Lupe. Er bezahlte sogar meine erste Margarita.

Marcy grinste. „Willst du es mal so richtig krachen lassen, Elle?"

„Ach, ein Drink ist schon in Ordnung. Nicht jeder ist so 'ne kleine Schnapsdrossel wie du, Babe." Was wie eine Beleidigung hätte klingen können, klang aus Waynes Mund liebevoll, er hatte den Arm hinter ihr auf die Lehne gelegt und spielte mit ihren langen Locken. „Glaub mir, Elle, wir werden Marcy später raustragen müssen."

Marcy schnitt eine Grimasse und verpasste ihm einen Stoß, wirkte jedoch überhaupt nicht verärgert. „Hör gar nicht hin."

„Hey, solange du mich hinterher flachlegst", sagte Wayne, „ist es mir völlig egal, wie betrunken du bist …"

Diesmal schlug sie ihn schon ernsthafter. „Hey!"

Sie warf mir einen entschuldigenden Blick zu, aber ich zuckte mit den Schultern, nicht so verlegen, wie sie offenbar erwartete. In Wahrheit trank ich viel zu gern, als dass ich eine ernsthafte Trinkerin sein könnte. Mir gefiel das Gefühl, alles zu vergessen, selbst mein stetiges Bedürfnis, zu zählen und zu rechnen wurde davon verjagt.

Alkohol ist die Schlinge, an der mein Vater sich nach wie vor versucht aufzuhängen. Ich kann verstehen, warum er das tut. Ich meine, immerhin ist er mit meiner Mutter verheiratet. Und nun, als Rentner mit Mitte sechzig, ist der Alkohol Beruf und Hobby zugleich, vielleicht auch sein Schutzschild. Ich weiß es nicht. Wir sprechen nicht darüber. Wir sind nicht die einzige Familie, die alles Mögliche unter den Teppich kehrt, aber wen interessieren schon andere Familien, wenn man mit seiner eigenen auskommen muss?

„Also, du bist eine Kollegin von Marcy?" Damit sammelte Wayne noch mehr Pluspunkte, denn die Frage klang ehrlich interessiert.

„Ja. Marcy ist zwar in der Bilanzbuchhaltung und ich kümmere mich um die Buchführung großer Unternehmen, aber wir arbeiten für dieselbe Firma."

Wayne lachte. „Ich kümmere mich eher um Morde und Hinrichtungen."

„Wayne!" Marcy verdrehte die Augen. „Er meint …"

„Fusionen und Übernahmen, hab schon kapiert."

Wayne wirkte sehr beeindruckt. „Du kennst *American Psycho?*"

„Klar." Ich nippte an meinem Getränk.

„Wayne hält sich für Patrick Bateman", erklärte Marcy. „Allerdings ohne die ärgerliche Angewohnheit, Prostituierte mit einer Kettensäge aufzuschlitzen."

„Nun", entgegnete ich gedehnt, „niemand ist perfekt."

Dafür schenkte er mir ein Lächeln. „Du, Marcy, ich mag deine Freundin."

Sie sah mich an. „Ich auch."

Manchmal teilt man einen besonderen Augenblick mit jemandem, der nichts damit zu tun hat, wer man ist oder wie man lebt. Marcy und ich kicherten so mädchenhaft, wie ich es nicht gewohnt war, aber ich genoss es trotzdem. Wayne betrachtete uns abwechselnd, dann zuckte er angesichts unserer weiblichen Albernheit die Schultern.

„Auf Morde und Hinrichtungen", rief er begeistert und hob dabei sein Bierglas. „Und auf alles Materialistische und Oberflächliche."

Wir stießen miteinander an. Wir tranken. Wir unterhielten uns, obwohl wir über die Musik hinwegschreien mussten. Ich entspannte mich, der Alkohol und die Musik lockerten meine verkrampften Schultern.

„Jetzt bin ich dran", protestierte ich, als Wayne eine weitere Runde bestellen wollte.

Er hob die Hände. „Ich will keinen Streit. Meine Mutter hat mir beigebracht, dass Frauen immer recht haben. Also los, Miss Kavanagh, du kannst die nächste Runde besorgen. Ich bin Manns genug, um die Großzügigkeit einer Frau zu genießen."

„Oho!", rief Marcy. „Du meinst, du bist schon so angetrunken, dass du keine Lust mehr hast, zur Bar zu gehen."

Wayne zog sie zu sich für einen Kuss, der mir das Gefühl gab, ein Spanner zu sein. „Das auch."

Das war mein Stichwort, um sie eine Weile allein zu lassen. Ich musste sowieso mal aufstehen, um abzuschätzen, wie beschwipst ich schon war. Zwei Drinks machten mir inzwischen deutlich mehr zu schaffen als noch vor ein paar Jahren.

Als ich bei der Theke ankam, war gerade jemand zur Seite gerückt, und der Barkeeper schenkte mir umgehend seine Aufmerksamkeit. Ich wusste, dass er fürs Flirten genauso bezahlt wurde wie fürs Mixen von Getränken, und doch wurde mein ganzer Körper bei seinem Lächeln mit Wärme durchflutet. Ich bin genauso wenig immun gegen so etwas wie alle anderen Frauen. Ich lächelte zurück und bestellte zwei Bier und eine Flasche Wasser für mich.

„Das will sie gar nicht. Gib ihr einen Jameson."

Ich drehte nicht mal den Kopf, um den Mann zu sehen,

der mich seit drei Wochen im Geiste verfolgte, nickte nur, weil der Barkeeper auf mein Einverständnis wartete.

„Hallo", sagte der Mann aus dem *Sweet Heaven,* und jetzt drehte ich mich um.

„Hallo."

In den letzten Stunden war es richtig voll geworden, die Menschenmenge drückte uns aneinander. Mit einem verwirrenden Lächeln blickte er an mir herab. In dem blauen Neonlicht wirkten seine Augen dunkler, als ich sie in Erinnerung hatte.

„Wie schön, Sie hier zu treffen."

Meine Finger schlossen sich um das Whiskeyglas, aber ich trank nicht. „Ja."

Sein Blick wanderte über mein Gesicht wie ein Streicheln. Jemand stieß mich von hinten an, er ergriff meinen Arm knapp über dem Ellbogen, damit ich nicht stolperte. Er ließ nicht los.

„Wollen Sie den Whiskey nicht trinken?" Er deutete mit dem Kinn auf das Glas, ohne mich aus den Augen zu lassen.

„Ich habe schon zu viel getrunken."

Noch mehr Leute begannen von hinten zu schieben, wir wurden regelrecht aneinandergepresst. Er ließ die Hand meinen Arm hinunterwandern und legte sie auf meine Taille. Die Bewegung war so selbstverständlich, dass jeder Beobachter geglaubt hätte, wir würden uns seit Jahren kennen, eine Bewegung so unverhohlen, dass mir die Luft wegblieb.

„Ach so, Sie möchten ein braves Mädchen sein."

Jedem anderen Mann, der mich Mädchen genannt hätte, hätte ich auf den Fuß getreten und vielleicht mein Getränk ins Gesicht geschüttet. Doch in seinem Fall lächelte ich. Wir kamen einander noch näher wie zwei Magnete, ohne dass die Menge uns hätte schieben müssen.

„Hängt von Ihrer Definition des Wortes *brav* ab."

Seine Finger streichelten über meine Hüfte. „Flirten Sie mit mir?"

„Hätten Sie das gerne?"

„Möchten Sie tun, was ich gerne hätte?" Bei dieser Frage, in mein Ohr geflüstert, begann mein Puls zu hämmern.

Wir standen bereits Bauch an Bauch zusammen. Sein Atem streichelte über mein Ohr und meinen Nacken.

Ich nickte. „Ja."

„Ich möchte, dass Sie den Whiskey trinken."

Ohne zu zögern, trank ich das Glas aus. Er brannte in meinen Eingeweiden und schickte flüssiges Feuer durch sämtliche Adern. Er hatte sich nicht gerührt, nur seine Hand lag jetzt über meinem Steißbein.

„Machen Sie Ihr Haar auf."

Obwohl es ein Befehl war, klang es nach einer Bitte, und ich griff nach der Spange, öffnete sie und ließ mein Haar über die Schultern auf den Rücken fallen. Es streifte auch sein Gesicht, das noch immer sehr nah an meinem war.

„Tanzen Sie mit mir."

Um mir in die Augen zu sehen, wich er ein wenig zurück, sein Lächeln war jetzt weniger irritierend, sein Blick leuchtender. Hungriger. Er nahm seine Hand nicht weg.

„Das ist es ... was Sie wollen?" Meine Worte klangen schüchtern, was gar nicht in meiner Absicht gelegen hatte. Sie sollten heißblütig klingen und zugleich verspielt.

Er nickte ernst, starrte mich lange an, und ich sah nichts anderes mehr. Spürte nichts anderes mehr als die Stellen meines Körpers, die gegen seinen drückten.

„Ja, das will ich."

Also gab ich ihm, was er wollte. Auf der Tanzfläche war wenig Platz, aber die meisten tanzten sowieso nicht richtig. Sprangen vielleicht im Rhythmus auf und ab oder schlängelten den Körper, aber sie tanzten nicht.

Er zog mich in die Mitte, seine Hand lag auf meiner Hüfte, als wäre sie dafür gemacht. Sein Schenkel glitt zwischen meine Beine. Eine Unterhaltung war bei der dröhnenden Musik nicht möglich. Der Bass hämmerte seinen Rhythmus in meinen Magen, in meinen Hals, zwischen meine Beine. Die Menschenmenge wogte gegen uns wie das wilde Meer gegen Felsen.

Er lächelte nicht mehr, als ob es sich um eine ernste Sache handelte. Als ob er außer uns nichts wahrnehmen könnte, als ob seine Welt sich auf mich allein begrenzte. Ich erzitterte unter seinem Blick.

Als er die andere Hand etwas höherschob, fast unter meine Brust, erschrak ich ein wenig, sah auf, sah in diese Augen voller Licht und Dunkelheit und verlor mich darin.

Wir bewegten uns zusammen, meine Hand wanderte von seiner Schulter in seinen Nacken. Sein sandfarbenes Haar kitzelte mich. Die Wärme seiner Hand brannte sich durch meine Bluse. Hitze jagte durch meinen Bauch, da, wo wir uns aneinanderpressten.

Es war lange her, dass ich mit jemandem getanzt hatte, und eine Ewigkeit, seit mich ein Mann berührt hatte, seit ich mein eigenes Begehren in den Augen eines anderen widergespiegelt sah. Mir stockte der Atem, ich fuhr mir mit der Zunge über die Lippen, was er so aufmerksam beobachtete wie eine Katze, die eine Maus mit ihrem Blick fixiert.

Er rutschte mit der Hand höher meinen Rücken hinauf, um in mein Haar zu greifen. Zog meinen Kopf zurück und strich mit den Lippen über meinen Hals. Ich spürte, wie ich keuchte, konnte es aber nicht hören. Die Menschenmenge war jetzt wie ein einziger Körper, der sich zum lüsternen Beat der Musik bewegte. Ein einziges Wesen, in dessen Mitte wir uns befanden, so fest aneinandergepresst, dass ich nicht mehr wusste, wo ich aufhörte und er begann. Er berührte meine Brust durch den Stoff der Bluse. Ich blinzelte kurz und sah nichts als sein in Blau und Grün getauchtes Gesicht, über das die Farben im Rhythmus der Musik wischten.

Niemand achtete auf uns. Niemand sah uns. Wir waren Teil eines Ganzen geworden und blieben doch davon getrennt. Das Pärchen neben uns knutschte, während sie sich streichelten und drückten. Die Tanzfläche hatte sich in eine Orgie der Lust verwandelt, ich konnte es riechen, schmecken, ich sah es in seinen Augen und wusste, dass er es in meinen sah.

Schweiß lief mir den Rücken hinunter und schimmerte auf seiner Stirn. Nur noch Hitze und Rhythmus existierten. Sein Schwanz drückte sich fest gegen meinen Bauch, meine Lippen teilten sich, und er betrachtete meinen Mund, angestrengt, fast als ob er Schmerzen hätte.

Er strich über meinen Rücken und meinen Hintern, drückte mich gegen seine Erektion, und ich war verloren. Hatte mich in seinen Augen verloren, in seinen Berührungen, in der hämmernden Musik und meiner Lust. In meinem eigenen Begehren, das ich so lange geleugnet hatte und gegen das ich jetzt nicht länger ankämpfen konnte.

An einem kurzen Zucken seines Blicks erkannte ich den exakten Moment, in dem er meine Reaktion wahrnahm. Hätte er selbstgefällig gegrinst oder gezwinkert, wäre ich geflohen. Stattdessen kniff er die Augen ein wenig zusammen, auf seinem Gesicht malte sich ein Ausdruck der Entschlossenheit und hilflosen Bewunderung. Er sah mich an, als wäre es ihm egal, wenn die Musik niemals enden oder er niemals mehr eine andere Frau ansehen würde.

Er tastete über meinen Schenkel und schob meinen Rock ein wenig nach oben, bis er mit der Hand daruntergleiten konnte. Dann drückte er die Handfläche gegen mein Höschen. Wieder ein Wogen der Menge, und seine Finger glitten unter den seidigen Stoff in meine heiße Nässe.

Seine Augen weiteten sich ein klein wenig, seine Lippen öffneten sich zu einem lautlosen Stöhnen oder Keuchen. Ich zuckte zusammen, als er begann, meine Klitoris zu streicheln. Wenn die Menschen um uns herum nicht gewesen wären, wäre ich gestolpert. Die Berührung ging mir durch Mark und Bein. Ich klammerte mich an seinen Schultern fest, ich tat ihm weh, konnte es aber nicht ändern. Bei jedem Streicheln grub ich die Fingernägel tiefer in seine Haut.

Die ganze Zeit hatte er entschlossen und neugierig gewirkt, doch als er mich jetzt in Kreisen streichelte, sah er irgendwie … stolz aus. Ein anderes Wort fiel mir nicht ein, was kein Wunder war.

Denn für mich es gab auf der Welt nur noch diesen Mann. Seine Hände. Seine Augen. Sein Schwanz, der sich noch immer gegen meine Hüfte presste. Er leckte sich die Lippen, und meine feuchte Hitze unter seinen Fingern reagierte sofort. Wieder griff er in mein Haar und verhinderte so, dass ich zurückweichen konnte. Wir tanzten, jede Bewegung drückte mich gegen seine Hand, bis ich glaubte, es nicht mehr ertragen zu können.

Genau so hatte ich mich schon seit Wochen gefühlt. Atemlos, nach Erlösung suchend, nicht in der Lage, mich auf etwas anderes zu konzentrieren als auf das wunderschöne Gefühl zwischen meinen Beinen. Meine Brustwarzen zogen sich zusammen, sein Blick fiel auf sie.

Es war einfach unglaublich, unmöglich, und schließlich legte ich meine Hand auf seine Brust und schob ihn von mir. Ich konnte das nicht. Ich konnte nicht zulassen, dass ein Fremder mich mitten auf der Tanzfläche in den Himmel schickte, nicht so, so bin ich nicht …

Aber ich war kurz davor. Oh ja, ich war kurz davor, zu kommen, hier und jetzt, über den Rand zu kippen, so schnell und so heftig, dass ich glaubte, vor Lust ohnmächtig werden zu müssen.

Sein Atem fuhr heiß über meine Haut, als er an meinem Ohr knabberte und etwas flüsterte, was ich bei dem Lärm gar nicht hätte verstehen dürfen: „Komm."

Ich zersplitterte in tausend Teile, biss mir auf die Lippe, um den Schrei zu unterdrücken, der in meiner Kehle aufstieg. Das Blut pulsierte in meinen Ohren, meine Perle zuckte wieder und wieder, und jedes Mal stöhnte ich leise auf.

Er nahm mich fester in den Arm, hielt mich fest, während ich mich an seine Hand drückte, mit bebendem und zuckendem Körper. Er küsste mich zart aufs Kinn, seine Finger hörten auf, sich zu bewegen, seine Hand umhüllte mich nur noch genau richtig, behielt den Druck bei, ohne den übersensiblen Stellen Schmerz zuzufügen.

Ich versuchte zu atmen, was mir zunächst nicht gelang. Ich versuchte es erneut, und da atmete ich auch seinen Duft ein. Ich wusste, ich würde nie mehr in der Lage sein, blaue und grüne Neonlichter zu sehen, ohne an seinen männlichen Duft zu denken.

Ich war sicher, dass alle um uns herum wussten, was gerade geschehen war, doch niemand ließ sich etwas anmerken. Die Menge schwankte nach wie vor in ihrem eigenen orgiastischen Rhythmus. Der Mann, der vor mir stand, legte einen Finger unter mein Kinn und hob es an. Dann beugte er sich herab, um mich zu küssen. In letzter Sekunde drehte ich den Kopf weg, und seine Lippen landeten auf meiner Wange.

„Okay", sagte er, glaubte ich zumindest, denn er war bei der Musik kaum zu verstehen.

„Hey, pass verdammt noch mal auf, wo du hintrittst!"

„Pass du besser auf, Idiot!"

Zwei Tänzer waren zusammengestoßen. Mit erhobenen Fäusten und roten Gesichtern begannen sie eine andere Art von Tanz, der zu Blutvergießen und eingeschlagenen Zähnen führte.

Mein Partner zog mich am Ellbogen weg, weg von der Tanzfläche in eine kleine Nische. Ich sah mich nach Marcy und Wayne um und entdeckte die beiden lachend und küssend an der Theke.

In der Nische gab es eine halbkreisförmige Bank, er setzte sich neben mich. Inzwischen hatte mein Herzschlag sich beruhigt, meine Beine waren wieder fest, und ich konnte wieder frei atmen. Ich bestellte bei der Bedienung Mineralwasser mit einem Stück Zitrone. Er bestellte dasselbe.

Ich konnte ihn nicht ansehen, obwohl ich Sekunden vorher noch unfähig gewesen war, ihn nicht anzusehen. Eine Hitze, die nichts mit der Raumtemperatur zu tun hatte, kroch über meine Brust in den Hals hinauf bis in die Wangen.

Schon oft hatte ich Dinge getan, auf die eine Nutte stolz gewesen wäre, aber zumindest nie in der Öffentlichkeit. Niemals und auch nie mit jemandem, dessen Namen ich nicht kannte. Mit Fremden ja, Männern, die ich erst seit ein paar Stunden kannte, aber selbst wenn ich ihnen immer einen falschen Namen nannte, so wollte ich auf jeden Fall den ihren erfahren.

Ich schwieg, bis die Bedienung die Getränke brachte und jeder von uns einen Schluck getrunken hatte. Am liebsten hätte ich das kalte Glas an meine Stirn gedrückt, unterließ es aber. Ich saß steif auf der mit Kunstleder bezogenen Bank, mir überaus der Nähe seines Armes bewusst und der Tatsache, dass wir uns jederzeit hätten berühren können.

„Was war das?", fragte er.

Hier in der Nische musste er mich nicht anbrüllen, damit ich ihn verstand. Er musste sich auch nicht vorbeugen, um in mein Ohr zu raunen. Eine Zeit lang sagte ich nichts. Ich hatte den Eindruck, dass er mein Gesicht berühren oder einen Arm um meine Schulter legen wollte, und versteifte mich. Er streichelte mein Haar, strich es hinter meine Schulter und betrachtete mein Profil.

„Wie heißt du?"

So eine simple Frage, eine Frage, die man auf Cocktailpartys stellt und in Parks, eine internationale Frage, die ständig überall auf der Welt gestellt wird. Und vollkommen normal in einem Klub wie hier, in dem Namen und Telefonnummern ausgetauscht wurden wie Kochrezepte.

„Ich heiße Elle."

Daraufhin schwieg er, lange genug, dass ich aufgab und ihn ansah. Er lächelte und spielte mit einer Haarsträhne.

„Ich heiße Dan."

Er streckte eine Hand aus. Gut erzogen wie ich war, ergriff ich sie. Er zog mich zu sich heran.

„Freut mich, dich kennenzulernen, Elle."

„Danke für das Getränk. Ich sollte jetzt gehen."

Ich tat es aber nicht. Ich sah ihn an. Er sah mich an.

„Was war das?", fragte er wieder.

„Ich weiß nicht." Ich schüttelte den Kopf, mein Haar fiel wieder nach vorn.

„Möchtest du es herausfinden?" Er kam näher.

Jetzt berührten sich unsere Schenkel, er hielt meine Hand noch immer fest. Die Hitze seines Körpers drang durch meine Kleider, doch ich zitterte.

Ich kannte Erregung. Ich kannte Begehren. Lust. Aber das hier war etwas anderes, alles drei zusammen und noch etwas anderes. Dies war, als würde man wie Alice im Wunderland kopfüber in das Kaninchenloch stürzen, es war, wie am Rand einer Klippe zu stehen und sich auf den Sprung vorzubereiten, dies war nichts und alles auf einmal.

„Ja", murmelte ich. „Ich will es herausfinden."

Er nahm meine Hand, zog sie unter den Tisch und legte sie auf seinen Schoß. Vermutlich keuchte ich auf wie eine Jungfrau, die ich nun wirklich nicht war. Er drückte meine Handfläche auf die Ausbuchtung seiner Hose. Er war nicht so grob, meine Hand zu bewegen oder sich daran zu reiben. Er näherte sich erregend meinem Ohr. „Ich kenne dich schon immer, oder?"

Ich konnte nur nicken und die Augen schließen. Der Stoff seiner Hose fühlte sich weich unter meinen Fingern an. Ich bewegte die Hand, er zuckte zusammen, legte eine Hand in meinen Nacken und küsste mein Ohrläppchen. „Wer bist du?", fragte er heiser. „Ein Engel? Oder vielleicht … der Teufel?"

Ich drehte den Kopf, um ihm ebenfalls ins Ohr flüstern zu können. „Ich glaube weder an Engel noch an den Teufel."

Langsam streichelte ich ihn, sehr sanft, bog und streckte meine Finger so geringfügig, dass niemand etwas bemerken konnte. Er wurde härter. Erregter. Ich fuhr den Umriss seines Schwanzes nach, wanderte dann tiefer und liebkoste die weichere Wölbung darunter.

Der Griff um meinen Nacken verstärkte sich. „Du siehst aus wie eine Göttin, wenn du kommst. Wusstest du das?"

Sex lässt selbst den eloquentesten Menschen solchen Unsinn reden, aber das Schöne daran ist, dass Sex dafür sorgt, die wahre Bedeutung in diesen Worten zu erkennen, in Worten, die in jeder anderen Situation einfach nur lächerlich gewirkt hätten.

„Ich bin keine Göttin."

„Keine Göttin. Kein Engel. Kein Teufel." Sein nach Whiskey riechender Atem traf mich. Mit der Zunge liebkoste er mein Ohr, und ich erschauerte wieder. „Bist du ein Geist? Du kannst einfach nicht real sein."

Ich nahm seine Hand und legte sie auf mein Herz, das erneut wie wild zu schlagen begonnen hatte. „Ich bin real."

Mit dem Daumen strich er über meine Brustspitze, die sich sofort aufrichtete. Dann zog er die Hand weg und schob meine von seinem Schoß. Er rutschte auf der Bank ein wenig nach hinten. Das Haar hing ihm zerzaust in die Stirn. Sein Gesicht war ernst, das Neonlicht blinkte in seinen Augen.

Er griff in seine Hemdtasche, legte seine Visitenkarte auf den Tisch und schob sie in meine Richtung.

„Wenn ich das nächste Mal sehe, wie du kommst, will ich in dir sein."

Dann stand er auf und ließ mich allein.

3. KAPITEL

„Daniel Stewart." Sein Name war mit eleganten schwarzen Buchstaben auf das schwere cremefarbene Papier geprägt. Teuer, elegant und ohne jeglichen Hinweis auf den Humor, den er mir im *Sweet Heaven* gezeigt hatte. So viel und so wenig konnte man also von einer Visitenkarte ablesen.

Ich wartete eine Woche, bevor ich ihn anrief.

„Nächstes Mal", hatte er gesagt, als ob er keine Sekunde daran zweifelte, dass es ein nächstes Mal gab.

Diese schlichte Zuversicht stieß mich ab, aber noch mehr irritierte mich die Tatsache, dass ich mir ein nächstes Mal wünschte. Ich wollte ihn wiedersehen, ich wollte seine Hände auf mir spüren, wollte kommen, wenn er in mir war, so, wie er es gesagt hatte.

All das wollte ich, und es machte mir Angst. Seinen Namen zu wissen und was er arbeitete, ließ mich Nacht für Nacht schlaflos in meinem Bett hin und her wälzen. Trösten konnte ich mich nur mit meiner Hand, mit einem Finger, während ich mir sein Gesicht vorstellte und seinen Duft. Ich kam schnell, allein, keuchend und unerfüllt, und ich wusste, es würde ein nächstes Mal geben, auch wenn es sieben Tage dauerte, bis ich nachgab.

Seine Sekretärin nahm ab. Ich bildete mir ein, aus ihrer Stimme Selbstgefälligkeit, Neugier und Eifersucht herauszuhören. Trieb er es mit seiner Sekretärin? Hielt sie mich für seine Klientin, Kollegin, Schwester, Geliebte? Sie fragte nur nach meinem Namen und ob Mr. Stewart wisse, worum es ginge, und als ich Ja sagte, stellte sie mich ohne zu zögern durch.

„Elle." Seine warme Stimme war wie Honig, der in Tee

tropft. „Ich habe gerade an dich gedacht."

„Wirklich?"

Meine Bürotür war zum Glück geschlossen. Ich lehnte mich zurück, wickelte das Telefonkabel um den Finger und schloss die Augen.

„Wirklich."

„Und was hast du gedacht?"

„Ich dachte", antwortete er, und seine Stimme jagte mir einen Schauer über den Rücken, „dass du mich wohl nicht anrufst."

Darüber musste ich lächeln. Er hatte doch nicht wirklich daran gezweifelt? „Du wusstest, dass ich mich melden würde."

„Stimmt nicht. Ich dachte, du hättest mich vergessen."

„Habe ich nicht."

„Dann treffen wir uns heute zum Lunch."

Ich fand, es hatte keinen Sinn, Theater zu spielen. „Ja."

„Gut."

Er gab mir die Wegbeschreibung zu einem Restaurant, das ich kannte. Ich schrieb aber trotzdem, malte Buchstaben mit meiner zittrigen Hand. Schließlich legte ich auf, nicht mehr sicher, wie das Gespräch geendet hatte, und als ich auf das Blatt sah, entdeckte ich, dass ich wieder und wieder seinen Namen geschrieben hatte, in einer Handschrift, die einer Fremden zu gehören schien.

„Daniel Stewart. Daniel Stewart. Daniel Stewart."

Das Restaurant *La Belle Fleur* hatte einen protzigen Namen, aber trotzdem gutes Essen, außerdem befand es sich auf halbem Weg zwischen seinem und meinem Büro. Mit dem Taxi brauchte ich fünfzehn Minuten. Ich hatte meine Sekretärin gebeten, meine Nachmittagstermine zu verschieben.

„Miss Kavanagh?" Der Oberkellner lächelte mich an. „Sie sind mit Mr. Stewart verabredet?" Ich muss überrascht gewirkt haben, denn er fuhr mit gesenkter Stimme fort, als wollte er mir ein geheimes Rezept verraten: „Er hat Sie sehr genau beschrieben."

„Ah." Ich nickte. „Verstehe."

Der kleine Mann mit der perfekten Frisur und einem winzigen passenden Schnurrbart strahlte. „Hier entlang."

Ich hatte schon ein Dutzend Mal im *La Belle Fleur* gegessen. Die Atmosphäre war nett, das Essen ordentlich und nicht zu teuer, trotz der schicken Einrichtung. Ich entdeckte einige Gesichter, die ich kannte, und nickte ihnen lächelnd zu.

Mit jedem einzelnen Schritt besiegte ich meine zitternden Beine. Daniels Name hallte in meinen Kopf wider, während ich dem Oberkellner an den weiß gedeckten Tischen vorbei in einen kleineren Hinterraum folgte.

„Mr. Stewart hat einen Tisch im Raum Jolie reserviert."

Und da saß er, Daniel Stewart, an einem kleinen Tisch in der Ecke. Er stand auf, als ich eintrat. Er trug einen dunkelblauen Anzug, ein blassblaues Hemd und eine Krawatte mit einer Hula-Tänzerin darauf. Er kam mir nicht entgegen, machte keine Anstalten, mich zu berühren, und ich war zugleich erleichtert und enttäuscht.

„Hallo."

Nach allem, was er mit mir im *Blue Swan* angestellt hatte, war es albern, so schüchtern zu sein, und umso alberner, weil ich wusste, ich würde es ihn jederzeit wieder tun lassen. Wir starrten uns über den elegant gedeckten Tisch hinweg an, bis der Oberkellner sich räusperte und meine Aufmerksamkeit auf den Stuhl lenkte, den er für mich zurückgezogen hatte. Ich setzte mich. Dann starrten wir uns noch ein paar Sekunden an, bevor er schließlich sprach.

„Ich war nicht sicher, ob du kommen würdest."

Ich senkte den Blick, studierte jeden einzelnen Tropfen in meinem Wasserglas und sah wieder zu ihm auf. „Ich war mir auch nicht sicher."

„Ich nehme ein Glas Merlot", sagte Dan zum Kellner, der neben uns aufgetaucht war. „Und die Dame nimmt einen Cabernet. Und für uns beide Steak, Pommes frites und den Salat mit Hausdressing."

Dann lehnte er sich zurück und betrachtete mich, als ob er auf etwas wartete. Ich konnte mir vorstellen, auf was. Ich nippte an meinem Wasser, bevor ich es ihm zugestand. „Sollte ich mich jetzt geschmeichelt oder beleidigt fühlen, dass du davon ausgehst, zu wissen, was ich mag?"

„Ich weiß, was du magst, Elle." Sein Lächeln war ungezwungen.

„Tatsächlich?" Ich kannte dieses Spiel, ich hatte es schon zuvor gespielt. Ich gewann immer. Sie wussten nie, was ich wirklich wollte.

Dan nickte, seine Augen wanderten über mein Gesicht, als ob er sich jede Linie einprägen wollte. Und dann, ohne sich vorzubeugen oder auch nur die Stimme zu senken, sagte er in einem Ton, als ob er über das Wetter spräche: „Du willst, dass ich dich gegen eine Hauswand gedrückt nehme."

Ich sah ihn an, meine Finger umklammerten das Wasserglas. Rutschig. Kalt. Ich schluckte, mein Hals war trocken, aber ich trank nicht.

„Nach dem Essen", fuhr er fort, und in dieser Sekunde wusste ich, dass ich endlich den Richtigen gefunden hatte.

Wir unterhielten uns. Er hatte eine angenehme Art, Fragen zu stellen. Er drängte nicht, übte keinen Druck aus, verurteilte nicht. Er fragte mich nach meinem Job, meinen Hobbys und ging nicht mehr weiter darauf ein, was ich von ihm wollte oder nicht. Es spielte auch gar keine Rolle.

Nach einer Stunde war ich so erregt, dass nur das Überschlagen meiner Beine mir einen Schauer durch den Körper jagte. Meine Brustwarzen richteten sich unter meinem Satin-BH auf, der zwar verhinderte, dass man es sah, sie aber zugleich gnadenlos reizte. Ich war so nass, dass meine Schenkel übereinanderglitten. Meine Hände zitterten vor Lust, und ich ballte sie zu Fäusten, damit er es nicht bemerkte.

„Nun", sagte er, nachdem der Kellner abgeräumt und die Rechnung dagelassen hatte. „Du gehst jetzt auf die Toilette."

Sein Blick ließ mich nicht los. Nach einem Moment nickte ich. „Ja."

Dan lächelte. „Ich werde zahlen."

„Ja."

„Und du wartest auf mich, denn es ist das, was du willst."

Wieder sagte ich Ja, doch meine Stimme war so heiser, dass ich kaum zu verstehen war. Ich stand auf, einen Augenblick nicht sicher, ob meine Beine mich tragen würden. Ich hielt mich kurz an der Stuhllehne fest, legte die Serviette auf den Tisch, nahm meine Handtasche und lief dann durch einen kleinen Flur zur Toilette.

Ich lächelte einer Frau zu, die zwar mein Lächeln erwiderte, doch mein Gesicht musste etwas von meiner Anspannung zeigen, denn sie warf mir einen merkwürdigen Blick zu und wusch sich hastig die Hände. Ich wusch meine ebenfalls, nur um etwas zu tun, während ich wartete.

Mein Herz hämmerte laut in meinen Ohren. Ich spritzte mir Wasser auf Wangen, Hals und Handgelenke. Dann legte ich die Hände aufs Waschbecken und betrachtete mein gerötetes Gesicht im Spiegel.

Das ist das Gesicht einer Frau, die jeden Moment gevögelt wird, dachte ich absichtlich barsch, damit mir alles realer vorkam. *Er wird hier hereinkommen und dich vögeln, Elle.*

Meine Pupillen waren so groß, dass meine Augen ganz dunkel wirkten. Was machte ich hier eigentlich? Ich betrachtete meine Zunge, die über die Lippen fuhr, und stellte mir vor, wie er mich mit seiner Zunge schmeckte. Unwillkürlich musste ich stöhnen, was mir zwar peinlich war und mich doch umso mehr erregte.

Ich sah im Spiegel, wie er hereinkam. Der kleine Leberfleck auf seiner linken Wange befand sich nun auf seiner rechten, meine etwas höhergebogene rechte Augenbraue auf meiner linken Seite. Er umfasste meine Hüften, seine Daumen drückten sich in die beiden Grübchen, die er durch meine Bluse auf meinem unteren Rücken fand.

Er sagte nichts. Hätte er gesprochen, wäre ich zurückgewichen. Er sprach nicht. Er war dreist. Direkt. Und doch zeigte sein Gesicht im Spiegel wieder diese gemischten Gefühle, Lust und Bewunderung und ein klein wenig Stolz.

Er schob mich zu der letzten Kabine, der größten, und schloss die Tür hinter uns ab. Nun konnte ich ihn nicht mehr sehen, aber er ließ keinen Zweifel daran, was er wollte. Er zog meine Hände nach oben und drückte sie gegen die kalten

Keramikfliesen. Dann tastete er mit einer Hand unter meinen Rock, strich über die halterlosen Strümpfe, glitt zwischen meine Beine und begann mich zu streicheln.

Ich erbebte und drückte die Stirn gegen die Wand. Schloss die Augen und öffnete die Schenkel. Er spreizte sie noch ein wenig weiter, indem er sein Bein dazwischenschob. Seine Finger malten Kreise auf mein durchnässtes Höschen.

Ich hörte, wie ein Reißverschluss aufgezogen wurde. Jetzt griff er in meinen Slip und streichelte mich, als ob er überprüfen wollte, wie bereit ich für ihn war. Er biss in mein Ohrläppchen, und ich neigte den Kopf, um meinen Nacken zu entblößen. Mit der anderen Hand schob er meinen Rock nach oben. Meine Finger verkrampften sich, doch die glatten Fliesen boten keinen Halt. Ich atmete ein und ein und ein, vergaß völlig, auch wieder auszuatmen, bis ich die Luft schließlich mit einem langen, zittrigen Seufzen ausstieß.

„Du willst es."

Das war keine Frage, und doch verlangte er nach einer Antwort. „Ja."

Er schob einen Finger in mich, dann zwei, er streichelte mich innen und außen, ein Versprechen darauf, was er bald mit seinem Schwanz machen würde. Und ich drückte mich schamlos gegen seine Hand, um ihn so tief aufzunehmen, wie es nur ging.

„Meine Tasche", murmelte ich, fragte mich, ob er sich zieren würde, und bereitete mich darauf vor, sofort aufzuhören, falls es so war.

Er ließ mich los. Ich stöhnte eine Klage. Er lachte. „Gib mir eine halbe Minute, Elle", flüsterte er mir ins Ohr.

Ich hörte, wie meine Schlüssel klimperten, dann ein Rascheln, das Zerreißen von Papier und sein Stöhnen, als er das Kondom überzog. Er hielt kurz inne, ich spürte seinen heißen Atem im Nacken, und endlose Lust durchflutete meinen ganzen Körper, um sich in meinem Schoß zu sammeln. Selbst meine Fingerspitzen kribbelten. Wenn es dunkel gewesen wäre, hätte mein Körper vermutlich geleuchtet.

Er zog meinen Slip herunter und drückte sich an mich, strich mit seinem Schwanz über meinen Hintern, ging ein wenig in die Knie und fand meinen Eingang. Er tauchte in mich ein und stieß in mich.

„Verflucht", murmelte er und biss mir in die Schulter, um ein Stöhnen zu unterdrücken. Ich schrie leise auf, als er mich ausfüllte. Es war so lange her, dass ich fast zu eng war. Er packte meine Handgelenke und schob sie nach unten, bis ich mich ein wenig vorbeugen musste. Ich hatte nicht gedacht, dass er noch tiefer in mich dringen könnte, aber da sich der Winkel nun ein wenig verändert hatte, stieß er sanft an meinen Muttermund, und der leise Schmerz steigerte meine Lust nur noch mehr.

„Himmel, du bist so heiß", murmelte er. „Wie ein verdammter Heizofen."

Er begann sich zu bewegen. Zunächst langsam, dann schneller und härter. Mit einer Hand griff er um mich und streichelte meine Klit im Rhythmus zu seinen Stößen.

Die Tür zur Toilette wurde geöffnet. Dan hielt einen Moment inne, dann machte er quälend langsam weiter, während sein Finger sich schneller bewegte. Ich hörte, wie zwei Frauen ohne Pause miteinander plauderten, während sie nebeneinander auf die Toilette gingen. Eine von ihnen brauchte eine Ewigkeit, es hörte überhaupt nicht mehr auf zu plätschern, und ich musste ein Kichern unterdrücken. Meine Schultern bebten und ich begann langsam Sternchen zu sehen, während ich versuchte, Luft zu bekommen.

Dann lachte ich, und während ich lachte, bekam ich meinen Höhepunkt und drückte mich gegen seine Hand und seinen Schwanz.

Noch immer quasselnd, wuschen sich die beiden Frauen die Hände. Falls sie uns gehört hatten, achteten sie nicht weiter auf uns. Vielleicht waren wir wirklich leise genug gewesen, oder ihr eigenes Leben war so spannend, dass nichts ihre Aufmerksamkeit davon ablenken konnte. Ich weiß nur, dass ab der Sekunde, in der die Tür hinter ihnen ins Schloss fiel, Dan begann, mich ernsthaft zu vögeln.

Schnell und hart. Er krallte seine Finger so fest in meine Hüfte, dass ich hinterher einen blauen Fleck hatte. Mit der anderen Hand streichelte er mich nun nicht mehr, sondern hielt mich nur fest. Ich kam wieder, nicht ganz so heftig, aber nicht weniger schön, er vergrub die Zähne in meinem Nacken. Dann wanderten seine Lippen auf meiner Schulter, und er stieß einen gedämpften Schrei aus. Er begann in mir zu zucken, stieß noch einmal tief in mich, so heftig, dass meine Stirn gegen die Fliesen schlug.

Es tat weh, aber ich musste wieder lachen. Sex im wahren Leben ist anders als im Kino. Die Choreografie ist immer merkwürdig. Allerdings lachen die meisten Leute beim Sex nicht gern. Das verstehe ich nicht. Sex soll doch Spaß machen, oder nicht?

Dan drückte noch einmal zart meine Hüften, bevor er einen Schritt zurück machte. Mein Rock fiel herunter, und ich zog den Slip hoch. Er spülte das Kondom in die Toilette. Seine Bewegungen waren so sparsam und geschäftsmäßig, als ob er so etwas schon hundertmal zuvor getan hätte. Nun, vielleicht war es ja so.

„Ich habe bezahlt", sagte er – seine Stimme war auf einmal viel zu laut – und verließ die Kabine.

Was hatte ich denn erwartet? Im Spiegel sah ich dasselbe Gesicht, doch diesmal handelte es sich nicht um eine Frau, die gleich gevögelt werden würde, sondern die es bereits hinter sich hatte. Ich suchte in meinen Augen nach einem Hinweis, nach etwas, das mir zeigte, was ich fühlen sollte. Reue? Schuld? Befriedigung? Nichts davon fand ich in meinen Augen, nichts davon konnte ich fühlen. Ich musste nur ständig daran denken, wie ich gleichzeitig gelacht und einen Orgasmus bekommen hatte.

Noch eine Weile blieb ich am Waschbecken stehen, wusch mir die Hände und drückte mir ein feuchtes Papierhandtuch ans Gesicht. Dann richtete ich mein Haar, frischte mein Make-up auf und betupfte mich mit etwas Parfüm, um den Geruch von Sex zu übertünchen.

Der Parkplatz war leer. Ich trat in die Nachmittagssonne und setzte die Sonnenbrille auf. Eine Windbö zerrte am Saum meines Regenmantels.

„Hey."

Als ich mich umdrehte, entdeckte ich ihn vor der Tür. Er warf eine Zigarette auf den Boden und kam mit zwei Schritten auf mich zu.

„Du hast lange gebraucht", sagte er. „Ich dachte schon, du kommst überhaupt nicht mehr heraus."

Ich brauchte einen Moment, bis ich antworten konnte. „Ich wusste nicht, dass du auf mich wartest."

In seinen Augen blitzte etwas auf, das ich nicht deuten konnte. „Nein?"

Ich schüttelte langsam den Kopf.

„Wie kommst du nur darauf?"

„Schließlich hast du bekommen, was du wolltest. Und ich dachte, du müsstest zurück ins Büro."

Ich war mit dem Taxi in das Restaurant gefahren, doch die Bushaltestelle war nur eine Straße weiter. Ich lief los. Nach vier Schritten folgte er mir.

„Also ... du dachtest, ich hätte dich einfach da zurückgelassen?"

Ich nickte wieder, den Blick starr nach vorn gerichtet. Es stimmte. Ich hatte nicht damit gerechnet, dass er auf mich wartete, hatte geglaubt, er wäre längst verschwunden. Und erst als ich ihn entdeckte, begann ich mich zu schämen, denn mir wurde klar, dass er nicht nur einen schnellen Mittagsfick wollte, sondern auch noch ein Gespräch danach.

„Für so einen Typen hältst du mich also?" Er hatte die Angewohnheit, Fragen so zu betonen, dass sie keiner Antwort bedurften.

Ich musterte ihn. „Nun, Dan, ich weiß nicht, was für ein Typ du bist, aber wenigstens warst du vorsichtig. Das weiß ich zu schätzen."

Sein Gesicht verdüsterte sich, er packte mich am Ellbogen, als ich weitergehen wollte. „Elle ..."

Mit einer Heftigkeit, die man nicht missverstehen konnte, entzog ich mich seinem Griff. „Danke für das Mittagessen, Dan."

Diesmal ließ er mir sechs Schritte Vorsprung, bevor er mir folgte. „Glaubst du, das ist alles, was ich wollte? Hast du nichts anderes erwartet?"

Wie sollte ich ihm erklären, dass ich nicht nur nichts anderes erwartet hatte, sondern auch nichts anderes wollte. Zwanzig Minuten des Vergessens, zwanzig Minuten nicht nachdenken.

Mit zwei schnellen Schritten stand er vor mir. „Elle."

„Da kommt mein Bus." Ich konnte einfach einsteigen und zurück an die Arbeit gehen.

„Du steigst nicht in diesen Bus."

„Nein? Ich denke schon."

Da er vor mir stand, musste ich um ihn herumgehen. Doch er trat mir in den Weg, er lächelte nicht. Ich auch nicht.

„Elle", sagte er warnend. „Lauf nicht einfach weg."

Als es um Sex ging, hatte ich seinen Befehlston genossen, doch nun nicht mehr. „Ich laufe, wohin und wann ich will."

Der Busfahrer schlug sich auf Dans Seite und fuhr weiter. Ich starrte ihm wütend nach.

„Jetzt musst du mit mir sprechen", sagte er.

„Nein", erwiderte ich scharf. „Muss ich nicht. Hör zu." Ich wirbelte zu ihm herum. „Nur weil du es mir besorgen durftest, hast du noch lange nicht das Recht, mir zu sagen, was ich zu tun habe."

„Das habe ich doch auch gar nicht vor!" Er runzelte die Stirn. „Aber zumindest habe ich doch das Recht, dich davon zu überzeugen, dass ich kein Arschloch bin."

„Ich glaube auch gar nicht, dass du das bist."

Er kam näher. „Was bin ich dann?"

„Du bist ein Mann", entgegnete ich, es war mir egal, ob er das als Beleidigung auffasste oder nicht.

Doch Dan grinste. „Da bin ich aber ausgesprochen froh,

dass du das bemerkt hast."

Ich wollte sauer auf ihn sein. Und ich wollte ihn verachten. Doch es funktionierte nicht.

„Sieh mal", sagte ich schließlich. „Wir hatten ein nettes Mittagessen …"

„Allerdings."

„Und was danach passiert ist …"

„Auch nett. Wir haben das Dessert vergessen."

Ich zögerte. „Aber wir sollten uns nicht einreden, dass es mehr war. Okay?"

„Elle", sagte er ernst. „Wieso nicht?"

Die Bushaltestelle war nur wenige Schritte entfernt, ich hielt weiterhin darauf zu. Er folgte mir. Ich ging schneller.

„Warum nicht?", fragte er erneut und umfasste meinen Arm.

Diesmal riss ich mich nicht los. Ich ließ zu, dass er mich zu sich umdrehte. „Warum nicht?"

Tausend Erklärungen schossen mir durch den Kopf, aber ich sprach nur eine aus. „Weil ich so etwas nicht tue."

„Nimm die Sonnenbrille ab. Ich möchte deine Augen sehen, wenn wir uns unterhalten."

Ich seufzte geschlagen. Er studierte meinen Blick, als könnte er darin eine Antwort finden, einen Schlüssel, eine Schatzkarte. „Wieso nicht?"

Ich sah ihn einfach nur lange an, während der Verkehr an uns vorbeirauschte und die Vögel auf den Ästen der Bäume zwitscherten. „Ich mache so etwas einfach nicht."

„Was machst du nicht?" Sein Ton klang freundlich, die Worte waren nicht bedrohlich, aber ich konnte ihm nicht antworten. „Du verabredest dich nicht?"

„Nein, das tue ich nicht."

Er musterte mein Gesicht. „Aber du treibst es gern auf Toiletten."

Jetzt befreite ich meinen Arm. „Ich habe so etwas noch nie zuvor getan."

Diesmal war ich sicher, dass er mich gehen lassen würde, doch ich irrte mich.

„Ich möchte dich wiedersehen."

Ich ließ resigniert die Schultern sinken. „Warum, Dan?"

„Weil ich diesmal dein Gesicht nicht gesehen habe."

Und so einfach schlitzte die Lust mich auf wie ein Samuraischwert, ich schnappte nach Luft. Allerdings tarnte ich diese Empfindung mit einem Kopfschütteln und einem finsteren Blick. Als er leise meinen Namen murmelte, bewegten sich meine Füße nicht mehr, so als wären sie festgewachsen.

„Weil du das aufregendste Lachen hast, das ich je im Leben gehört habe. Und ich glaube, ich könnte es nicht ertragen, wenn ich nie wieder von dir hören würde."

Warum kann man Freundlichkeit so viel weniger trauen als Grausamkeit?

Ich wollte ihm nicht glauben. Ich wollte glauben, dass das nur leere Worte waren. Ich wollte weglaufen. Ich wollte all das, aber letztlich gelang mir nichts davon.

„Ich verabrede mich nicht." Selbst in meinen Ohren klang die Erwiderung lahm.

Dan grinste. „Dann verabreden wir uns eben nicht."

Ich bemühte mich, nicht zu lächeln. „Und was tun wir dann?"

„Was immer du magst, Elle", sagte Dan. „Was immer du willst. Du musst es nur sagen."

4. KAPITEL

Was immer ich wollte. Das war leicht gesagt, aber nicht leicht zu beantworten. Ich wusste nicht, was ich wollte. Ich wusste nur, dass ich nicht aufhören konnte, an ihn zu denken.

Marcy fing mich an der Kaffeemaschine ab. „Wohin bist du am Freitag verschwunden? Du hast uns sitzenlassen."

„Ich hatte plötzlich Kopfschmerzen." Die Lüge ging mir leicht von den Lippen. „Und ihr beide wart gerade so miteinander beschäftigt, dass ich mich einfach aus dem Staub gemacht habe."

Diese Antwort schien ihr zu genügen, sie begann sofort von ihrer Nacht mit Wayne zu erzählen. Welches Aftershave er benutzte. Welches Shampoo er bevorzugte. Wie er sein Frühstücksei am liebsten aß. Doch mitten im Satz brach sie ab und starrte mich an. „Was ist los?"

Ich erschrak, schenkte mir aber in aller Ruhe weiter eine Tasse Kaffee ein. „Nichts."

Ich wollte ihr nicht sagen, dass ich sie beneidete, und so ganz sicher war ich mir auch nicht. Ich hatte mich ja auch schon mal verliebt – mit katastrophalem Ausgang.

„Ist im *Blue Swan* irgendwas geschehen?"

Ich schüttelte den Kopf. „Nein, sollte es das denn?"

„Himmel, ja!" Marcy warf ihr blondes Haar zurück. „Natürlich sollte es. Aber es ist überhaupt nichts passiert? Nachdem wir uns an der Theke neue Getränke besorgt hatten, warst du verschwunden. Wir dachten, dass du vielleicht jemanden kennengelernt hast."

„Oh." Mein Lachen klang gezwungen. „Ich fürchte, nein."

Sie sah nicht überzeugt aus, aber ich schwieg eisern.

Dan wartete nicht so lange damit, mich anzurufen, wie ich.

„Hallo, Miss Kavanagh. Hier ist Daniel Stewart."

„Ja, Mr. Stewart. Wie kann ich Ihnen helfen?"

„Ich habe eine gute Kritik über den Film gelesen, der an diesem Wochenende im Allen-Theater läuft. Ich würde gerne einen Termin mit Ihnen vereinbaren, damit wir ihn zusammen sehen können."

„Einen Termin?" Ich war gerade dabei, das vom Frühstück übrig gebliebene Geschirr zu spülen. Ich klemmte den Hörer zwischen Kinn und Schulter.

„Ja. Wenn ich mich nicht irre, sagtest du, dass du dich nicht verabredest."

„Ah. Das ist tatsächlich ein sehr feiner Unterschied."

Ich stellte mir vor, wie er sich mit der Hand durchs Haar fuhr, vielleicht trug er Jeans und T-Shirt. Wahrscheinlich besaß er eine Ledercouch und einen riesigen Fernseher. Pflanzen, die von der Putzfrau gegossen wurden.

Ich beendete den Abwasch und setzte den Teekessel auf. „Gelegentlich verabrede ich mich doch." Das stimmte nicht ganz. Ich hatte schon lange kein Date mehr gehabt. Länger, als mein Verzicht auf Sex gedauert hatte, um ehrlich zu sein.

„Das letzte Mal hast du eine andere Geschichte erzählt. Das ist nicht fair."

„Das Leben ist nicht fair." Ich wischte den Tisch ab und platzierte den Serviettenhalter in der Mitte.

„Elle." Seine Stimme funktionierte auch durchs Telefon, sie streichelte mich von Kopf bis Fuß. Ich schloss erregt die Augen.

„Du willst mit mir ins Kino gehen."

Gegen den Küchenschrank gelehnt, dachte ich einen Moment nach. „Ja, das stimmt."

„Das ist gut." Offenbar war für ihn die Angelegenheit damit erledigt.

Wir gingen in einen künstlerisch wertvollen Film mit Untertiteln, dessen Handlung sich mir nicht ganz erschloss, was den Genuss aber nicht schmälerte. Danach aßen wir etwas Süßes im Café des Kinos, wo wir eine Runde Scrabble spielten und er Worte buchstabierte, die ihm den dreifachen Wortwert einbrachten. Anschließend tauschten wir Limericks aus, und es schien ihn zu beeindrucken, dass ich so viele kannte. Wir mussten so laut lachen, dass man sich nach uns umdrehte, aber das war mir egal. Obwohl ich es wollte, berührte er mich nicht.

Dann lud er mich auf ein Getränk in seine Wohnung ein. Ich willigte ein. Ich wollte sehen, wie er wohnte. Und ich wollte sein Bett sehen.

Dan servierte mir Guinness in einem großen Glas ohne Untersetzer, obwohl seine Möbel sehr neu aussahen. Dann machte er es sich ohne Umstände auf seiner Ledercouch bequem und stellte mir Fragen über den Film, als ob ihn meine Antworten wirklich interessierten.

Ich war nicht asozial. Schließlich musste ich mit Kunden umgehen, hielt Präsentationen, schüttelte Hände und machte Small Talk. Ich konnte das alles recht gut, auch wenn es mir nicht leicht fiel. Wahrscheinlich wirkte ich auf andere distanziert und eher arrogant als schüchtern. Ich war noch immer das Mädchen, das in der Klasse in der ersten Reihe sitzt und alle Fragen des Lehrers beantworten will. Nur hatte ich auf meinem Weg die meisten Antworten verloren.

Jetzt musste ich nicht allzu sehr nachdenken. Dan führte

mich gekonnt durch das Labyrinth dieses Gesprächs, es war, als hielte er mich an der Hand, damit ich nicht über die Risse im Gehsteig stolperte. Er sprach viel über sich selbst, aber nicht auf unangenehme Weise. Ich fand es angenehm, seinen Anekdoten aus der Highschoolzeit zu lauschen. Mit solchen Geschichten konnte ich nicht dienen, mit solchen normalen Geschichten, aber ich hörte sie immer wieder gern. Vielleicht hätte es mich bitter und neidisch machen sollen, aber so war es nicht. Ich beneidete ja auch nicht die Prinzessin im Märchen, die aus Stroh Gold spinnen konnte.

Wer jemals Zeit mit einem Menschen verbracht hat, der von jedem Wort, das man sagt, gefesselt zu sein scheint, weiß, wie berauschend das ist. Seine Augen fixierten meinen Mund, wenn ich sprach. Er hörte mir aufmerksam zu, verwickelte mich in ein Gespräch, holte Antworten aus mir heraus, über deren Ehrlichkeit ich mich selbst wunderte. Ich erzählte ihm von meinem Haus und meinem Job, von meiner Lieblingsfernsehsendung und dass ich alles aus Schokolade liebte, außer heiße Schokoladensoße.

Und das alles nur, indem er zuhörte. Dürstete ich so sehr nach Aufmerksamkeit, dass mir sein höfliches Benehmen einfach als viel mehr erschien? Nein. Es lag ausschließlich an ihm, an Dan, und an der Tatsache, dass er zuhörte, um mich besser kennenzulernen.

Ich war gerade mitten in einem Satz, als er sich vorbeugte, um mich zu küssen. Ich erschrak. Ich hatte nicht damit gerechnet und konnte nicht schnell genug das Gesicht wegdrehen. Seine Lippen waren weich und warm. Sie schmeckten salzig vom Popcorn. Er berührte mein Gesicht.

Ich konnte es nicht. Ich konnte ihn nicht auf den Mund

küssen, das war viel intimer, als mit ihm zu schlafen. Daher drehte ich mich zur Seite und beendete meinen Satz nicht.

„Nein?", fragte er.

„Nein."

Er streichelte meine Brust. „Aber das."

Ich sah ihm in die Augen. „Ja."

Sein Blick wurde hart. Er legte mir eine Hand in den Nacken, griff in mein Haar, zog meinen Kopf zurück und entblößte meinen Hals.

„Und das." Er presste die Lippen auf die Stelle, wo mein Puls klopfte und manchmal einen Schlag aussetzte.

Ich atmete schwer. „Ja."

Seine Lippen wanderten tiefer, verharrten auf meinem Schlüsselbein, der Griff in mein Haar wurde fester, und ich keuchte auf vor Schmerz und Lust. Er saugte meine Haut zwischen die Zähne, mit dem Daumen der anderen Hand streichelte er meine Brustwarzen, bis sie hart wurden. Dann fasste er mir zwischen die Beine.

„Und das."

„Ja …", seufzte ich.

„Steh auf."

Ich tat es.

„Zieh dich aus."

Mit zitternden Fingern begann ich, meine Bluse aufzuknöpfen. Angst und Leidenschaft kann man manchmal nicht voneinander unterscheiden. Ich zog die Bluse aus und ließ sie auf den Boden fallen, was ich allein niemals getan hätte.

Ich wollte das Begehren in seinen Augen sehen, wollte hören, wie er bei meinem Anblick aufstöhnte. Dan betrachtete mich mit undefinierbarem Gesichtsausdruck. Ich errötete.

Am liebsten hätte ich die Hände an meine Wangen gelegt, um sie zu kühlen. Stattdessen öffnete ich den Reißverschluss meines Rockes und ließ ihn ebenfalls auf den Boden fallen.

Ich trug hübsche Dessous darunter, Slip und BH aus schwarzer Spitze und Satin. Der BH hob meine Brüste und sorgte für ein aufregendes Dekolleté. Der Slip saß tief auf meiner Hüfte, war an den Beinen hoch ausgeschnitten und entblößte die Kurven meines Hinterns. Das Schwarz bildete einen starken Kontrast zu meiner blassen Haut, die ich niemals an die Sonne ließ, und ich wusste, er konnte durch den dünnen Stoff das noch dunklere Dreieck zwischen meinen Beinen sehen.

Während ich vor ihm stand, bemühte ich mich, nicht zu zittern, obwohl meine Beine vor Lust unter mir nachgeben wollten. Ich hatte mich schon öfter vor Männern ausgezogen. Hatte ihnen erlaubt, meinen Körper zu betrachten, meinen Bauch, meine Hüftknochen, die Größe und Form meiner Brüste zu beurteilen. Ich hatte mich vor ihnen bewegt, als wäre ich angezogen gewesen, ungehemmt, weil es einem Zweck diente.

Doch für Dan war ich mehr als Hintern und Schenkel und Brüste. Er betrachtete meinen Körper und kannte meinen echten Namen, er wusste, wie ich meinen Tee trank und wie mein Lachen klang. Vor ihm war ich ganz und gar nackt, weil ich ihm diese winzigen Intimitäten verraten hatte, die ich sonst mit niemandem teilte.

„Den Rest. Zieh dich ganz aus." Seine Stimme klang gepresst, und das gab mir Mut.

Diesen Teil kannte ich. Wie der flüchtige Anblick von Rosa Männer den Verstand verlieren lässt. Wir Frauen besitzen alle dieselben Körperteile, und doch hat mich bisher jeder Mann betrachtet, als hätte er noch nie zuvor eine Frau gesehen. Unsere Körper besitzen eine Macht, geheime und versteckte Stellen, die Männer immer und immer wieder erforschen wollen. Der Körper einer Frau birgt das Rätsel von Blut und Leben, nicht nur von Vergnügen.

Ich hakte meinen BH auf. Ich beobachtete ihn, wie er mich beobachtete, als ich die Träger über die Schultern rutschen und schließlich den BH auf den Boden fallen ließ.

Er lehnte sich zurück, sein Schwanz drückte gegen den Stoff seiner Hose. Nicht nur ich hatte ein heißes Gesicht, auch seine Wangen färbten sich rot, und er leckte sich über die Lippen.

„Der Slip."

Ich ließ die Daumen unter den Saum gleiten und schob den Slip langsam nach unten. Ich öffnete die Schenkel und wackelte mit den Hüften, schob den dünnen Stoff über den Hintern. Der Slip fiel auf den Boden, und nun stand ich vollkommen nackt vor ihm.

„Verdammt", murmelte er und fuhr sich durchs Haar. „Dreh dich um."

Ich gehorchte.

„Fass dich an."

Diese Aufforderung überraschte mich. Ich hielt meine Brüste und streichelte mit den Daumen die Spitzen, dann fuhr ich mit den Händen über meine Seiten nach unten, legte eine Hand auf das Dreieck zwischen meinen Beinen und presste einen Finger gegen meinen Schoß.

„Verflucht, bist du heiß."

Ich wurde noch röter. Sein Kommentar erregte mich.

„Elle", sagte Dan. „Sag, dass ich dich nehmen soll."

Das waren schlichte Worte für einen komplexen Vorgang.

„Oh", sagte ich mit heiserer Stimme. „Dan, ich will, dass du mich nimmst."

Ich glaube, ich habe noch nie etwas mehr gewollt. Niemals werde ich das Gefühl vergessen, als ich zum ersten Mal nackt vor ihm stand. Wie er meinen Körper als Ganzes betrachtete, zusammengehalten von all den kleinen Details, die ich ihm verraten hatte.

Er sprang ohne zu zögern auf, fasste mich an den Hüften und drückte die Lippen auf meinen Hals. Dann küsste er meine Schulter, ging ein wenig in die Knie, um meine Brüste zu erreichen. Seine Hände wanderten über meine Haut, legten sich über meine Pobacken, streichelten mich zwischen den Schulterblättern.

„Leg mir deine Arme um den Hals."

Ich gehorchte. Er hob mich hoch, was mich überraschte, denn ich bin keine kleine Frau, und er ist kein großer Mann. Es spielte keine Rolle. Ich schlang die Beine um ihn, der Stoff seines Hemdes rieb so köstlich an meinem Schoß, dass ich zu wimmern begann.

Er trug mich ins Schlafzimmer, trat die Tür hinter sich zu, dann legte er mich vorsichtig aufs Bett. Sein Körper bedeckte meinen, er küsste mich überall. Überall, nur nicht auf den Mund, weil ich ihn gebeten hatte, es nicht zu tun.

Gemeinsam öffneten wir seine Knöpfe weitaus weniger anmutig als vorher meine. Einer sprang sogar ab und knallte gegen die Wand. Seine Haut war weich, lockige Haare bedeckten die Muskeln, die sich unter meinen Fingern bewegten. Als ich in seine Hose fasste, half er mir, die Zähne in meiner Schulter vergraben.

Ich zuckte zusammen und verstärkte unversehens meinen Griff. Er fluchte wieder leise, setzte sich auf, zerrte die Hose und die Boxershorts herunter, und ich sah, wie perfekt sein Körper war. Nicht weil er keinen Makel hatte, sondern weil ich ihn so sehr begehrte, dass ich keinen entdecken konnte.

Er rollte sich auf mich, Haut an Haut, er war hart, wo ich weich war, rau, wo ich glatt war, schmal, wo ich Kurven hatte. Mann und Frau, Puzzleteilchen, die perfekt zusammenpassten.

Als er eine Brustwarze zwischen seine Lippen nahm, wölbte ich mich ihm entgegen. Kurz fuhr er mit der Zunge darüber, dann begann er zu saugen, das Ziehen reichte bis in meinen Bauch, mein Unterleib begann zu pochen. Er legte eine Hand zwischen meine Beine, drückte einen Finger zielsicher auf meine Klit und begann sie zu streicheln.

Ich fasste in sein Haar, in sein weiches Haar, und zog aus Versehen zu fest daran, er stöhnte an meiner Brust. Schnell lockerte ich den Griff. Er wanderte zur anderen Brustwarze, das Ziehen in meinem Bauch wurde heftiger, und ich schwoll unter seinem Finger an. Ich spürte, wie alles Blut in diesen kleinen Knopf voller Nerven schoss. Ich ließ mich treiben, gab mich ganz und gar hin, wartete auf das Vergessen.

Seine Erektion drückte sich fest an meinen Schenkel, er rieb sich an mir, ich dachte daran, wie er sich in mir angefühlt hatte, und stöhnte auf.

„Verdammt, du hast eine sexy Stimme."

Komplimente machen mich verlegen. Ich sah ihn an, nicht sicher, ob ich einen vollständigen Satz formen konnte. „Sei bitte still."

Grinsend bewegte er seine Hand weiter und sagte: „Sei du still!"

Ich schüttelte ein wenig den Kopf. Er betrachtete mich wieder mit diesem seltsam fragenden Blick, wie jemand, der ein Geschenk bekommen hat und nicht weiß, ob er es wirklich verdient.

„Elle", sagte er. „Diesmal will ich dein Gesicht sehen, wenn ich in dir bin. Möchtest du das auch?"

Ich nickte und spielte mit seinem Haar. „Ja."

Er griff in die Schublade seines Nachttischs, und ich war froh, dass ich ihn nicht bitten oder gar aufstehen musste, um meine Tasche zu holen. Ich wollte das Kondom nehmen, aber er schüttelte den Kopf. „Das mache ich besser selbst." Er bemerkte meinen Blick, denn er fuhr fort: „Es soll nicht schon vorbei sein, bevor wir überhaupt begonnen haben."

Seine Ehrlichkeit weckte in mir den Wunsch, auch ehrlich zu sein, ihm etwas Echtes zu geben. Dabei hatte ich ihm durch meine kleinen Enthüllungen schon mehr gegeben als jedem anderen zuvor, was er allerdings nicht wissen konnte.

Ich stützte mich auf einen Ellbogen, und wie der ganze Rest von ihm war auch sein Schwanz perfekt. Hübsch, glatt, von durchschnittlicher Größe und Farbe, aber irgendwie schön. Er zog das Kondom über, beugte sich wieder über mich, und ich spreizte die Beine und hob das Becken. Als er in mich eindrang, gab ich einen klagenden Laut von mir, er hielt kurz inne und legte seine Stirn an meine. Dann, ohne mich aus den Augen zu lassen, begann er wieder, sich in mir zu bewegen.

Er hatte gesagt, dass er mit mir schlafen wollte, aber dieses Wort kann so vieles bedeuten. Dan bewegte sich bedächtig, sanft. Ich schlang die Arme um seinen Hals und spürte, wie ich immer feuchter wurde. Unsere Körper arbeiteten perfekt zusammen. Haut an Haut, er bewegte sich, ich bewegte mich. Er gab, ich nahm. Er murmelte meinen Namen, ich antwortete mit seinem. Denn obwohl ich in der Lust Vergessen suchte, war mir immerzu bewusst, mit wem ich zusammen war. Und das war gut. Es war wichtig, wessen Lippen meine Haut küssten, wessen Hände mich streichelten, welcher Penis mich ausfüllte.

Plötzlich war es wichtig, und ich versteifte mich. Mein Herzschlag setzte aus.

Der Orgasmus einer Frau ist so fragil, er ist mindestens genauso abhängig von dem, was im Kopf geschieht, wie davon, wie der Körper reagiert. Obwohl ich kurz vor dem Höhepunkt war, verließ mich plötzlich die Lust, als mir klar wurde: Ich hatte ihn hineingelassen.

Dan konnte natürlich nicht wissen, dass Sex für mich auf einmal kompliziert wurde, nur weil ich ihm verraten hatte, wie ich heiße und wie ich meinen Tee trank. Schließlich hatte ich ihm erlaubt, mich auf der Toilette zu vögeln. Er konnte also nicht wissen, dass ich zwar Sex zuließ, aber keine Intimität. Das alles konnte er nicht wissen, doch nun sah er mich an, als verstünde er mich.

„Ist schon gut", sagte er mit fester Stimme. „Elle. Es ist gut."

Dann drehte er sich, ohne dass unsere Körper sich voneinander lösten, bis er unter mir lag.

„Beweg dich", flüsterte er. „Beweg dich, so wie du es magst."

Ich tat, was er sagte, ich bewegte mich, ich schaukelte gegen ihn, fand meinen eigenen Rhythmus und gelangte wieder dahin, wo wir bereits gewesen waren. Er half mir. Er verlagerte sein Gewicht, wenn es nötig war oder ich den Winkel veränderte. Er bewegte seine Hüften nach meiner Anleitung, und selbst als er schon heftig keuchte, blieben seine Stöße sanft.

Ich warf den Kopf zurück, mein Haar fiel über den Rücken bis zu meinem Po. Ich wollte mich wieder verlieren, wollte mich wieder in dieses süße Nichts fallen lassen, aber so gut es sich auch anfühlte, ich fand den Weg nicht.

„Komm für mich", flüsterte er, während er mich mit seinem Daumen streichelte. „Ich möchte dich dabei ansehen."

Zitternd öffnete ich die Augen. Mein Körper war klüger als mein Verstand. Er sah mich an, ich sah ihn an, und dann gab ich ihm, worum er gebeten hatte. Mein ganzer Körper krampfte sich zusammen, ich schrie auf und grub die Fingernägel in seine Haut. Er umklammerte meine Hüften, stieß schneller und fester zu und kam so kurz nach mir, dass es fast gleichzeitig war.

Danach lagen wir schweigend nebeneinander, ohne uns zu berühren. Schweiß kühlte meinen Körper, es fühlte sich gut an. Es fühlte sich so gut an.

Zumindest einen Moment lang, bevor ich anfing zu überlegen, wie lange ich hier wohl liegen bleiben musste, bevor ich aufstehen und mich verabschieden konnte. Ich hörte, wie sein Atem gleichmäßiger wurde. Vielleicht schlief er bald ein, dann konnte ich mich davonschleichen.

Er gab ein leises, absolut liebenswertes Schnarchen von sich, und schon sprang ich aus dem Bett, lief in das angrenzende Bad und wusch mich schnell. Seine Handtücher waren dick und teuer und blau, sie passten perfekt zum Duschvorhang. Ich benutzte sein Mundwasser, schnüffelte an seinem Aftershave und bewunderte die überraschende Reinheit des Bodens und Waschbeckens. In seiner Badewanne lag eine Gummiente, über die ich einen Augenblick staunte.

Als ich, noch immer nackt, aus dem Badezimmer kam, lag er mit offenen Augen da.

„Du bist die erste Frau in meinem Leben, die praktisch die Sekunden zählt, bis sie abhauen kann."

„Wirklich? Ich war schon mit einer Menge Männer zusammen, die das tun."

Ich lief ins Wohnzimmer, um meine Kleider aufzusammeln und überzustreifen. Gerade als ich meinen BH zuhakte, trat er ins Zimmer.

„Warum verabredest du dich nicht?", fragte er. Er hatte Boxershorts mit marschierenden Jelly Beans darauf angezogen, und sofort musste ich daran denken, wie ich ihn im *Sweet Heaven* kennengelernt hatte.

„Das macht alles nur komplizierter." Ich schlüpfte in die Bluse, zog den Rock an und glättete die Falten.

„Wie kommst du darauf?"

„Wenn man sich verabredet, muss ein gewisses Maß an Interesse vorhanden sein, an einer möglichen Beziehung zu arbeiten."

Dan verschränkte die Arme vor der Brust. „Und?"

Ich seufzte. „Für so was habe ich keine Zeit."

Er sah mich ungläubig an. „Du meinst, du willst dafür keine Zeit haben."

„Haarspalterei."

Er sah, dass ich nach meiner Handtasche suchte, machte

aber keine Anstalten, mir zu helfen. „Du hast gesagt, dass du dich manchmal verabredest."

Ich warf ihm ein Lächeln zu. „Manchmal. Aber nie für längere Zeit."

„Ah." Er wirkte verwirrt. „Weil es dann kompliziert werden würde."

Ich bemerkte, dass er mich aufzog. „Das auch."

„Wie lange ist es her, dass du das letzte Mal eine Verabredung hattest?"

„Von unserem Treffen abgesehen?"

Er hob einen Finger. „Das war ein Treffen. Keine Verabredung."

„Genau." Ich musste nicht lange nachdenken. „Vier Jahre, acht Monate, drei Tage."

In der darauf eintretenden Stille, fand ich meine Handtasche, wühlte darin nach Schlüssel und Geldbörse. Als ich hochschaute, starrte Dan mich an.

„Und wie lange, seit du das letzte Mal Sex hattest?"

„Drei Jahre. In etwa."

„Von heute an gerechnet oder von unserem Treffen auf der Toilette?"

„Von unserer Begegnung auf der Tanzfläche." Ich zog den Reißverschluss meiner Tasche zu und hängte sie um. „Denn … das war auch Sex."

Sein Gesichtsausdruck verriet mir nicht, ob er schockiert war, wütend oder erstaunt. Schließlich fuhr er sich mit einer Hand über den Mund.

„Gute Nacht, Dan."

Schon hatte ich die Hand auf der Türklinke, als er sagte: „Du möchtest mich wiedersehen. Das weiß ich einfach."

Ich drehte mich um. „Öfter als einmal, meinst du?"

„Du hast mich bereits öfter als einmal gesehen", stellte er fest.

„Dann sollte ich Nein sagen."

Ich wollte nicht Nein sagen. Nicht nur der Sex war fantastisch gewesen, ich hatte auch seine Gesellschaft genossen. Was gefährlich war. „Ich verabrede mich nicht."

„Dann lass uns einen weiteren Termin vereinbaren."

„Warum?", fragte ich geradeheraus. „Du hast gesehen, wie ich kam, während du in mir warst. Was willst du noch?"

Ich glaube, mit diesen Worten schockierte ich ihn dann doch. Jedenfalls war es meine Absicht gewesen. Ich wollte ihn verjagen.

Dan richtete sich auf, warf kurz einen Blick zum Schlafzimmer, dann spazierte er auf mich zu. Er war nicht so groß, dass ich meinen Hals hätte recken müssen. Sein Gesicht war hart geworden, und plötzlich hatte ich Angst, es zu weit getrieben zu haben.

„Du lächelst."

Er tat es nicht. „Spielst du gerne Spielchen, Elle? Geht es darum?"

Manche Männer benutzten ihre Größe oder ihre Fäuste, um Frauen einzuschüchtern. Dan sah sauer aus, aber er fasste mich nicht an. Ich wich nicht zurück. Er legte eine Hand auf den Türrahmen neben meinem Kopf. „Hab ich es dir nicht gut genug besorgt?"

„Darum geht es nicht. Du warst sehr gut."

Das Kompliment schien ihn nicht zu erfreuen. „Nicht gut genug für eine weitere Runde?"

„Du hast mich nicht gefragt, ob ich dich wieder vögeln

möchte", sagte ich. „Du fragtest, ob ich dich wiedersehen möchte."

„Das Erstere geht schlecht ohne Letzteres, Elle."

Er war flink und klug, ohne arrogant zu sein. Das gefiel mir. Er gefiel mir.

„Wenn du vögeln möchtest …", begann ich.

„Ist es das, was du willst?" Seine Stimme wurde tiefer. „Einfach nur einen schnellen Fick?"

„Nein", sagte ich. „Manchmal mag ich es langsam."

Er legte eine Hand auf meine Hüfte und zog mich an sich. „Das kann ich dir geben."

Schon wieder war er hart, ich spürte ihn an meinem Bauch. Ich schlang einen Arm um seinen Hals und presste mich fester an ihn. „Tatsächlich?"

Während er feierlich nickte, legte er die Hände auf meinen Hintern und rieb sich an mir. „Wie ich bereits sagte: Was immer du willst."

„Es wird nicht funktionieren, weißt du. Menschen fangen an, sich zu binden."

Er lächelte. „Ich nicht."

Auch ich musste nun lächeln, seine nackte Haut war warm unter meinen Händen. „Das glaubt jeder am Anfang. Und doch passiert es immer."

„Und deswegen verabredest du dich nicht."

„Ganz genau."

Sanft wiegte er mich an seinem Körper. „Weil Männer sich an dich binden."

„Ist schon passiert, ja."

„Und dir passiert es nicht?"

Ich streichelte seine Brust. „Es ist mir einmal passiert."

Dan drückte seine Lippen auf meinen Hals. „Aber davon abgesehen hast du die Herzen zahlreicher Narren gebrochen, die sich in dich verliebten."

„Nein, ich denke nicht. Ich habe immer versucht, es zu vermeiden."

„Warum? Macht es dich nicht an, an all die gebrochenen Herzen zu denken?"

„Nein."

„Weil … du dich schuldig fühlst."

„Ja …" Das Wort war mehr ein Stöhnen, weil er mit der Zunge über meine Haut fuhr.

„Und deswegen verabredest du dich nicht."

„Hatten wir das nicht bereits?" Ich schob ihn ein wenig von mir, um ihm ins Gesicht sehen zu können.

„Keine Sorge, Elle", raunte er und zog mich wieder an sich. „Ich werde mich nicht allzu sehr in dich verlieben."

Wie soll ich erklären, was er mit mir machte? Selbst jetzt noch, wenn ich zurückblicke, kann ich mir diesen Moment in allen Einzelheiten ins Gedächtnis rufen. Wie sich seine Hände auf meiner Haut anfühlten. Wie er roch, nach Aftershave und Sex. Wie seine Mundwinkel sich nach oben bogen und sich auf seinen Wangen die ersten Bartstoppeln bemerkbar machten. Ich habe das perfekte Bild vor Augen: Dan in diesem Moment. Das war der Moment, in dem ich mich davon überzeugen ließ, zu bleiben.

5. KAPITEL

Am nächsten Tag, als ich vor meinem Haus in denselben Klamotten wie am Abend zuvor aus dem Taxi stieg, hatte ich genug Zeit, meine Entscheidung zu bereuen. Ich hatte bei Dan geduscht und Zähne geputzt. Doch die Falten in den Kleidern, die entstehen, wenn man sie gedankenlos auf den Boden wirft, um sich anständig durchvögeln zu lassen, kann niemand missverstehen.

„Hi Miss Kavanagh." Gavin wartete diesmal zwar auf den Stufen seines eigenen Hauses, aber da diese nur Zentimeter von meinen entfernt waren, machte es kaum einen Unterschied. „Ich dachte, Sie könnten heute vielleicht wieder meine Hilfe beim Esszimmer brauchen."

Was ich wirklich brauchte, war, mich kopfüber aufs Bett zu werfen und zu schlafen. Ich schenkte Gavin ein halbes Lächeln, steckte den Schlüssel ins Schloss, und da stand er bereits hinter mir.

„Es ist noch so früh", sagte ich. „Gibt es nichts anderes, was du lieber tun würdest? Es ist wirklich ein wunderschöner Samstag."

„Nö." Er beobachtete mich dabei, wie ich an dem Schloss herumfummelte, das an feuchten Tagen manchmal klemmte. „Soll ich Ihnen helfen?"

„Hab's schon." Das stimmte nicht. Ich war müde, und er bedrängte mich, schielte über meine Schulter auf das widerspenstige Schloss.

„Gavin!"

Wir drehten uns beide um. Mrs.. Ossley trat auf ihre Veranda, die Hände in die Hüften gestemmt und mit gerunzelter

Stirn. Als sie mich und ihren Sohn erblickte, blieb sie jäh stehen. Dann musterte sie mich von Kopf bis Fuß. Ich schuldete ihr keine Erklärung für meine Kleidung oder das frühe Nachhausekommen, aber trotzdem hätte ich ihr am liebsten eine gegeben. Aus dem Stirnrunzeln wurde ein unechtes Lächeln.

„Gavin", sagte sie mit zuckersüßer Stimme. „Lass Miss Kavanagh in Ruhe. Außerdem musst du dich fertig machen."

Gavin wich einen Schritt zurück. „Ich will da nicht hin."

Ihr Lächeln veränderte sich nicht. „Es interessiert mich nicht, was du willst. Dennis spricht schon die ganze Woche davon."

Gavin schien in sich zusammenzufallen. „Ich hasse den amerikanischen Bürgerkrieg, und darum will ich auch nicht ins Bürgerkriegsmuseum. Das ist so langweilig." Er sah mich an. „Außerdem habe ich Miss Kavanagh versprochen, ihr beim Streichen des Esszimmers zu helfen."

„Miss Kavanagh", zischte seine Mutter durch die Zähne, „ist sicher durchaus in der Lage, ihr Esszimmer auch allein zu streichen."

„Ja, Gavin", sagte ich ruhig. „Das bin ich. Du solltest tun, was deine Mutter sagt. Du kannst mir nächste Woche wieder helfen."

Er murrte und grummelte, hüpfte aber meine Stufen hinunter und stieg seine hinauf. Wortlos schob er sich an seiner Mutter vorbei. Sie sah ihn nicht an.

Stattdessen musterten wir uns über den schmalen Spalt zwischen unseren Treppen hinweg. Sie schien nicht viel älter als ich zu sein, obwohl sie schon einen fünfzehnjährigen Sohn hatte. Sie lächelte noch immer, und schließlich gab ich nach und lächelte auch, in etwa genauso ehrlich wie sie.

„Viel Spaß im Museum", sagte ich, und endlich funktionierte mein Schloss.

„Den werden wir haben. Mein Verlobter Dennis kommt mit uns."

Nichts hätte mich weniger interessieren können, aber ich nickte trotzdem.

„Gavin verbringt viel Zeit mit Ihnen", sagte sie.

Ich drehte mich um. „Er leiht sich gerne Bücher von mir aus. Und er hat mir beim Renovieren sehr geholfen."

Sie blickte kurz hinter sich, bevor sie sagte: „Ich muss oft lange arbeiten. Ich kann nicht immer für ihn da sein."

Ich wusste nicht, ob sie sich bei mir entschuldigen oder mich warnen wollte. „Er kann immer gerne zu mir kommen, Mrs. Ossley. Ich freue mich über seine Hilfe."

Sie betrachtete mich wieder von Kopf bis Fuß. „Das kann ich mir vorstellen."

Ich wartete, ob sie noch mehr sagen würde, dann wünschte ich ihr erneut viel Spaß im Museum und ging hinein. Ich schloss die Tür hinter mir und lehnte mich einen Moment dagegen. Bisher hatten wir uns nur ab und zu zugewinkt, obwohl wir bereits seit fünf Jahren Nachbarinnen waren. Wahrscheinlich hätte es einen besseren Gesprächsanfang geben können. Andererseits hätte es auch schlimmer kommen können. Ich hatte keine Lust, allzu viel darüber nachzugrübeln. Mein Bett rief, und ich schlief lieber noch ein paar Stunden, bevor ich mit dem Rest des Tages weitermachte.

Am Montag hatte ich keine Chance, Marcy zu entgehen. Sie sah mich nur kurz an, dann kreischte sie auf, als hätte sie jemand gepikt.

„Ooooh Mädchen! Du hast es getan!"

Ich heftete den Blick auf mein Spiegelbild und fuhr fort, die Lippen nachzuziehen. „Was getan?"

Marcy frischte gerade ebenfalls ihr Make-up auf, sie hatte einen perfekt ausgestatteten Schminkkasten dabei. Darin befanden sich sämtliche Lidschattenfarben dieser Welt und ein paar, die von einem anderen Planeten stammen mussten, außerdem passende Lippen- und Kajalstifte, Rouge, Foundation und Puder.

„Du hast dir einen Mann gesucht."

Bei ihren Worten zuckte ich zusammen und verschmierte den Lippenstift. „Wie bitte?"

Sie hob ihre perfekt gezupfte Augenbraue. „Einen Mann, Süße. Streite es nicht ab. Du hast den FVG an dir."

Ich schüttelte lachend den Kopf. „Den was?"

„Den Frisch-gevögelt-Glanz, Süße", erläuterte sie mit gesenkter Stimme. „Spuck's aus."

„Ich habe nichts auszuspucken." Ich puderte mir die Nase und packte dann Lippenstift und Puderdose in meine Tasche.

„Komm schon. Ich habe dir auch von Wayne erzählt."

Sie hatte recht. Eine Frauenfreundschaft beruhte auf Gegenseitigkeit. Und ehrlich gesagt wollte ich auch mit jemandem über Dan sprechen. Marcy war, so traurig es war, meine einzige Freundin.

„Sein Name ist Dan Stewart. Er ist Anwalt. Ich habe ihn im *Blue Swan* getroffen."

„Ich wusste es!" Es schien ihr nichts auszumachen, dass ich sie angelogen hatte.

Marcy besaß mehr Pinsel als Picasso, die sie in einem zusammengerollten Lederetui aufbewahrte. Mit einem tupfte sie ihren Lippenstift auf. Ich sah ihr fasziniert dabei zu, wie sie ihre Lippen ausmalte wie ein Malen-nach-Zahlen-Bild.

„Also, er hat einen guten Job. Na und … hat er auch einen großen Schwanz?"

Ich hüstelte. Warum, weiß ich auch nicht. Ich hatte schon Schlimmeres gehört. Und gesagt.

„Er ist ausreichend."

„Oh", hauchte sie mitfühlend und presste die Lippen auf ein Taschentuch. „So klein?"

„Nein! Du liebe Zeit, Marcy!"

„Ausreichend? Na hör mal, Elle." Sie blickte mich an. „Beschnitten? Oder nicht? Lang? Kurz? Dick? Dünn? Was?"

„Himmel, Marcy. Wer schaut sich das so genau an?" Ich beugte mich hinunter, um die Hände zu waschen.

„Wer nicht, möchte ich wissen?" Sie packte ihren Schminkkasten zusammen.

„Er hat einen sehr hübschen Penis", erklärte ich ihr. „Ästhetisch ansprechend und absolut funktionsfähig."

Sie verdrehte die Augen. „Verschone mich, ja? Du tust gerade so, als ob gar nichts dabei wäre."

Ich lief aus der Toilette zu meinem Büro. Sie folgte mir bis an meinen Schreibtisch und machte es sich bequem.

„Setz dich doch", bot ich ihr grinsend an. „Kann ich dir etwas zu trinken bringen?"

„Eines von deinen Diätgetränken", sagte sie. „Ich weiß, dass du sie in dem kleinen Kühlschrank versteckst."

Ich reichte ihr eine Dose und setzte mich hinter den Schreibtisch. „Hast du nichts zu tun?"

„Doch." Sie öffnete die Dose und trank einen Schluck.

Es schien ihr egal zu sein, dass sie damit den Lippenstift ruinierte, den sie eben so sorgfältig aufgetragen hatte.

„Solltest du dann nicht mal loslegen? Statt mich über mein Sexleben auszuquetschen?"

„Wieso ausquetschen?", rief sie. „Ich frage doch nur."

Ich musste lachen. „Marcy, wir haben miteinander geschlafen. Keine große Sache."

Sie runzelte die Stirn. „Süße, das ist echt traurig. Es sollte eine große Sache sein, sonst lohnt es sich nicht."

Da hatte sie nicht unrecht, dasselbe hatte ich mir schließlich auch gesagt, als ich beschloss, künftig enthaltsam zu leben. „Es hat sich gelohnt, okay?"

„Also war er gut."

„Er war gut, Marcy!" Ich wedelte mit einem Stift vor ihrer Nase herum. „Du neugierige Hexe."

Sie legte eine Hand aufs Herz und sah mich verletzt an. „Das sagst du, als ob Neugier etwas Schlechtes wäre."

Ich seufzte resigniert. „Wir sind zusammen ins Kino gegangen und danach zu ihm nach Hause."

Ich erwähnte die Tanzfläche nicht und auch nicht die Toilette im *La Belle Fleur*. Marcy beugte sich trotzdem nach vorn. „Hat er so getan, als wollte er dir seine Briefmarkensammlung zeigen?"

„Ich denke, wir wussten beide, warum wir zu ihm gingen. Und er sammelt keine Briefmarken, soweit ich das beurteilen kann."

„Puh", sagte sie. „Das turnt nämlich total ab."

„Gut, das merke ich mir."

Marcy trank noch einen Schluck, dann stellte sie die Dose auf meinen Tisch. „Elle, darf ich dir was sagen?"

„Könnte ich dich daran hindern?"

„Selbstverständlich nicht."

„Dann raus damit."

„Ich finde es gut, dass du mal etwas Ablenkung hattest."

Ihre Worte berührten mich. „Danke, Marcy."

Sie nickte und zwinkerte mir zu. „Also wirst du ihn wiedersehen."

Mein Lächeln verblasste. „Ja."

„Mannomann, das klingst ja begeistert. Was ist los? Spricht er mit vollem Mund? Oder was?"

Ich zuckte mit den Schultern und musterte den Aktenstapel auf meinem Tisch. „Nein. Er hat sehr gute Manieren."

„Oha. Sehr gute Manieren. Einen ästhetisch ansprechenden Penis. Ich will hören, dass er fantastisch war und ihr viel Spaß hattet."

Ich konnte nicht länger widerstehen. „Ich mag ihn."

„Und wo ist dann das Problem?", fragte sie besorgt. „Das ist doch gut, oder nicht?"

Wieder zuckte ich mit den Schultern. Ich hatte meine Gründe dafür, dass ich ihn nicht mögen wollte. Dass ich keine Beziehung anstrebte. Es waren zwar beschissene und erbärmliche Gründe, aber immerhin Gründe.

„Du musst ihn doch nicht gleich heiraten."

„Gott bewahre!", rief ich erschrocken. „Du liebe Güte, nein!"

Sie hob die Hände. „War nur so dahergesagt. Ist doch nichts dabei, auszugehen, Spaß zu haben und sich flachlegen zu lassen, oder?"

„Nein. Es ist nur …" Ich schüttelte den Kopf. „Es ist einfach nicht mein Ding."

„Vielleicht solltest du noch mal darüber nachdenken, was dein Ding ist", riet sie mir und stand auf. „Denn wenn ich ehrlich bin, Herzchen, glaube ich nicht, dass du auf dem richtigen Weg bist."

„Danke für den Tipp", entgegnete ich.

„Mit Sarkasmus", verkündete sie mit erhobenem Kopf, „verteidigen sich die, die sich ertappt fühlen!"

Damit rauschte sie, in eine Duftwolke *Obsession* gehüllt, aus meinem Büro und hinterließ eine tropfende Getränkedose auf meinem Schreibtisch.

Auf der Busfahrt nach Hause hatte ich Zeit, über ihre Worte und Dans Versprechen nachzudenken. Keine feste Bindung. Diese Vorstellung war verlockend, wenn auch lächerlich. Man kann nicht einfach miteinander ins Bett gehen. Das geht nicht. Der eine oder der andere verstrickt sich irgendwann in seine Gefühle, und irgendjemand wird auf jeden Fall verletzt. Wir sind nicht dafür gemacht, Sex von Liebe zu trennen, es gibt einen guten Grund dafür, warum man sich in beiden Fällen so euphorisch fühlt. Sex und Liebe nähren sich gegenseitig. Natürlich könnte man behaupten, dass die Menschen auf diese Weise einfach nur Familien gründen und damit ihren Fortbestand garantieren wollen, und doch bleibt die Tatsache bestehen: Je öfter zwei Menschen miteinander schlafen, desto größer ist die Wahrscheinlichkeit, dass einer von ihnen sich verliebt.

Ich fragte mich, wie lange es in diesem Fall wohl dauern würde, und während ich durchs Fenster auf die Straßenlaternen starrte, begann ich wie immer zu zählen. Zahlen ändern sich nicht. Wie oft also müsste ich Dan wohl in meinen Körper lassen, bis einer von uns zum ersten Mal zärtliche Gefühle entwickelte?

Und falls ich das sein würde, wäre ich in der Lage, es dann sofort zu beenden?

Nicht dass ich noch nie einen Freund gehabt hätte oder verliebt gewesen wäre; einmal war es so, vor sehr langer Zeit. Hals über Kopf hatte ich mich verliebt, wahnsinnig, leidenschaftlich, verzweifelt verliebt in einen Jungen, von dem ich glaubte, er wäre mein Ritter in glänzender Rüstung. Ist schon eine komische Sache mit den glänzenden Rüstungen. Sie werden ziemlich schnell matt.

Als ich zu Hause ankam, war ich fest entschlossen, ihn nie mehr wiederzusehen. Es hatte doch gar keinen Sinn. Ich würde ihn nicht anrufen, nicht treffen, gar nichts.

Meine Mutter hatte in der Zwischenzeit dreimal angerufen und derart lange Nachrichten hinterlassen, dass mein Anrufbeantworter voll war. Und ich, die ich nicht in der Lage war, sie zu hassen, musste erkennen, dass ich sie nun nicht einmal ignorieren konnte. Ich lauschte ihren Ergüssen, dann nahm ich den Telefonhörer ab.

„Wer ist da?" Sie klang streitsüchtig. Alt. Ich musste mir in Erinnerung rufen, dass sie Anfang sechzig war und noch längst nicht invalide. „Ella?"

„Ich heiße Elle, Mutter. Bitte."

„Wir haben dich immer Ella genannt." Und dann ergoss sich erneut ein Wortschwall über mich. „Hörst du überhaupt zu?"

Als ob ich eine Wahl gehabt hätte. „Ja, Mutter."

Sie schnaubte leise. „Wann besuchst du mich?"

„Ich habe momentan sehr viel zu tun, wie du weißt. Das

habe ich dir doch gesagt."

Mir halbem Ohr hörte ich ihr zu, während ich den Teekessel mit Wasser füllte und mein Abendessen aus dem Tiefkühlfach nahm. Dann holte ich einen Teller aus dem Schrank. Ein Glas. Eine Gabel. Und stellte alles auf meinen Tisch, an dem vier Personen hätten Platz nehmen können, was noch nie vorgekommen war. Ich veranstaltete keine Dinnerpartys.

„Ich möchte, dass du mich zum Friedhof fährst, Ella. Daddy kann nicht, er ist nicht mehr in der Lage, so weit zu fahren."

Die Gabel fiel klappernd auf den Teller. „Mutter, ich habe es dir bereits gesagt: Nein!"

Daraufhin entstand erstaunlicherweise eine lange Pause, ich hörte nichts außer ihrem Atem. „Elspeth Kavanagh", sagte sie schließlich. „Das Mindeste wäre ja wohl, dass du gelegentlich mal eine Rose auf sein Grab legst. Er war dein Bruder. Schämst du dich nicht, Ella? Er war dein Bruder, und er hat dich geliebt."

Das Pfeifen des Wasserkessels erlöste mich. Mit zitternden Fingern stellte ich das Gas ab und schüttete das kochende Wasser in den Becher. Es lief über, und ich verbrannte mir die Hände. Vor Schmerz stöhne ich auf.

„Was ist los?"

„Ich habe mich mit kochendem Wasser verbrüht."

Schon ging es wieder los, sie erklärte, wie man am besten mit Verbrennungen umging und dass es jemanden geben sollte, der auf mich aufpasste und sich um mich kümmerte, weil ich das ja offensichtlich nicht selbst konnte. Ich beendete das Gespräch so schnell wie möglich. Dann betrachtete ich den Tee, das Essen, den einzelnen Teller.

„Ich weiß, wer er war", sagte ich laut zu mir selbst in der leeren Küche.

Dan öffnete mit zerwühltem Haar die Tür. Als er mich sah, weiteten sich seine verschlafenen Augen. Ich trug einen schwarzen Regenmantel und hochhackige Pumps, roten Lippenstift und schwarzen Kajal. Ich wusste, wie ich aussah: wie die Parodie der Wichsvorlage eines Teenagers.

Ich warf die Tür hinter mir zu. „Hi."

Dan lächelte. „Das ist aber eine Überraschung."

Es ist immens zufriedenstellend, wenn ein Mann allein beim Anblick einer Frau hart wird. Er trug eine Schlafanzughose aus Flanell, die sich herrlich ausbeulte, als ich den Mantel öffnete und zeigte, wie wenig ich darunter trug. „Wie wäre es damit?"

Er blinzelte, betrachtete mich von Kopf bis Fuß, dann starrte er mir in die Augen. Mir stockte der Atem, mein dreister Auftritt war mehr Theater als wirklich dreist. Einen Moment lang fürchtete ich, er würde mich zurückweisen, mir einen Stuhl anbieten und etwas zu trinken. Aber nur einen Moment lang, denn mit seinen nächsten Worten gab er mir genau das, was ich wollte.

„Zieh ihn aus."

Ich ließ den Mantel auf den Boden fallen. Ich trug schwarze halterlose Strümpfe und schwarze Spitzenwäsche. Dessous aus den Tiefen meines Kleiderschranks, die ich seit Jahren nicht mehr getragen hatte, die mir ein Gefühl von Macht gaben, in denen ich mich sexy fühlte. Es funktionierte. Ich musste ihn nur betrachten, und meine Brustwarzen zogen sich zusammen.

„Knie dich hin."

Ich gehorchte. Er legte eine Hand auf meinen Kopf, strich mir zärtlich durchs Haar und schob seine Hüfte nach vorne. Ich berührte seinen Schwanz durch den Schlitz seiner Hose, sein Stöhnen trieb die Lust zwischen meine Beine.

Es war so leicht zu tun, was er verlangte. Weil ich es wollte. Weil ich mich danach sehnte, aber nicht selbst entscheiden wollte. Und ich belohnte ihn, indem ich mich ergab. Er übernahm die Verantwortung, was mir einen angenehmen Schauer über den Rücken jagte. Ich betrachtete seine Haut, das dunkle Haar und seinen so herrlich erregten Penis.

Manche Frauen glauben, vor einem Mann zu knien wäre erniedrigend und ihm einen zu blasen schmutzig, ekelhaft, lästig, etwas, was man eben tun und tolerieren muss. In manchen Fällen konnte ich das nachvollziehen, und doch tun mir diese Frauen leid. Sie verstehen nicht, wie viel Macht sie auf ihren Knien ausüben können. Wie viel sie gewinnen, wenn sie ihn so verwöhnen. Ich sah auf, wollte etwas sagen, aber sein Gesichtsausdruck hielt mich davon ab.

„Du bist so schön. Weißt du das?"

Ich mag das Wort „schön" nicht. Man benutzt es auch für Vasen, Pferde, Häuser und Blumen. Schön ist eine schmeichelhafte Lüge.

Ich schüttelte den Kopf. „Pssst!"

Er strich mir über den Kopf, dann über die Wange. „Möchtest du, dass ich etwas anderes sage?"

„Sag mir", flüsterte ich und presste die Wange gegen seinen Schenkel, „dass ich deinen Schwanz in den Mund nehmen soll."

Bei meinen Worten stöhnte er auf. „Elle …"

Ich lächelte. Ich küsste seinen Schenkel, knabberte an seinem Haar, berührte seine Hoden mit meinen Lippen. „Sag es."

„Nimm meinen Schwanz in den Mund."

Und das tat ich, Zentimeter für Zentimeter. Ich hielt mich an seinen Schenkeln fest. Er keuchte auf und stieß mir entgegen. Es war erregend, wie er meinen Namen flüsterte und mein Haar streichelte. Ich nahm ihn ganz in den Mund, bis meine Lippen seinen Bauch streiften, wanderte langsam zurück, verweilte an seiner Schwanzspitze und begann zu saugen, nahm ihn wieder ganz in mir auf, langsam, ich atmete durch die Nase und konzentrierte mich auf jede Wölbung und Einbuchtung.

Ich wollte ihn schmecken, wollte hören, wie sein Atem schneller ging, spüren, wie die Muskeln in seinen Schenkeln bebten, während er tief in meinen Hals stieß. Das war es, was ich wollte, denn auf diese Weise gelang es mir, an nichts anderes mehr zu denken als an seinen Schwanz, seine Eier, seine Schenkel, seinen Bauch, sein Stöhnen, sein Stoßen, den salzigen Geschmack hinten auf meiner Zunge, als er fast so weit war.

„Elle. Elle, Baby, hör auf. Ich komme gleich."

Ich hörte nicht auf und brachte ihn erneut zum Stöhnen, als ich mit der Zunge über seine zarte Haut an der Unterseite strich. Ich legte zusätzlich die Finger um ihn und bewegte meine Hand im selben Takt wie meinen Mund. Mit der anderen Hand spielte ich an seinen Hoden.

Er stieß so hart in mich, dass ich wohl erstickt wäre, hätte ich ihn nicht so fest umklammert. Sein Schwanz pochte an meiner Zunge, er schrie leise auf, ich schluckte alles, wartete dann noch ein paar Sekunden, bis er fertig war, saugte noch ein letztes Mal und stand auf.

Wegen der hohen Absätze konnte ich ihm direkt in die Augen sehen. Er griff nach meinem Oberarm, als müsste er sich festhalten.

„Wow", sagte er schließlich. Sein Blick wurde wieder klar.

Ich fuhr mir mit dem Daumen über die Lippen. „Könnte ich ein Glas Wasser haben?"

„Ja, klar …" Er zeigte zur Küche.

Ich lief durchs Wohnzimmer und spürte, wie er mich mit seinen Blicken verschlang. Das Wasser direkt aus dem Hahn war kalt und löschte meinen Durst. Es fühlte sich auch auf meinen Wangen gut an und in meinem Nacken. Als ich mich umdrehte, stand er hinter mir.

„Danke für das Wasser", sagte ich.

„Gern geschehen." Er hatte die Schlafanzughose wieder hochgezogen.

„Gut." Mission erfüllt. Ich hatte das Gespräch mit meiner Mutter lange genug vergessen, dass ich jetzt damit umgehen konnte. „Ich gehe dann wieder."

Er hielt mich am Arm fest. „Du willst gehen?"

Ich betrachtete seine Hand auf meinem Arm, dann blickte ich ihn an. „Ja, das habe ich vor."

„Wieso?"

Ich lächelte. „Weil ich fertig bin."

Dan lächelte auch, es wirkte aber ein wenig angestrengt. Wie beim letzten Mal, als ich gehen wollte. „Und wenn ich noch nicht fertig bin?"

Ich warf einen bedeutungsvollen Blick auf seine Hose.

„Ich denke schon."

„Ja, aber du nicht."

Ich legte den Kopf schief. „Deswegen bin ich nicht gekommen."

„Du bist überhaupt nicht gekommen." Er zog mich an sich.

„Mir ist es egal, warum kümmert es dich dann?" Seine Hände streichelten über meinen Hintern.

„Elle, bist du nur gekommen, um mir einen zu blasen und dann wieder zu gehen?"

„Ja."

Er schwieg einen Moment. „Wirklich?"

Ich nickte.

Er sah überrascht aus, und diesen Moment nutzte ich, um mich aus seiner Umarmung zu befreien und meinen Mantel aufzuheben.

„Elle, warte."

Ich drehte mich um, den Mantel bereits halb angezogen.

„Ich möchte nicht, dass du gehst. Bleib noch eine Weile bei mir."

„Ich bin nicht gerade passend gekleidet, um *Mensch ärgere dich nicht* zu spielen." Ich begann den Reißverschluss hochzuziehen.

„Du gehst also wirklich."

„Ich gehe wirklich, Dan."

„Nein."

„Die meisten Typen wären glücklich, wenn eine spärlich bekleidete Frau mitten in der Nacht vorbeikommt, ihnen wunderbar einen bläst und dann wieder verschwindet, ohne eine Gegenleistung zu erwarten."

„Ich bin nicht wie die meisten Typen."

„Du … hat es dir nicht gefallen?" Ich verbarg meine Unsicherheit hinter einem hastigen Hüsteln. Meine Wangen brannten. Auf einmal kam ich mir dumm vor.

Er zog mich von hinten an seine Brust. „Es war herrlich", flüsterte er mir ins Ohr. „Aber ich möchte nicht, dass du schon gehst."

Ich erzitterte, als sein Atem über mein Ohr strich. Ich biss mir auf die Lippen. Seine Berührungen fühlten sich so gut an. Ich wollte seine Hände überall spüren. Ich habe nie eine Entschuldigung gesucht, wenn ich mit einem Mann schlafen wollte. Habe nie zugelassen, dass meine Vergangenheit die Lust meines Körpers verhindert. Mir ist vieles genommen worden, aber nicht das.

„Du willst doch gar nicht gehen, oder?"

Behutsam zog er den Reißverschluss ein Stück auf, glitt mit den Händen unter den Mantel und legte sie auf meine Brüste. Viel mehr als ihr Gewicht spürte ich durch den Stoff nicht. Doch dann zog er mir den Regenmantel mit einer Bewegung aus, wanderte mit den Fingern über meine nackte Haut. Ich lehnte mich an ihn, an seine breite Brust.

„Du riechst so gut." Er küsste meinen Hals, glitt mit einer Hand unter meinen BH und knetete sanft meine Brustwarzen, mit der anderen strich er über meinen Slip. Ich erschauerte. Dan biss mir sanft in die Schulter, bis ich vor Lust aufstöhnte.

„Ich liebe dein Stöhnen", raunte er und küsste das Mal, das seine Zähne hinterlassen hatten. „Du hast die aufregendste Stimme der Welt. Alles, was du sagst, klingt aus deinem Mund einfach wunderbar."

Ich drehte den Kopf und sah ihn an. „Wie bitte?"

Er lächelte. „Ich wollte nur sicher sein, dass du mir auch zuhörst."

Ich wusste nichts zu antworten. Die meisten Komplimente lassen mich stutzig werden. Ich kenne meine Stärken, und meine Mitmenschen, wie ich vermute, auch. Alles Weitere ist übertrieben oder sogar gelogen.

Er hörte nicht auf, mich mit den Händen weiterhin sanft zu verwöhnen. „Magst du das etwa auch nicht?"

„Du musst das nicht tun."

„Was denn?" Er strich mit dem Daumen über meine Brust. „Das?"

„Nein. Du musst nicht solche Sachen sagen."

Er drehte mich ein wenig zu sich. „Ich möchte es aber."

Ich schüttelte den Kopf. „Wieso? Ich bin doch schon hier. Du bekommst doch auf jeden Fall, was du willst."

Mit gerunzelter Stirn ließ er mich los und verschränkte die Arme vor seiner nackten Brust. „Du glaubst, dass ich nur deswegen solche Sachen sage?"

Wir sahen einander an, ich schob den BH-Träger wieder auf die Schulter. Mein Gesicht wurde heiß, als er mich musterte, diesmal aber nicht vor Leidenschaft.

„Elle", sagte Dan. „Wenn ich solche Sachen nicht sagen soll, dann lass ich es. Aber es ist okay, zu sagen, dass du meinen Schwanz in den Mund nehmen sollst?"

Ich lächelte leise. „Ja."

„So wie es okay war, mit dir auf der Toilette zu vögeln, aber nicht, dich um eine Verabredung zu bitten."

„Genau."

Er fuhr sich mit der Hand durchs Haar, bis es ganz zerzaust war und ich es am liebsten geglättet hätte. Er holte tief Luft. „Und du kommst hier einfach vorbei, wenn es dir gefällt, in Klamotten, die aus meinen feuchten Träumen als Pubertierender stammen könnten, und besorgst es mir, ohne dass ich dich verwöhnen darf."

„Ja." Ich lächelte jetzt etwas breiter. „Wobei ich noch nicht gegangen bin."

Er studierte noch einen Moment lang mein Gesicht. „Komm her."

Ich folgte, gehorsam, ergeben, mein Herz setzte kurz aus, als er in mein Haar griff und meinen Kopf nach hinten zog. „Du magst es, wenn man dir sagt, was du tun sollst."

Ich murmelte etwas Zustimmendes. Er fuhr mit der Fingerkuppe über meinen Hals, über die Brüste zu meinem Bauchnabel und zwischen meine Beine. Während des Gesprächs war mir die Lust vergangen, doch sie lebte sofort wieder auf.

„Wieso?"

„Weil ich die ganze Zeit denke", flüsterte ich. „Und manchmal ist es schön, damit aufzuhören. Manchmal ist es schön, einfach … etwas zu tun."

„Oder gesagt zu bekommen, was man tun soll."

„Ja."

Er streichelte mich durch den Slip hindurch. Mit der anderen Hand hielt er meinen Kopf fest und zwang mich, ihn anzusehen.

„Ist es wirklich Jahre her, dass du mit einem Mann geschlafen hast?"

Ich trat einen Schritt zurück. „Natürlich. Warum sollte ich dich anlügen?"

„Warum lügen Leute überhaupt?" Er machte keine Anstalten, mir näher zu kommen.

„Wie ich gesagt habe, es war vor drei Jahren."

„Komm her."

Beinahe hätte ich es nicht getan. Aber dann näherte ich mich ihm. Er packte mich, diesmal fester, und ich zuckte zusammen, obwohl er mir nicht wirklich wehgetan hatte. Er drückte mich an sich und legte wieder eine Hand zwischen meine Beine.

„Sagst du mir, was du gern magst, oder muss ich raten?" Er begann mich zu streicheln. „Gefällt es dir, gefesselt zu werden? Geschlagen? Magst du Nippelklammern und heißes Wachs?"

„Heißes Wachs?" Ich wollte mich wieder losmachen, doch er hielt mich fest und streichelte und streichelte und streichelte. So zart. Hitze entstand unter seinen Fingern und breitete sich aus.

Dan grinste. „Kein Wachs?"

„Ich … also ich bin nicht …" In Wahrheit hatte ich gewisse Schwierigkeiten, genau zu sagen, was ich mochte und was nicht. Je länger er mich streichelte, desto weniger konnte ich mich überhaupt an Worte erinnern.

„Du magst es, wenn ich dir sage, was du tun sollst."

„Ja …"

Er biss mir sanft in den Nacken, und ich schob die Hüften vor.

„Und mir gefällt es, dir zu sagen, was du tun sollst", flüsterte er. „Offenbar passen wir gut zusammen."

Er schob mich ins Schlafzimmer und warf mich aufs Bett, ein wenig grob, aber nicht allzu sehr. Und ich war zu erregt, als dass es mich gestört hätte.

„Fass dich an."

Das hatte ich nicht erwartet. „Wie bitte?"

„Du hast schon verstanden." Er stand neben dem Bett und betrachtete mich mit hartem Blick. „Ich will zusehen, wie du es dir selbst besorgst."

„Wenn ich das wollte, könnte ich auch nach Hause gehen." Ich stütze mich auf einen Ellbogen.

Schulterzuckend zeigte er zur Tür. „Tu dir keinen Zwang an."

Ich zögerte. „Du willst, dass ich mich streichle."

„Ja."

Das hatte ich noch nie vor einem anderen getan. Es gehörte nicht einmal zum Repertoire meiner sexuellen Fantasien. Aber ich tat es trotzdem, weil er mich dazu aufgefordert hatte. Ich legte die Hände auf die Brüste. Es fühlte sich nicht so gut an, als wenn er es getan hätte. Ich schob den BH zur Seite, feuchtete meine Finger an und strich über die Brustwarzen. Das war schon viel besser, und ich keuchte auf.

Seine Augen verfolgten jede meiner Bewegungen. Seine Hose wies bereits wieder eine mächtige Ausbuchtung auf, was meine Leidenschaft nur noch anheizte. Ich schob die Hand unter mein Höschen und zupfte an meinem Lustzentrum im selben Rhythmus wie an meinen Brustwarzen.

„Gefällt dir das?", fragte Dan. „Macht dich das an?"

„Ja."

„Bringst du dich so selbst zum Orgasmus?"

„Ja." Ich bewegte mich schneller, glitt mit einem Finger tiefer, um ihn zu befeuchten. Ich erbebte.

„Zieh den Slip aus. Ich will alles sehen."

Ich ließ ihn nicht aus den Augen, schob den Spitzenstoff nach unten und streichelte mich weiter. Er setzte sich neben mich, und obwohl mich sein prüfender Blick ein wenig irritierte, behielt ich den Rhythmus bei und versuchte, mich zu verlieren.

„Fällt es dir schwer?" Er legte eine Hand auf meinen Bauch.

Ich musste mich anstrengen, um zu antworten, musste erst über meine Lippen lecken. „Ein wenig."

„Auch wenn du es allein machst?"

Ich lachte leise und ließ meine Hand ruhen. „Es fällt mir schwer, weil du mich beobachtest, als müsstest du hinterher darüber ein Examen ablegen."

Mir war gar nicht klar gewesen, wie sehr ich auf ein Lächeln von ihm hoffte, bis er es mir schenkte. Erleichterung erfasste mich. Er drückte einen Kuss auf meine Schulter und noch einen auf meinen Hals. Dann legte er die Hand auf meine, und wir bewegten uns gemeinsam.

„Handelt es sich um einen Multiple-Choice-Test oder um eine mündliche Prüfung?", fragte er.

Ich schnappte nach Luft, während er sprach, weil er einen Finger in mich schob. Dann noch einen, er weitete mich ein wenig und bewegte die Hand vor und zurück. Kleine Flammen schienen in die Höhe zu züngeln.

„Du bist so eng", murmelte er an meiner Schulter. „So heiß. Und so nass."

Es war gut, wie er seine Finger bewegte, aber es war nicht genug. Ich wollte mehr. Ich hob meine Hüften und rieb mich schneller.

„Willst du, dass ich dich ficke?"

„Ja."

„Ja was?"

„Ja, Dan, ich will …" Die Worte blieben mir im Hals stecken, nicht aus Scham, sondern weil ich glaubte, vor Lust sterben zu müssen. „Ich will, dass du …"

„Sag: Fick mich."

„Fick mich."

Er griff in die Nachttischschublade, zog sich ein Kondom über und drang in mich ein. Er traf meinen Punkt sofort, und ich schrie auf. Er vögelte mich schnell und hart, kümmerte sich wenig um meinen Genuss … und es war fantastisch. Der Höhepunkt war heftig wie ein Gewitter mit Blitz und Donner und allem Drum und Dran. Er kam kurz danach.

Schwer atmend sah er auf mich hinunter. Ein Schweißtropfen fiel von seiner Stirn auf meine Lippen, und ich leckte ihn weg. Er rollte sich auf den Rücken, entsorgte das Kondom und zog mich an sich.

„Hat dir das gefallen?", fragte er. „Als ich dir gesagt habe, du sollst dich streicheln?"

Ich dachte darüber nach, weil ich fand, er verdiente eine ehrliche Antwort. „Es war nicht so, dass ich es nicht mochte."

Seine Hand tanzte über meine Hüfte und meine Taille. „Was heißt das?"

„Das heißt, es hat mir gefallen, dass du mich dazu aufgefordert hast. Dass ich es sonst aber nicht getan hätte."

„Und du würdest alles tun, was ich dir sage?" Seine Stimme klang nachdenklich.

„Habe ich das bisher denn nicht?"

Er schwieg einen Moment. „Wie weit würdest du gehen?"

Ich konnte ihn nicht ansehen. „So weit, wie du möchtest."

„Du ziehst das wirklich durch, oder?", fragte er leise. „Es zu trennen, meine ich."

Der Sex hatte mich schläfrig gemacht. Ich legte meine Hand auf seine. „Ja."

Er küsste mich auf die Schulter. „Immer?"

„Ja, Dan. Immer."

Ich wartete darauf, dass er noch etwas sagte, doch er schwieg. Nur sein Atem war zu hören, und dann wurde es plötzlich dunkel im Zimmer, und er zog die Bettdecke über uns. Etwas später hörte ich ihn leise schnarchen, seine Hand lag noch immer auf mir, als wollte er sicher sein, dass ich noch da war. Ich lauschte einen Moment, seine Berührung war ein Anker, von dem ich nie vermutet hätte, dass ich ihn so sehr genießen könnte.

Ich stand auf, lieh mir aus seinem Schrank eine Jogging-hose und ein Hemd. Zwar war ich verrückt genug gewesen, in Unterwäsche durch die halbe Stadt zu fahren, doch jetzt wollte ich das Schicksal nicht noch einmal herausfordern.

Ich war nicht vollkommen herzlos, selbst damals nicht. Ich tat zwar mein Bestes, um es nicht zu zeigen, aber ich hatte ein Herz. Ich warf noch kurz einen Blick zurück, um ihn schlafen zu sehen, dann erst schlüpfte ich durch die Tür.

6. KAPITEL

Wenn man gefragt wird, was man gerade denkt, antwortet man oft: „Nichts." Das ist eine Lüge. Niemand denkt jemals nichts. Der Verstand hält nie inne. Ist nie leer. So ein Verstand ist eine knifflige Angelegenheit, immerzu arbeitet er an einem Problem oder einer Idee herum, selbst wenn er ganz ruhig zu sein scheint.

Ich denke nie an nichts. Am ehesten komme ich zur Ruhe, wenn ich rechne, mit einem Mann schlafe oder trinke. Ansonsten fühle ich mich wie in einem Hamsterrad, meine Gedanken drehen sich ununterbrochen, ohne an irgendein Ziel zu gelangen.

Chad, der Mensch, der mich besser kennt als irgendjemand sonst auf der Welt, versteht mich. Deswegen schickt er mir auch kleine Päckchen mit Karikaturen, teurer Schokolade und Karten mit Sinnsprüchen. Er weiß zwar, dass Worte und Süßigkeiten mir nicht helfen, aber er schickt sie trotzdem, weil er sich dann besser fühlt. Ich streite nie mit ihm darüber, schließlich mag ich teure Schokolade und Karikaturen, die mich zum Kichern bringen. Ich revanchiere mich mit Fruchtkörben und eleganten Körperlotionen. Auf diese Weise kümmern wir uns umeinander, da wir zu weit entfernt voneinander leben, um uns regelmäßig zu sehen.

„Für Sie ist ein Päckchen gekommen." Gavin hatte offenbar auf meine Rückkehr gewartet, denn kaum hatte ich einen Fuß auf meine Treppe gesetzt, als er schon die Tür aufriss. „Ich habe es angenommen. Ich hoffe, das ist in Ordnung."

„Klar, Gav. Danke. Möchtest du es reinbringen?" Wir gingen ins Haus, und ich hängte Mantel und Tasche an den Haken. Dann ging ich nach oben, um mich umzuziehen.

Als ich zurückkam, öffnete Gavin gerade die Farbeimer, die ich an der Wand aufgereiht hatte. Schlichtes Weiß. Nichts Ausgefallenes. Ich sah ihm dabei zu, während ich das Päckchen meines Bruders öffnete.

„Wie war's im Museum?"

Er zuckte mit den Schultern. „Langweilig."

Ich fragte nicht weiter. In dem braunen Papier befand sich eine Schachtel. Ich schüttelte sie, aber es war nichts zu hören, vermutlich handelte es sich um Zeitschriften. Chad sammelte alle erdenklichen Klatschblätter und schickte sie mir dann mit handgeschriebenen Kommentaren an den Rändern.

Doch in der Schachtel lag ein Buch, der feste schwarz-weiße Einband war abgenutzt und ein wenig verbogen, ansonsten aber in gutem Zustand. Ich strich mit dem Finger darüber, legte es dann auf die Handfläche und sah, wie es zitterte.

Die Abenteuer der Prinzessin Pennywhistle. Es war einmal eine Prinzessin namens Pennywhistle. Prinzessin Pennywhistle hatte lockiges blondes Haar und so blaue Augen, dass der Himmel neidisch wurde. Prinzessin Pennywhistle lebte in einem Schloss mit ihrem Einhorn Unique.

Prinzessin Pennywhistle. An sie hatte ich schon seit Jahren nicht mehr gedacht, und jetzt lag ihre Geschichte in meinen Händen, nach so langer Zeit, dass ich mich kaum noch an sie erinnern konnte.

Gavin spazierte in die Küche, um ein Glas Wasser zu holen und sah, wie ich mit dem Buch am Tisch saß. „Was ist das?"

Ich zeigte es ihm. „Prinzessin Pennywhistle. Diese Geschichte haben meine Brüder und ich geschrieben, als wir noch Kinder waren."

„Sie haben Geschichten geschrieben?"

Ich war mir nicht sicher, ob ich wegen seines ungläubigen Gesichtsausdrucks brüskiert sein sollte. „Diese eine, ja."

„Wow." Er schien beeindruckt. „Das ist ganz schön cool, Miss Kavanagh."

Ich fuhr erneut mit dem Finger über den Einband aus Pappe. „Prinzessin Pennywhistle hat mit ihrem Einhorn Unique eine Menge Abenteuer erlebt. Und sie musste nie auf einen Prinzen warten, der sie rettet."

„Die war ziemlich zäh, wie?"

Ich entdeckte auf seinem Gesicht ein Grinsen, das so selten war. „Darauf kannst du wetten."

„Warum haben Sie aufgehört, über sie zu schreiben?"

Ich legte das Buch auf den Tisch. „Weil ich erwachsen wurde."

Er schnappte sich das Buch und blätterte darin herum. „Darf ich es irgendwann mal lesen?"

„Es ist nicht gerade *Der kleine Prinz*", erklärte ich ihm. „Aber … klar. Wenn du magst."

Er grinste wieder. „Danke. Ich schreibe übrigens auch manchmal."

„Vielleicht lässt du mich auch mal was lesen." Ich suchte in der Schachtel nach einem Brief oder einer Karte, doch sie war leer.

Gavin blätterte weiter. „Vielleicht. Hey! Da sind ja auch Bilder!"

Er hob das Buch, um mir eine mit Buntstiften gemalte Zeichnung der mutigen Prinzessin zu zeigen. Unique, das eher wie ein Esel mit einem deformierten Horn auf dem Kopf aussah, stand neben ihr. Mein Hals wurde eng, als ich dieses Bild sah, das Kinderhände vor so langer Zeit gemalt hatten.

„Prinzessin Pennywhistle und das Müllmonster", las Gavin vor und blätterte um. „Prinzessin Pennywhistle und der Glasturm."

Aus dem Turm hatte sie sich mit einem Hammer befreien können.

„Prinzessin Pennywhistle und der Schwarze Ritter." Gavin war am Ende des Buches angekommen.

„Ich denke … vielleicht sollten wir jetzt mit dem Streichen beginnen, Gavin. Du musst morgen in die Schule, und ich muss zur Arbeit."

Ich steckte das Buch zurück in die Schachtel, ohne ihn anzusehen. Mir war klar, dass meine Schroffheit ihn verletzte, aber darauf konnte ich keine Rücksicht nehmen. Ich verstaute Pennywhistle in einer Schublade und lief ins Esszimmer.

Als Gavin gegangen war und ich geduscht hatte, zog ich das Buch wieder hervor. Sie war tapfer gewesen, die kleine blonde Prinzessin mit den blauen Augen, die den Himmel eifersüchtig machte. Tapfer und stark. Sie hatte sich aus dem Glasturm befreit, das Müllmonster besiegt, das Königreich der Regenbogenmenschen betreten und es von der bösen Schwarzweißhexe befreit. Prinzessin Pennywhistle war bunt und lustig und selbstbewusst gewesen, bis zum Schluss, als sie den Schwarzen Ritter traf, der ihr das Lachen stahl.

Warum war aus ihr ein farbloses, unglückliches, unsicheres Mädchen geworden? Warum hatte sie Angst bekommen? Nun, diese Frage stellte ich mir nicht im Ernst. Sondern ich fragte mich: Warum war ich so geworden?

Als das Telefon klingelte, ging ich nicht ran. Der Film im Fernsehen und das Popcorn auf meinem Schoß waren viel interessanter. Meine Mutter konnte gerne mit dem Anrufbeantworter sprechen.

Doch dann hörte ich eine Männerstimme, warf das Popcorn auf den Boden und nahm den Hörer ab. Mir war durchaus bewusst, dass ich mich wie ein Mädchen benahm, das auf den Anruf eines ganz bestimmten Jungen wartete. Vermutlich deshalb, weil ich genau das war.

„Hallo?" Ich gab meiner Stimme einen zwanglosen Klang.

Eine Woche war vergangen, seit ich in Unterwäsche vor seiner Tür aufgetaucht war. Eine Woche, seit ich ihn schlafend zurückgelassen hatte. Er hatte nicht angerufen. Ich auch nicht, obwohl ich die Nummer ein paarmal gewählt und dann wie ein Schulmädchen aufgelegt hatte.

„Was hast du an?"

Ich blickte an meinem weichen, verwaschenen Flanellpyjama herab. „Was hättest du denn gern?"

Dans Stimme wurde weicher. Ich vermutete, dass er lächelte. „Nichts."

Ein einziges kleines Wort, Luft strömte in meine Lungen, und erst da wurde mir klar, dass ich den Atem angehalten hatte. „Nichts außer einem Lächeln."

„Sitzt du oft zu Hause herum, ohne etwas anzuhaben?"

„Rufst du oft Frauen aus heiterem Himmel an, ohne deinen Namen zu sagen, und fragst sie, was sie tragen?"

„Nein. Aber du wusstest, wer dran ist. Oder?"

„Du meinst, du bist nicht Brad Pitt? Wie enttäuschend."

„Trägst du wirklich nichts, Elle?"

Ich lachte. „Doch. Wieso?"

„Wieso bist du gegangen, ohne dich zu verabschieden?"

Ich betrachtete das verschüttete Popcorn auf dem Boden. „Es schien mir in dem Moment einfacher."

„Für dich vielleicht."

„Ja, Dan." Ich seufzte. „Für mich."

Er schwieg eine Weile, legte aber nicht auf. Ich genauso wenig, denn das wäre unhöflich gewesen. Mir entging die Ironie der Situation nicht. Zwar war ich sehr wohl in der Lage gewesen, zu gehen, ohne mich zu verabschieden, wollte jetzt aber nicht einfach auflegen.

„Ich möchte dich zu einem Termin mitnehmen", sagte er schließlich. „Ich brauche eine Begleitung."

Ich dachte kurz nach. „Ist es ein Notfall?"

„In gewisser Weise ja."

Während ich mit ihm sprach, sammelte ich das Popcorn auf. „Und du denkst … dass ich die Richtige bin?"

„Elle", sagte Dan, „du bist perfekt."

„Schmeicheleien bringen einen nicht immer ans Ziel, weißt du."

„Aber sie sind ein guter Anfang." Ich hörte ein Geräusch und stellte mir vor, wie er sich mit einer Hand durchs Haar strich. Seine Gewohnheiten waren mir bereits vertraut, obwohl ich ihn kaum kannte. „Du wirst das für mich tun."

„Tatsächlich?"

Seine Stimme wurde ein wenig heiserer. „Ich glaube schon, ja."

„Was genau werde ich für dich tun?"

„Du wirst etwas Umwerfendes anziehen und morgen Abend mit mir kommen."

„Wohin?" Ich hatte nichts Umwerfendes anzuziehen, Pläne für den kommenden Abend hatte ich allerdings auch keine.

„Ich muss zu einem Abendessen. Sehr formell."

„Und du möchtest mich mitnehmen? In einem … umwerfenden Kleid." Ich dachte darüber nach. „Was betrachtest du als aufregend? Ich habe nichts Passendes für formelle Termine."

„Ich werde es dir ins Büro liefern lassen. Du trägst, was ich für dich aussuche. Und du kommst mit mir zu diesem Abendessen."

Er bot ein Abendessen und ein Kleid. Ich bot meine Begleitung. Es musste einen Haken geben.

„Falls ich das für dich tue", fragte ich, nicht weil ich etwas Bestimmtes wollte, sondern eher, weil es mir logisch erschien, „was ist dann für mich drin?"

„Wenn du das für mich tust", antwortete er, „werde ich wieder mit dir schlafen."

Wie direkt. Und doch machte mein Magen einen Satz, ich musste tief Luft holen. „Du bist dir deiner wirklich verdammt sicher."

„Du hast gesagt, du würdest so weit gehen, wie ich will. Hast du deine Meinung geändert?"

„Nein, ich …" Ich wusste nicht, was ich sagen sollte. „Ich dachte nicht …"

„Was dachtest du nicht, Elle? Dass ich dir gebe, was du willst? Dass ich dich so weit bringe, wie du gehen willst? Hast du gedacht, dass ich dich nach dieser Nacht einfach vergessen würde, nur weil du es mir so schwer machst?"

„Ich weiß nicht." Ich kannte die Wahrheit nicht. Ich wusste

nicht, was ich von ihm wollte, nur, was ich nicht wollte. Was ich nicht wollen durfte.

„Wie oft hast du dich in dieser Woche gestreichelt und dabei an mich gedacht?"

Wieder musste ich nach Atem ringen. Ich war nur froh, dass er mein Gesicht nicht sehen konnte. „Jede Nacht."

Ich hörte das Grinsen in seiner Stimme. „Dann hast du also an mich gedacht."

„Ja!" Ich warf das letzte Popcorn in die Schüssel. „Das habe ich."

„Du sollst nicht die Stirn runzeln. Du bist hübscher, wenn du lächelst."

„Woher willst du wissen, dass ich die Stirn runzle?"

„Das höre ich an deiner Stimme. Du bist nicht so geheimnisvoll, wie du gerne wärst, Elle."

Das ärgerte mich, ich sprang mit der nun wieder vollen Schüssel in der Hand auf. „Bist du immer so arrogant?"

„Immer", verkündete Dan. „Ich schicke dir morgen das Kleid."

„Vielleicht will ich morgen Abend aber gar nicht mit dir ausgehen."

„Du willst", sagte er und hängte ein.

Das Paket kam am nächsten Tag. Ich stellte es auf meinen Schreibtisch und starrte es den ganzen Morgen über an, statt zu arbeiten. Ich schätzte die Länge, Breite und Tiefe ab. Versuchte mir den Inhalt vorzustellen. Berührte das braune Packpapier.

Aber ich machte es nicht auf.

„Was ist denn mit dem Paket?" Natürlich platzte Marcy

irgendwann in mein Büro und stellte Fragen über Dinge, die sie nichts angingen.

„Ich vermute, es ist ein Kleid."

Sie hockte sich auf die Schreibtischkante. „Vermutest du oder weißt du es?"

„Ich weiß es." Ich klopfte mit dem Stift auf meinen Notizblock. „Hast du nichts zu tun?"

„Ja, aber ich wollte erst dein Kleid sehen."

„Du wusstest doch gar nicht, dass es ein Kleid ist."

„Aber ich wusste, dass du ein Paket bekommen hast." Sie schob meine Papiere zur Seite und stellte das Paket vor meine Nase. „Mach auf."

„Hast du es dir zum Prinzip gemacht, dich überall einzumischen, oder gilt das nur in meinem Fall?" Ich zupfte an einer Ecke des Pakets, das ein Kurier gebracht hatte. Ein Absender stand nicht drauf. Kein Hinweis darauf, woher es kam.

„Blöde Frage."

Ich blickte schmunzelnd zu ihr hoch. „Du hast recht. Es ist dein Prinzip."

„Wo hast du das bestellt?" Marcy nahm eine Schere aus meinem Stifthalter und überreichte sie mir so feierlich, als müsste ich bei der Einweihung eines Gebäudes ein Band durchschneiden.

„Ich habe es nicht bestellt. Es ist … ein Geschenk." Vorsichtig schlitzte ich das Papier auf und riss es dann herunter. Der Name auf der Schachtel sorgte dafür, dass Marcy beeindruckt durch die Zähne pfiff. Ich schwieg nur.

Kellerman's ist eine sehr exklusive, sehr teure Boutique. Schon oft hatte ich das Schaufenster betrachtet, aber nie gewagt, hineinzugehen. Es handelte sich um einen Laden, der ganz besondere Kleider verkaufte, für den Tag, für den Abend, Kleidung für Anlässe, die so speziell waren, dass man einen Ratgeber für sie brauchte.

„Wow." Ausnahmsweise schien Marcy fast sprachlos zu sein. Nicht ganz, aber fast. „Sehr hübsch."

Ich fuhr über den geprägten Namenszug, zögerte aber, die Schachtel zu öffnen. Hatte er die richtige Größe gewählt? Meinen Geschmack getroffen? Und wenn nicht? Wenn das Kleid rot war – die Farbe, die ich von allen auf der Welt am meisten hasste – und ich es nicht anziehen konnte? Wenn es Puffärmel hatte wie die Abschlussballkleider in den Achtzigerjahren? Wenn mein Hintern darin dick aussah?

„Mach schon auf", rief Marcy ungeduldig. „Ich will es endlich sehen.

Ich nahm den Deckel ab und legte ihn zur Seite. Seidenpapier umhüllte das Kleid. Ich hob die erste Lage hoch – noch mehr Papier.

„Die verpacken ihre Kleider immer wie Mumien", erklärte Marcy. „Nun komm schon, Elle. Lass sehen."

Schließlich nahm ich das Kleid heraus und hielt es in die Höhe. Es war schwarz, lang, schulterfrei.

Traumhaft.

Kleine Perlen glitzerten auf dem herrlichen Stoff. Der Rock sah so aus, als würde er einem beim Tanzen um die Knöchel kreiseln.

„Sehr hübsch", sagte Marcy. „Scheint mir aber nicht ganz dein Stil zu sein. Wieso hast du gerade das ausgewählt?"

„Das habe ich nicht." Ich berührte ganz vorsichtig den weichen Stoff. Wie sollte ich so etwas jemals tragen? Etwas so Wunderschönes. So Freizügiges.

Als ob ein schwarzer Regenmantel über Spitzendessous nicht freizügig wäre.

Nun, ich habe ja nie bestritten, ein wenig schizophren zu sein, im Gegenteil, ich kenne diese Neigung genau und weiß, wo sie herrührt. Ich weiß, warum ich es hasse, gesagt zu bekommen, was ich tun soll, und warum ich mich zugleich danach sehne, dass mir jemand die Verantwortung abnimmt.

Ich blickte an mir herab – weiße Bluse, schwarzer Rock, alles ordentlich, sauber und bescheiden. Das Kleid hingegen schien „Sex!" zu kreischen, und das, obwohl es noch auf einem Bügel hing.

„Das wird dir fantastisch stehen, Puppe." Marcy grinste. „Probier's mal an."

„Hier? Jetzt? Nein! Ich muss arbeiten … ich kann nicht …"

Sie hob eine Hand. „Kein Wort mehr. Du hast dieses Kleid nicht selbst gekauft. Hast du eine Ahnung, wer es war? Der Loverboy aus dem *Blue Swan?"*

„Dan."

„Dan hat dir dieses Kleid gekauft? Einfach so?"

„Nein. Er will, dass ich es heute Abend anziehe. Wir gehen aus."

„Sehr nett." Diese Untertreibung zeigte deutlich, dass Marcy beeindruckter war, als sie zugeben wollte. „Sieh nur. Er hat auch Schuhe gekauft. Oh, und eine Stola! Und eine Tasche … verdammt, Mädchen, der Mann hat Geschmack und ganz offensichtlich Geld. Und …", Marcy zog Strapse und schwarze Strümpfe hervor, „… er weiß, was er will."

„Leg das zurück", zischte ich. „Ich weiß noch nicht mal,

ob ich irgendwas davon anziehen werde."

Marcy betrachtete mich mit erhobenen Augenbrauen. „Selbstverständlich. Du wirst toll aussehen."

Mit gerunzelter Stirn schüttelte ich den Kopf, war aber doch nicht bereit, das Kleid wieder in die Schachtel zu legen. „Es ist sehr …"

„Sexy."

„Richtig."

„Und, meinst du etwa, du könntest nicht sexy aussehen, Elle?"

Das war es nicht. Ich wusste sehr gut, dass ich sexy aussehen konnte, mit rotem Lippenstift, offenem Haar, tiefem Dekolleté.

„Ich glaube nicht, dass ich das brauche, um sexy auszusehen. Es ist … übertrieben."

„Vielleicht gefällt ihm genau das."

Wahrscheinlich hatte sie recht, und ich konnte es ihm auch nicht wirklich verdenken, nachdem ich ihn bereits mit einem derartigen Klischee überfallen hatte. Ich betrachtete die Schuhe. Nuttenabsätze.

„Darf ich fragen, wohin ihr geht? So angezogen?"

„Ich weiß es nicht."

Marcy lachte. „Ich hoffe mal, es ist keine Beerdigung. In dem Kleid könntest du Tote aufwecken, Elle."

Dann ließ sich mich allein mit meinen Grübeleien. Wohin wollte er mich ausführen?

Prinzessin Pennywhistle wäre nicht so ängstlich gewesen. Sie hätte das Kleid angezogen und den schönen Prinz getroffen. Erneut musterte ich die Schuhe, die Dessous, die Stola. Er hatte viel Geld ausgegeben, die Farbe Schwarz gewählt und die richtige Größe. Er war ein aufmerksamer Prinz.

Bei dem Gedanken musste ich lächeln und packte die Schachtel mitsamt Inhalt weg. Dan hatte recht. Ich wollte mit ihm ausgehen. Und es spielte keine Rolle, wohin.

Ich sollte ihn in der Lobby eines mondänen Hotels im Stadtzentrum treffen, wo echte Bäume aus den Marmorböden wuchsen und ein Springbrunnen mit seinem Plätschern die Stille durchbrach. Ich konnte ihn nirgends entdecken.

„Elle."

Ich drehte mich um. Dan sah gut aus. Verdammt gut. Der Smoking passte so perfekt, dass er ihm auf den Leib geschneidert sein musste. Er nahm meine Hand, zog mich an sich und umfasste meine Taille.

„Hübsches Kleid."

„Dieses alte Ding?"

„An dir sieht es fantastisch aus." Er küsste mich auf die Wange. „Und du duftest wunderbar."

Ich erschauerte unter seinen Küssen, meine Brustwarzen richteten sich auf. Seine Zärtlichkeit gab mir zwar ein unbehagliches Gefühl, aber ich machte mich nicht von ihm los. Er küsste mich auf die Schulter, dann nahm er wieder meine Hand. „Sollen wir?"

„Wohin gehen wir?", fragte ich, als er mich durch die Lobby zum Ballsaal zog.

„Zu meinem Klassentreffen."

Ich blieb abrupt stehen. „Wir gehen wirklich zu einem Klassentreffen?"

Er nickte einem anderen, formell gekleideten Paar zu. „Ja, allerdings."

Zwar hatte ich mir nun nichts Bestimmtes vorgestellt, allerdings auch nicht gerade ein Klassentreffen erwartet. „Wieso?"

Dan winkte einem Mann zu, dann zog er mich zur Seite vor einen kleinen Kamin, der brannte, obwohl schon Mitte Mai war. Während er mit mir sprach, lächelte er über meine Schulter anderen Leuten zu.

„Ich wollte gar nicht kommen, aber Jerry – mein Freund Jerry Melville – er sagte, dass Ceci Gold käme."

Ich musterte sein Gesicht. „Und wer soll das sein?"

„Sie war die Führerin der Cheerleader, wurde zur Abschlussballkönigin gekürt, war Klassensprecherin. Und sie war das Miststück, das mein Herz gebrochen hat."

„Ah." Ich sah mich um. „Ihr seid in der Highschool miteinander gegangen?"

„Nein. Ich holte mir zu ihrem Bild im Jahrbuch einen runter wie jeder andere Typ in meiner Klasse auch, aber sie hat mich nie eines Blickes gewürdigt. Vor drei Jahren haben wir uns zufällig in der *Hardware Bar* getroffen. Sie feierte ihre Scheidung mit Blue Mauis."

„Verstehe." Das tat ich allerdings.

Dan blickte stur über meine Schulter, winkte, lächelte, nickte, sein freundlicher Gesichtsausdruck passte überhaupt nicht zu unserem Gespräch. „In dieser Nacht nahm sie mich mit nach Hause, aber sie war so betrunken, dass ich ein schlechtes Gewissen gehabt hätte, mit ihr zu schlafen. Ich verbrachte die Nacht auf der Couch. Sie war mir für mein Verhalten – wie ein echter Gentleman, sagte sie – so dankbar, dass sie mich zum Essen einlud. Wir waren drei Monate zusammen, bis sie mich für einen Typen sitzen ließ, den sie in derselben Bar kennengelernt hat. Offenbar war sie in dieser Nacht nicht zu betrunken zum Rumvögeln."

„Entschuldige bitte?"

„Du brauchst dich nicht zu entschuldigen." Dan grinste mich an. „Sie war ein eingebildetes, anstrengendes und frigides Miststück. Die drei Monate, die ich mit ihr verschwendete, haben mir nichts als Kopfschmerzen und schmerzende Eier bereitet."

„Ah." Ich legte den Kopf ein wenig in den Nacken. „Ich dachte, sie hätte dir dein Herz gebrochen."

Er schenkte mir ein Haifischlächeln mit allen Zähnen. „Sie hat mit mir gefickt, das war alles."

„Du bist ganz schön sauer auf sie."

„Klar. Sie war reine Zeitverschwendung. Und eine Lügnerin. Es wäre gar nicht nötig gewesen, weil zwischen uns ja sowieso nichts Ernstes war. Wir waren nicht verliebt. Sie hätte nicht mit mir spielen müssen."

„Niemand mag es, belogen zu werden." Ich fand es interessant, dass er drei Jahre später noch immer so bitter klang.

„Jerry sagte, sie würde heute Abend auch kommen."

Nun verstand ich auch den Zweck meines Kleides. „Du willst sie also eifersüchtig machen?"

Er zog mich an sich. „Ja."

„Mit mir?" Darüber musste ich einen Moment lang nachdenken.

Ich mache mir keine falschen Vorstellungen von meinem Aussehen. Mein Spiegelbild zeigt ein Gesicht, das viele als anziehend bezeichnen würden. Ich habe langes dunkles Haar, blaue Augen und eine Art Porzellanhaut. Ich halte mich in Form, bin aber von Natur aus mit einer Sanduhrfigur gesegnet, die den Männern zu gefallen scheint. Um mit den Worten meiner Mutter zu sprechen: Wenn ich mehr auf mein Aussehen achten würde, könnte ich viel mehr Aufmerksamkeit auf mich ziehen. Doch Aufmerksamkeit will ich nur zu meinen Bedingungen. Also ja, ich weiß, dass ich hübsch bin, aber ich ziehe es einfach vor, eher unauffällig zu bleiben.

Dan küsste mich erneut auf die Wange. „Unbedingt."

„Ich bin nicht so sicher, ob ich es mit einer Abschlussballkönigin aufnehmen kann", sagte ich mit düsterem Blick.

Er strich über mein Haar, das ich zu einem lockeren Knoten gebunden trug. Dann zog er an einer kleinen lockigen Strähne. „Du wirst sie umhauen."

Wir sahen uns einen Moment lang in die Augen.

„Wie kommst du darauf, dass es ihr etwas ausmacht?", fragte ich schließlich, pragmatisch wie immer. „Es klang nicht so, als ob sie sonderlich interessiert an dir gewesen wäre."

„Es wird ihr etwas ausmachen. Sie gehört zu den Frauen, die gerne denken, dass kein Mann je über sie hinwegkommt. Außerdem wirst du sie verrückt machen."

Zumindest der erste Teil schien mir glaubwürdig. „Wie kommst du darauf?"

„Du siehst fantastisch aus, Elle, aber du benimmst dich nicht wie eine Frau, die das weiß."

„Nicht?" Meine Stimme klang zynisch, weil ich es so meinte. „Wie dann?"

„Du benimmst dich wie ein Engel", flüsterte er in mein Ohr und jagte mir damit einen Schauer über den Rücken. „Aber du fickst wie eine Teufelin. Nicht wahr?"

Engel. Teufel. Ich war nichts davon, in seinen Augen aber wohl beides. „Ich soll das wirklich für dich mitspielen?"

„Ja bitte." Er lächelte. „Komm schon, das wird lustig. Abendessen. Getränke. Tanzen."

„Das ist ein Date", flüsterte ich, als ob wir ein Geheimnis teilten.

Dan beugte sich vor, legte die Stirn an meine und sagte: „Tu mir den Gefallen."

Hätte ich verärgert sein müssen, dass er mich in eine solche Situation brachte? Und dass er mit meiner Zustimmung rechnete? Vielleicht. Aber irgendwie reizte mich die Herausforderung auch. Und ich stimmte aus dem einfachen Grund zu, dass er glaubte, ich könnte es schaffen.

7. KAPITEL

Dan musste mir Ceci erst gar nicht zeigen. Ich entdeckte sie sofort, sie war groß, blond und gebaut wie eine … nun, wie eine Abschlussballkönigin. Sie trug ein rotes Kleid und passenden Lippenstift. Es war kein Zufall, dass wir an ihrem Tisch landeten, Dan tauschte die Tischkarten mit einem derart bösen Kichern aus, dass ich einen Schritt zurücktrat, um ihn von oben bis unten zu betrachten.

„Was?", fragte er.

„Ich wusste nicht, dass du so … hinterhältig sein kannst."

„Nicht? Überrascht es dich?"

„Nein. Die meisten Menschen können hinterhältig sein."

„Aber du dachtest, dass ich ein netter Kerl bin, und nun hast du deine Meinung geändert?" Er ergriff meinen Arm und führte mich zum Tisch.

„Nein. Ich weiß, dass du kein netter Kerl bist."

„Hey." Er runzelte die Stirn. „Bin ich doch."

Mit erhobenen Augenbrauen schenkte ich ihm einen ungläubigen Blick. Wir starrten uns einen Moment lang an, ungeachtet der Tatsache, dass wir den Weg blockierten und Leute sich an uns vorbeidrückten.

„Du nimmst mich auf den Arm." Er klang unsicher.

„Ja, Dan. Ich nehme dich auf den Arm."

Er schüttelte lachend den Kopf. „Du bist gemein."

„Manchmal."

„Nein", sagte er und küsste mich schnell auf den Mund. „Das glaube ich nicht."

„Dan?"

Als ich die Frauenstimme hörte, wandte ich mich um, und

da war sie. Die Abschlussballkönigin. Die blonde Hexe. Wir musterten uns gegenseitig. Eisig. Ich behielt mein Lächeln bei. Ihr Blick war geringschätzig, und sie machte sich nicht die Mühe, diese Tatsache zu verbergen. Sie studierte mein Haar, mein Gesicht, meinen Körper, mein Kleid. Und vor allem den Arm, den Dan locker um meine Taille gelegt hatte. Besitzergreifend.

„Hallo Ceci."

Das Lächeln, das sie ihm zuwarf, war genauso wenig echt wie das Lächeln zuvor, aber zumindest strengte sie sich wesentlich mehr an. Sie versuchte so zu tun, als ob ich unsichtbar wäre, und es hätte vielleicht auch funktioniert, wenn Dan mich nicht gebeten hätte, sexy zu sein.

„Das ist Elle Kavanagh", verkündete Dan betont höflich. „Elle, darf ich dir Ceci Gold vorstellen? Sie war unsere Klassensprecherin."

Sie schüttelte meine Fingerspitzen so steif, als hätte ich ihr einen toten Fisch gereicht. „Freut mich, Sie kennenzulernen, Elle."

Natürlich erwartete sie, dass ich dasselbe sagte, ich unterließ es aber. Stattdessen lächelte ich selbstgefällig und betrachtete sie nun ebenfalls von Kopf bis Fuß. Weil ich wusste, dass sie das erwartete.

Nachdem wir uns gegenseitig abgeschätzt hatten, konnten wir unsere Territorien abstecken. Sie lächelte dem Mann, der neben ihr auftauchte, gekünstelt zu. Groß, dunkelhaarig, teurer Anzug – er sah Dan in keiner Weise ähnlich.

„Dan, das ist Steve Collins. Mein Verlobter."

„Schön Sie kennenzulernen, Steve." Dan schüttelte dem Mann die Hand.

Steve war entweder nett oder selbstbewusst genug, um sich nicht in Pose zu werfen. Oder, was mir wahrscheinlicher erschien, er wusste gar nicht, dass seine zukünftige Braut Dan seinerzeit in einer Bar aufgegabelt hatte. Wie auch immer, die Männer schüttelten sich ehrlicher die Hand als die beiden Frauen zuvor.

„Wie es aussieht, haben wir denselben Tisch", erklärte Dan. Und dann zu mir gewandt: „Sollen wir uns setzen?"

Das taten wir. Junge, Mädchen, Junge, Mädchen – wie in der Grundschule, was bedeutete, dass ich zwischen den beiden Männern saß. Die anderen beiden Stühle blieben leer. Wir reichten das Brot herum und spekulierten, was es wohl zum Essen gäbe. Ceci plauderte über ihre Arbeit als Partyplanerin, über ihr Haus, über die kommende Hochzeit und die geplanten Flitterwochen in der Karibik. Dabei ließ sie nicht eine Sekunde die Hände von Steve, legte sie auf seine Schulter, auf seine Hand und auf seinen Schenkel. Damit wollte sie demonstrieren, dass er ihr gehörte und es in Ordnung war, mit Dan zu flirten, weil sie es ja natürlich nicht ernst meinte, wenn sie mit den Wimpern klimperte, die Lippen schürzte oder Zweideutigkeiten von sich gab und dann in Kichern ausbrach. Was sie unterlassen hätte, wenn ihr klar gewesen wäre, wie ihre Stirn sich dabei in Falten legte.

Ich sprach nur wenig, was sie wohl nicht erwartet hatte. Es gab schließlich unausgesprochene Regeln. Je weniger ich sagte, desto mehr legte sie los.

„Nun, Elle, was machen Sie beruflich?", fragte Steve schließlich und bewies damit, dass er wirklich ein netter Kerl war.

Ceci hatte bereits den Mund geöffnet, um weitere Albernheiten loszulassen, doch nun durchbohrte sie mich mit ihrem

Blick. „Ja, Elle. Was machen Sie beruflich?"

„Ich bin Juniorchefin bei *Smith, Smith, Smith and Brown,* einem Finanzunternehmen", erklärte ich ihm. „Mit anderen Worten, eine Erbsenzählerin."

„Sie hören besser gar nicht hin." Dan streichelte meinen Nacken. „Elle hat eine fantastische Stellung bei *Smith, Smith, Smith and Brown.*"

Ich beäugte ihn skeptisch. „Habe ich?"

Lächelnd beugte er sich zu mir. „Ich habe das nachgeprüft. Du hast sogar deine eigene Sekretärin."

Das war richtig, hatte aber nicht unbedingt etwas zu bedeuten. Was genau hatte er nachgeprüft? Doch das konnte ich ihn nicht fragen, denn Ceci nutzte die Gelegenheit, sich wieder zu Wort zu melden. „Dann vermute ich mal, Erbsenzählen ist ein lukrativer Job." Sie zögerte, als ob sie noch etwas hinzufügen wollte, ihr aber nichts einfiele.

„Ganz in Ordnung, schätze ich. Zwar nicht so glanzvoll wie Astrophysik, aber besser bezahlt."

Das brachte sie zum Schweigen.

„Astrophysik?" Dan strich mit den Fingerspitzen über meinen nackten Rücken.

„Ich habe Astrophysik studiert", erklärte ich wie nebenbei. „Mit Schwerpunkt auf Himmelsmechanik."

Ausdruckslose Blicke.

„Die Wissenschaft der Bewegung der Himmelskörper unter dem Einfluss der Gravitation", erklärte ich, ohne zu erwarten, dass sie mich besser verstanden. Ich erzählte den Leuten nicht oft von meinem Studium, von meinem Versuch, einen aufregenden Beruf zu ergreifen, aber wenn, dann genieße ich es jedes Mal, ihre Gesichter zu sehen.

„Wow", sagte Steve. „Das ist beeindruckend."

Dan drehte sich halb zu mir, bewegte seine Hand und bescherte mir eine Gänsehaut. Ich hatte ihm nie von meinem Studium oder meinem Beruf vor *Triple Smith and Brown* erzählt. Beide Männer hörten mir so hingerissen zu, als ob ich ihnen irgendwelche abnormen Sexpraktiken schilderte. Ceci schien das überhaupt nicht zu gefallen. Astronomie war vielleicht nicht so toll, wie Partys zu planen, aber auf jeden Fall brauchte es dafür deutlich mehr Intelligenz.

„Astronomie", sagte sie mit leicht gerunzelten, aber ansonsten perfekten Augenbrauen. „Horoskope, richtig?"

Beide Männer sahen sie an.

„Was?", fragte sie.

„Das ist Astrologie", meinte Steve.

„Oh." Sie zuckte mit den Schultern. „Ist doch dasselbe."

„In beiden Fällen werden die Sterne studiert", sagte ich. „Aber Astronomie kann man viel praktischer anwenden."

„Und wieso haben Sie die Astronomie für das Finanzgeschäft aufgegeben?" Steve beugte sich vor, vermutlich unbewusst, aber ich erkannte die Bedeutung seiner Körpersprache. Ceci ebenso, sie schaute düster.

„Es gibt vielleicht eine Milliarde Sterne", erklärte ich. „Aber keine Milliarden Jobs."

Steve lachte mit einem schnellen Seitenblick auf Ceci, die seinen Humor nicht zu teilen schien. „Die Entscheidung ist Ihnen bestimmt nicht leicht gefallen."

„Der Unterschied ist gar nicht so groß, wie man meint. In beiden Fällen geht es um Berechnungen."

Cecils Lachen klang nun nicht mehr so glockenhell. „Sie waren also die Klassenstreberin, wie?"

„Stimmt. Und ich hörte, Sie waren Abschlussballkönigin und Klassensprecherin?"

„Und ich wurde zur beliebtesten Schülerin gewählt", ergänzte sie, ohne falsche Bescheidenheit vorzuschützen.

„Na dann", sagte ich ernsthaft. „Wie gut, dass die Highschoolzeit schon lange vorbei ist."

Für sie im Übrigen länger als für mich. Ich hatte bisher nicht gewusst, dass Dan schon in den Dreißigern war. Ich würde demnächst neunundzwanzig werden, meine Zeit lief ab, wie meine Mutter stets betonte. Aber nicht so schnell wie die von Ceci.

Zum ersten Mal entstand ein unangenehmes Schweigen.

Ich sah Ceci an, die so angestrengt lächelte, dass sie wie eine Verrückte wirkte. Ihr Blick wanderte von Steve zu mir und wieder zurück, hin und her, hin und her. Sie tat mir leid. Sie war so daran gewöhnt, angehimmelt zu werden, dass sie jedes Gefühl für ihren eigenen Wert verlor, sobald es einmal anders lief. Natürlich, sie war außerdem ein Miststück, keine Frage, und sie hatte gnadenlos mit Dan geflirtet, nur um ihr Selbstbewusstsein zu stärken. Insofern hielt sich mein Mitleid in Grenzen.

„Ceci", sagte Dan. „Steve macht es doch bestimmt nichts aus, wenn wir miteinander tanzen. Oder Steve?"

„Natürlich nicht."

Clever, clever, Dan. Ich senkte den Kopf, um ein Lächeln zu verbergen, erhaschte aber zuvor einen Blick auf ihr Gesicht, und der war unbezahlbar. Sollte sie mit Dan tanzen, um sich zu versichern, dass er tatsächlich nicht über sie hinweggekommen war? Mich aber zugleich mit Steve allein lassen, damit ich mit ihm weiter über die Mysterien des Universums diskutieren konnte? Nach kurzem innerem Kampf nickte sie schließlich und stand auf.

„Keine Sorge, Elle", sagte sie. „Ich werde gut auf ihn aufpassen."

Ich machte mir keine Sorgen. Er war nicht mein Freund. Keine Bindung. Sie konnte mir nichts anhaben.

„Wie lange kennen Sie Dan schon?", fragte Steve, als die beiden gegangen waren.

„Noch nicht lange." Es waren drei Monate. Ein halbes Leben und zugleich nur ein winziger Augenblick.

„Sie sind ein hübsches Paar."

Vielleicht versuchte er einfach nur nett zu sein, oder vielleicht wollte er mir auf diese Weise Avancen machen, um im Fall einer Ablehnung so tun zu können, als ob nichts gewesen wäre. Lächelnd beugte er sich zu mir.

Ich rückte ein wenig von ihm ab. „Wir sind nicht wirklich ein Paar."

„Sind Sie nicht?" Steve schaute überrascht, mir entging das Aufflackern in seinen Augen nicht. Mr. Perfect war also doch nur ein Mann. „Das tut mir leid."

„Muss es nicht."

Wir starrten uns über den Tisch hinweg an, dann wanderte sein Blick über meine Schulter auf die Tanzfläche. Ich drehte mich nicht um, doch was immer er sah, es schien ihm nicht zu gefallen, denn er runzelte die Stirn.

„Würden Sie gerne mit mir tanzen?", fragte er, ohne mich anzusehen.

Und dann schaute ich mich doch um und erblickte Ceci, die sich an Dan drückte und eine Art heißblütigen Tango tanzte. Dan für seinen Teil schien sich zu amüsieren und erweckte den Eindruck, als ob seine Hände überall wären, obwohl er in Wahrheit fast bewegungslos war. Ich musste lächeln. Er war wirklich talentiert.

„Klar. Ich würde gerne tanzen." Ich reichte ihm meine Hand, und als wir in die Mitte des Ballsaals traten, änderte sich die Musik.

„Ihr erinnert euch bestimmt alle daran!", rief der DJ. „Wie ich gehört habe, war das die Titelmusik eures Schulabschlussballs."

„Oh Junge", murrte ich, als ich die Liebesballade aus den späten Achtzigern hörte. „Gleich fange ich an zu heulen."

Steve lachte und zog mich an sich, ein wenig zu eng, aber er benahm sich nicht annähernd so eindeutig wie Ceci. Wir tanzten schweigend. Er glitt mit den Händen etwas tiefer, ich betrachtete seinen Arm, dann sein Gesicht. Er lächelte.

Ich sah Dan an, der mir über Cecis Schulter zugrinste. Ceci hingegen schaute sehr ernst. „Wenn Blicke töten könnten" ist vielleicht eine etwas abgeschmackte Phrase, aber wahr. Es schien keine Rolle zu spielen, was sie mit meinem Begleiter anstellte, sondern nur das, was ich mit ihrem anstellte. Oder vielmehr er mit mir, weil ich nämlich nichts anderes tat, als ihn zu bitten, aufzuhören.

Ein weiteres langsames Lied. Steve drückte mich fester an sich, ich roch sein teures Aftershave, konnte es allerdings nicht erkennen.

„Kluge Frauen sind so sexy", murmelte er in mein Ohr.

Steve hatte lange Beine, breite Schultern, weiße Zähne und ebenmäßige Gesichtszüge. Er roch gut. Er tanzte gut. Seine Hände waren groß genug, um meinen ganzen Hintern zu umfassen, wie ich schnell herausfand.

Ich wollte nicht mit Steve tanzen.

Ich warf Dan einen Blick zu. Er hätte genauso gut mit einem Besen tanzen können, so wenig Aufmerksamkeit schenkte er inzwischen der Frau in seinen Armen. Unsere Blicke trafen sich. Das Lied war zu Ende, Dan ließ Ceci auf der Tanzfläche stehen, kam zu uns und nahm meine Hand.

„Entschuldigen Sie", sagte er freundlich. „Ich denke, dieser Tanz gehört mir."

Ohne ein weiteres Wort nahm er mich in den Arm und hielt mich fest. Mein Kopf passte perfekt an seine Schulter, er drückte die Lippen in mein Haar. „Mir gehörst du", flüsterte er, und wir tanzten solange, bis die Musik wieder schneller wurde.

Er zog mich aus dem Raum, vorbei an einem missmutigen Steve, der sich an der Bar einen Schnaps gönnte, und einer schmollenden Ceci mit verschränkten Armen. Wir liefen durch den Flur, Dan stieß eine Tür auf und schob mich in die Garderobe.

Mir blieb keine Zeit, ihn zu fragen, was das sollte, andererseits musste ich das auch gar nicht. Es war Mai, und somit hingen hier keine Mäntel, nur leere Haken, die zu schwingen begannen, als er mich an die Wand drückte. Er glitt mit einer Hand unter mein Kleid. Ich war bereits feucht für ihn.

„Er wollte dich." Er drückte die Lippen auf meinen Hals. „Er wollte dich so sehr, Elle."

Er streichelte mich durch den Slip, dann schob er die Hand unter den Stoff, drückte den Ballen an meine Nässe, schob einen Finger in mich und erstickte meinen Schrei mit der anderen Hand. Es war ihm egal, dass er meinen Lippenstift verschmierte.

„Wärst du mit ihm gegangen?", fragte er, sein heißer Atem schlug an meine Haut.

„Heute?"

„Wenn er dich gebeten hätte."

„Nein."

Er streichelte mich weiter, ich drückte mich an ihn. „Nein?"

„Nein. Auf keinen Fall."

„Warum nicht?" Jetzt liebkoste er mit der andern Hand meine Brust.

„Weil ich heute mit dir hier bin."

„Du bist schon bereit für mich, nicht wahr? Du bist immer bereit für mich."

Wie arrogant diese Aussage auch sein mochte, von ihm klang sie, als hätte er ein Geschenk empfangen. Ich erbebte und legte die Hand auf seine Hose.

„Ich bin auch bereit." Er lächelte, als ich ihn durch den Stoff streichelte.

Automatisch sah ich zur Tür, die sich jeden Moment öffnen konnte. „Das macht dich an. Sex in der Öffentlichkeit."

Vielleicht war ich bei der Partnerwahl bisher nicht besonders anspruchsvoll gewesen, aber vor Dan hatte ich es nie in der Öffentlichkeit gemacht. Und jetzt stand bereits das dritte Mal bevor. Aller guten Dinge sind drei. Vielleicht hatten wir diesmal Pech und würden erwischt werden.

Ich konnte nicht entscheiden, ob es mich erregte oder nicht. Seine Berührung tat es aber auf jeden Fall. Seine Hände und sein Mund. Und wie er mich ansah. Und wie er meinen Namen sagte.

„Elle", flüsterte er. „Ich will dich."

Mir ging es nicht anders. „Meine Handtasche."

Er biss leicht in meinen Nacken, dann sah er auf. „Du bist tatsächlich immer vorbereitet, nicht wahr?"

„Ich gehe gern auf Nummer sicher."

Ein wenig schüttelte er den Kopf, als ob meine Antwort ihn amüsierte, doch er brauchte nur wenige Sekunden, um das Kondom überzustreifen und mir den Slip herunterzuziehen.

„Nimm die Arme hoch. Halt dich an der Garderobenstange fest."

Er stieß mit einem Aufstöhnen in mich und hob mein Bein, damit ich es um seine Taille schlang. Ich umklammerte die Stange, meine Nägel gruben sich in die Handflächen, aber dieser kleine Schmerz konnte mich nicht von dem Genuss ablenken, seinen Schwanz in mir zu spüren.

Bestimmt sahen wir merkwürdig aus, aber der Anblick blieb mir erspart. Hier gab es keine Spiegel, in denen ich sehen konnte, wie er mich vögelte und wie sich unsere Gesichter vor Lust verzerrten. Wir sahen uns an, und er stieß so hart in mich, dass mein Körper hin und her geschleudert wurde.

Wenn ich die Stange losgelassen hätte, wären wir beide zu Boden gestürzt. Ich konnte mich nicht richtig bewegen, alles hing an Dan, an seiner Geschicklichkeit, und vor Anstrengung runzelte er die Stirn.

Mein Höhepunkt überraschte mich selbst mehr als ihn. Ich hätte nicht gedacht, dass ich auf diese Weise kommen würde, das Kleid hochgeschoben, die Finger taub vom Umklammern der kalten Garderobenstange und mit der Furcht, dass jeden Moment die Tür aufgehen könnte. Ich kam mit einem kleinen, leisen Schrei, mit offenen Augen. Er lächelte. Daraufhin schloss ich die Augen und wandte den Kopf ab, doch das gefiel ihm nicht.

„Sieh nicht weg", flüsterte er heiser und ein wenig atemlos. „Ich liebe es, dir in die Augen schauen."

Es gab keinen triftigen Grund, zu tun, was er sagte, damals nicht, niemals. Das möchte ich klarstellen. Was immer Dan auch von mir verlangte, ich hatte immer die Möglichkeit, Nein zu sagen. Aber ich tat es einfach nicht.

Ich hatte die Möglichkeit, mich zu verweigern und tat es nicht.

Also sah ich in seine Augen, in denen Leidenschaft loderte. Das klingt merkwürdig, nicht wahr? Kann in Augen wirklich Leidenschaft lodern? Geht das?

Ja. Ich weiß nicht, wer einmal sagte, dass Augen die Fenster zur Seele wären, aber ich glaube daran. Ich erkannte darin seine Leidenschaft. Seine Lust. Und wie immer einen Hauch von Ungläubigkeit, als ob er trotz allem nicht fassen könnte, dass das alles wirklich geschah.

Ich wusste genau, wie er sich fühlte.

Er fickte mich härter, mein Ring klapperte an der Metallstange, die Kleiderbügel rasselten aneinander. Unser Atem klang sehr laut. Er biss sich auf die Lippen, Schweiß strömte von seiner Stirn, dann verlagerte er mein Gewicht und versenkte sich ein letztes Mal in mich, mit einem leisen Grunzen, das ein Lächeln auf meine Lippen zauberte. Es wäre ja hübsch, wenn wir alle während des Orgasmus elegant und wortgewandt wären, aber die meisten von uns sind es nicht. Ich sah, wie seine Augen flackerten und er heftig schluckte. Dann vergrub er sein Gesicht an meiner Brust.

„Ich muss dich jetzt runterlassen. In Ordnung?", murmelte er.

Wir entwirrten unsere Gliedmaßen, ich hielt mich mit einer Hand weiterhin an der Stange fest, weil meine Beine zitterten. Mein Kleid fiel herab bis an die Fußknöchel. Er wickelte das Kondom in ein Taschentuch und warf es in den kleinen Mülleimer neben der Tür.

„Hey." Er grinste.

„Warum ist mit dir alles so einfach?", fragte ich.

Diese Worte verblüfften mich genauso wie mein Orgasmus. Und ihn wohl auch, denn er sah mich fragend an und griff nach einer Locke, die sich aus meinem Knoten gelöst hatte.

„Was meinst du damit?"

Hitze stieg von meinem Bauch über meinen Hals bis ins Gesicht. Ich konnte seinem Blick nicht länger standhalten. Scham ist mir nicht fremd. Ich kenne dieses Gefühl sehr gut. Oh, ich kann es leicht vertreiben oder so tun, als ob es nicht da wäre, leugnen. Meistens kann ich mich sogar selbst davon überzeugen, dass ich mich für nichts schämen muss.

Jetzt konnte ich es nicht. Die Scham war wie ein Hieb in den Magen, und ich taumelte ein wenig. In meinen Ohren begann es zu rauschen, meine Sicht verschwamm. Ich bin ein- oder zweimal in meinem Leben ohnmächtig geworden, ein Grund dafür ist mein niedriger Blutdruck. Ich zog den Kopf ein und verstärkte den Griff um die Stange, aus Angst, hinzufallen.

„Elle. Bist du okay?"

Die Sorge in seiner Stimme war zu viel. Ich drückte mich an ihm vorbei aus dem Raum in die Halle. Dort legte ich die Hände an meine brennenden Wangen. Ich musste hier raus, so schnell wie möglich, und schon bewegten sich meine Beine auf das Schild „Exit" zu.

Ich trat auf einen dunklen Innenhof, der mit Zigarettenkippen übersät war. Dankbar atmete ich die kühle Luft ein. Die Steinmauern des Hotels waren noch warm von der Hitze des Tages, ich lehnte mich einen Moment dagegen, während ich gleichmäßig atmete.

Wenigstens heulte ich nicht. Andererseits heulte ich nie. Tränen waren ein Trost, den ich schon vor langer Zeit verloren hatte.

Sex ist nichts Falsches. Sex ist nicht schmutzig. Nicht einmal Sex in einem öffentlichen Raum mit einem Mann, den man kaum kennt. Sex ist ein Geschenk, etwas, das man schätzen und ausnutzen sollte. Sex verjüngt. Sex regeneriert. Ein Orgasmus ist ein weiteres kleines Wunder unseres Körpers, genauso wie Niesen oder Herzklopfen. Sex ist nicht schmutzig. Nicht einmal Sex in einem öffentlichen Raum mit einem Mann, den man kaum kennt. Sex zu mögen, die Berührungen eines Mannes zu mögen, einen Höhepunkt zu haben, ihn in sich aufzunehmen … deswegen ist man noch lange nicht schmutzig.

Die Nacht war kühl, ich bekam eine leichte Gänsehaut und rieb mir die Arme, wütend auf mich selbst.

Sex ist nicht schmutzig. Ich bin nicht schmutzig. Das bin ich nicht.

Die Tür hinter mir öffnete sich. Ich richtete mich auf.

„Hey", sagte Dan nach einem Moment. „Elle, geht es dir gut? Hast du zu viel getrunken?"

„Nein."

Er stand neben mir, rührte mich aber nicht an. Ich hielt meinen Blick stur nach vorn gerichtet, obwohl es dort gar nichts zu sehen gab. Nun schämte ich mich nicht nur, ich fühlte mich auch noch bloßgestellt.

Dan griff in seine Manteltasche, zog Zigaretten heraus und bot mir eine an. Ich nahm sie, obwohl ich eigentlich nicht rauchte. Schweigend standen wir nebeneinander, während die Zigaretten in der Dunkelheit rot aufglühten.

„Bist du sauer auf mich?", fragte er nach einer Weile.

„Nein, Dan."

„Gut."

Er warf die Zigarette auf den Boden, ohne sie auszutreten. Ich tat dasselbe.

„Es tut mir leid", sagte ich.

Sein Gesicht lag im Schatten. „Ich wünschte, das würde es nicht."

„Der Abend ist sowieso fast vorbei", sagte ich.

„Elle."

Nur ein Wort, mein Name, aber es hielt mich so fest, als hätte er mich am Arm gefasst.

„Ich möchte nicht, dass es dir jemals leidtut", sagte Dan. „Weil es mir nicht leidtut."

Ich wollte eigentlich nicht lachen, aber etwas anderes kam nicht von meinen Lippen. Nur ein kurzes, scharfes Lachen, voller Zynismus.

„Das kann ich mir gut vorstellen."

Er schabte mit seiner Schuhspitze über den Steinboden. „Du glaubst, ich bin irgend so ein Typ, der ständig Frauen aufgabelt und durch die Gegend vögelt."

„Ich kenne dich nicht!" Meine Antwort klang schärfer, als ich beabsichtigt hatte.

„Dann lerne mich kennen", schlug er vor. „Ich bin nicht

besonders kompliziert, Elle. Versprochen."

„Ich schon."

„Was du nicht sagst." Ein Lächeln lag in seiner Stimme.

„Glaubst du ... glaubst du etwa, dass ich zu den Frauen gehöre, die sich einfach so von Männern aufgabeln und vögeln lassen?"

„Nun, ist es so?"

„Offensichtlich." Ich klang resigniert.

Da berührte er mich. Er legte zärtlich seine Hand auf meine Taille und zog mich ins Licht, in dem seine Augen sehr blau wirkten.

„Und selbst wenn?"

Ich konnte ihn nur anstarren, erwiderte sein Lächeln nicht.

„Ich glaube nicht, dass du zu den Frauen gehörst, die sich einfach so von Männern aufgabeln und vögeln lassen. Ganz egal, wie viele Männer du bisher hattest."

„Achtundsiebzig." Das rutschte mir so heraus.

Er zwinkerte kurz und zögerte. „Du warst mit achtundsiebzig Männern zusammen?"

„Ja."

Ich wartete darauf, dass sich Ekel auf seinem Gesicht abzeichnete, aber er strich mir nur zart durchs Haar. „Das ist eine Menge."

„Stört es dich?", fragte ich.

Er wirkte nachdenklich. „Stört es dich?"

„Ja, Dan", antwortete ich nach einer Sekunde. „Es stört mich."

„Bevor ich dich kennenlernte, bin ich mit vielen Frauen zusammen gewesen. Stört dich das?"

„Nein." Das war etwas anderes. Mit Frauen zusammen zu sein war etwas anderes, als Männer mit nach Hause zu nehmen und mit ihnen zu schlafen, um zu beweisen, dass man es konnte.

Er zog mich an sich, sein Hemd war zerknittert. „Es ist mir egal, was du vorher getan hast. Mich interessiert nur, was du jetzt tust."

Ich schüttelte stumm den Kopf.

„Wenn du lieber schöne Worte hören willst, lasse ich mir etwas einfallen. Aber etwas sagt mir, dass du sie sowieso nicht glauben würdest."

Meine Mundwinkel hoben sich ein wenig. „Da hast du vermutlich recht."

Er schob mich vor sich, um mich von hinten umarmen zu können, und verflocht seine Finger mit meinen. Seine Umarmung verscheuchte meine Gänsehaut. Er legte das Kinn auf meine Schulter und zeigte in den Himmel.

„Was für Sterne sind das?"

„Das ist zufälligerweise der Große Wagen."

Er hielt mich fester. „Wie kamst du auf die Idee, Astronomie zu studieren?"

Ich lehnte mich an ihn und blickte in die winzigen funkelnden Lichter im schwarzen Himmel. „Ich glaubte, ich könnte sie alle zählen."

„Die Sterne?"

Ich nickte. „Ich dachte, ich könnte sie alle zählen oder zumindest alles über sie erfahren. Herausfinden, warum sie nicht vom Himmel fallen. Und vielleicht einen Weg finden, sie zu erreichen. Entdecken, dass es dort Leben gibt."

Er lachte leise. „UFOs?

„Das ist ein seriöses Forschungsfeld", murmelte ich. „Aber nein, ich habe mich nie um UFOs gekümmert."

„Nur um die Sterne."

„Glaub mir, damit hatte ich genug zu tun."

Wir schwiegen einen Moment. Er drückte seine Lippen in meinen Nacken.

„Vermisst du es manchmal?"

„Immer wenn ich mir die Sterne anschaue", entgegnete ich.

„Hast du je herausgefunden, wie viele es gibt?"

Ich drehte den Kopf. „Nein. Niemand kann sie zählen. Es gibt unendlich viele."

„Deswegen … hast du aufgegeben?"

Ich löste mich ein wenig von ihm. „Sich von einer sinnlosen Aufgabe abzuwenden bedeutet nicht gleich, aufzugeben."

„Ich weiß."

„Warum sagst du dann so was?"

Ich fühlte, wie er die Schultern hob und wieder fallen ließ. „Ich wollte hören, wie du darauf reagierst."

Ich reagierte nicht.

„Wie lange hast du gebraucht, um festzustellen, dass es eine sinnlose Aufgabe ist?"

Ich machte mich von ihm los und sah ihn an. „Wer sagt, dass ich das getan habe?"

Wir sahen uns lange an, dann hob ich den Kopf wieder zum Himmel. Dan auch, er hielt meine Hand, und wir starrten gemeinsam in die Nacht.

„Ich habe nicht aufgegeben", sagte ich schließlich.

„Das freut mich."

„Mich auch", sagte ich und drückte seine Hand.

8. KAPITEL

„Ella." Beim Klang der Stimme meiner Mutter verzog ich wie immer den Mund. „Hast du zugenommen?"

Ich hatte letztlich die Wahl gehabt, sie an einem neutralen Ort zum Mittagessen zu treffen, sie zu mir einzuladen oder sie zu Hause zu besuchen. Als pflichtbewusste Tochter hatte ich mich für das Mittagessen entschieden. Wir beide wussten, warum, sprachen es aber nicht aus.

„Wahrscheinlich, Mutter."

Sie schniefte ein wenig. „Kein Mann will eine Frau, die nicht auf sich achtet."

Ich schmierte mir gerade ein Stück Brot, nahm jetzt aber noch etwas mehr Butter und schenkte ihr ein unehrliches Lächeln. „Darüber mache ich mir keine Sorgen, Mutter."

Sie schniefte erneut und nippte an ihrem Wasser mit einem Stück Zitrone. Ich sollte vielleicht erklären, dass meine Mutter nicht alt oder schwach ist, sie kränkelt nicht einmal, aber sie möchte, dass die ganze Welt sie bemitleidet. Meine Mutter ist eine attraktive, gut aussehende Frau Anfang sechzig, die mehr Geld für ihre wöchentlichen Kosmetikbehandlungen ausgibt als ich beim Einkaufen. Wegen eines harmlosen Autounfalls vor fünfzehn Jahren hat sie eine fast unsichtbare Narbe auf dem linken Bein und glaubt sich außerstande, sich selbst jemals wieder hinter ein Steuer zu setzen. Wegen „der Nerven". Und obwohl wir nie über die Trinkerei meines Vaters sprechen, ist sie nicht so naiv zu glauben, dass er sie noch irgendwo hinkutschieren könnte. Ich würde ja lieber „die Nerven" überwinden, als mit einem Mann festzusitzen, den ich hasse, und darauf zu spekulieren, dass andere freundlich genug sind, mich zu fahren … andererseits habe ich selbst genug Probleme und am Ende sogar mehr vom Märtyrerkomplex meiner Mutter abbekommen, als mir recht ist.

Als der Ober kam, bestellte meine Mutter den üblichen Salat mit Hausdressing auf einem Extrateller. Ich entschied mich für einen Cheeseburger, Pommes frites und ein Schokoladen-Milchshake.

„Elspeth!" Sie klang, als hätte ich gegrilltes Baby bestellt. Ich weiß nicht, worüber sie beleidigter war, über das Essen selbst oder über die Tatsache, dass ich einen gewöhnlichen Cheeseburger in einem schicken Restaurant wie dem *Giardino's* bestellte.

„Mutter", erwiderte ich sehr ruhig, was sie nur noch wütender machte.

Sie breitete ihre Serviette aus. „Das machst du, um mich zu ärgern, nicht wahr?"

„Ach Mutter, ich habe einfach Hunger, das ist alles."

Abschätzig betrachtete sie mich. „Zumindest macht Schwarz schlank."

Ich musterte meinen schwarzen Pulli und den schwarzen Rock. Ich frage mich, ob es eine einzige Frau auf der Welt gibt, die nicht glaubt, dass ihre Schenkel schlanker und ihr Hintern flacher sein könnten. Aber alles in allem hatte ich Frieden mit meinem Körper und seinen kleinen Rundungen geschlossen.

„Du wirst wieder dicker", fuhr sie fort. „Und das, nachdem du so schlank gewesen bist."

Ich war aus Selbstschutz „dicker" geworden, wie sie es ausdrückte, und dünn wegen der Umstände. Und das war eine Art von Diät, die ich nie wieder machen wollte.

„Ich bin glücklich mit meinem Aussehen, Mutter. Lass uns bitte über etwas anderes sprechen."

„Niemand ist je glücklich mit seinem Aussehen", rief sie und sprach damit meine Gedanken von zuvor aus. „Das ist der Fluch der Frauen, Ella. Wir sind dazu verdammt, dass wir immer dünner sein, größere Brüste und längere Beine haben wollen."

„Ich bin mehr als nur Titten und Arsch. Ich besitze auch ein Hirn."

Meine Ausdrucksweise ließ sie die Nase rümpfen. „Nun, dein Hirn kann aber niemand sehen, oder?"

Wie ich Dan sagte, bedeutet sich von einer sinnlosen Aufgabe abzuwenden nicht gleich, aufzugeben. Es ist einfach klüger. Ich hatte keine Lust, mit ihr zu streiten. Diesen Vortrag hielt sie mir nun schon seit mehreren Jahren. Ich trank lieber etwas Wasser, und die Eiswürfel halfen mir, meine Zunge im Zaum zu halten.

Ausnahmsweise ließ sie das Thema fallen. Die ausführliche Klatschgeschichte, die sie mir daraufhin erzählte, war auch nicht viel besser, außer dass ich darin keine Rolle spielte, weder mein Gewicht noch mein Hirn. Sie handelte von Debbie Millers Tochter Stella, die gerade ein Kind bekommen hatte.

„… und sie hat ihn Atticus genannt!" Meine Mutter schüttelte den Kopf, ihre Ansicht über diesen Namen war somit geklärt.

„Atticus ist ein sehr hübscher Name. Wenigstens hat sie ihn nicht Adolf genannt."

„Was für kluge Sprüche du drauf hast", sagte meine Mutter. „Passend zu deinem klugen Hirn."

„Entschuldige." Merkwürdig, dass man sich seinen Eltern gegenüber immer wie ein Kind verhält. Zwar rechnete ich nicht damit, dass sie mir über den Tisch hinweg eine Ohrfeige verpassen würde … benahm mich aber so, als ob.

Der Kellner brachte unser Essen, obwohl mir inzwischen der Appetit vergangen war.

„Ella", verkündete meine Mutter schließlich, als sie den halb gegessenen Salat zur Seite schob. „Ich muss mit dir über deinen Vater sprechen."

„Gut." Ich legte die Gabel weg und wischte mir den Mund mit der Serviette ab. Ich sprach nicht viel mit meinem Vater, ab und zu nahm er den Telefonhörer ab, wenn ich anrief – was sowieso nicht oft vorkam. Und meine Mutter erwähnte ihn regelmäßig in alltäglicher Hinsicht: „Daddy und ich haben diese Sendung über verrückte Haustiere gesehen", und „Daddy und ich überlegen, ob wir die Küche renovieren sollen." In Wahrheit verbrachte mein Vater die Tage vor dem Fernseher mit einem immer vollen Glas Gin in der einen Hand und der Fernbedienung in der anderen.

„Worüber möchtest du sprechen?"

Mit den unechten Tränen, die ich meine Mutter in all den Jahren hatte vergießen sehen, könnte man ein Schwimmbad füllen. Sie weinte so gekonnt, dass ihr Make-up niemals verlief. Als jetzt also eine Träne in ihrem Auge glitzerte und ihren sorgsam aufgetragenen Eyeliner verschmierte, war ich alarmiert.

„Deinem Vater", erklärte sie, „geht es nicht gut."

„Was hat er denn?"

Sie machte eine kleine wedelnde Geste mit der Hand, und meine Beunruhigung wuchs. Sie war vielleicht eine Märtyrerin, aber normalerweise niemals sprachlos. Ich beobachtete ihren Mund, aus dem nichts kam, und faltete die Hände in meinem Schoß, damit sie nicht zitterten.

„Was ist mit ihm, Mutter?"

Sie sah sich kurz um, bevor sie antwortete. „Leberzirrhose", wisperte sie und schlug sich dann die Hand vor den Mund, als ob ihr das Wort aus Versehen herausgerutscht wäre.

Das war natürlich keine wirkliche Überraschung. Mein Vater war fast sein ganzes Leben lang schwerer Alkoholiker gewesen. „War er beim Arzt? Was genau fehlt ihm?"

„Er ist zu erschöpft, um aus seinem Stuhl aufzustehen, und er hat viel Gewicht verloren. Er isst nicht mehr."

„Aber er hört nicht auf zu trinken."

Sie reckte das Kinn vor. „Dein Vater hat sich abends einen kleinen Drink zum Entspannen verdient. Er hat all die Jahre hart gearbeitet, um uns durchzubringen."

Ich hackte nicht weiter darauf herum. „Muss er ins Krankenhaus?"

„Ich habe noch niemandem davon erzählt", flüsterte sie, tupfte sich die Augen ab, und der kurze Moment der Offenheit zwischen uns war verflogen.

„Natürlich nicht. Wir wollen ja nicht, dass die Nachbarn etwas erfahren."

Sie warf mir einen eisigen Blick zu. „Auf keinen Fall. Was in einer Familie geschieht, bleibt in der Familie."

Was in einer Familie geschieht, bleibt in der Familie.

Wir starrten uns über den Tisch hinweg an, zwei Frauen, von denen jeder Fremde gewusst hätte, dass sie zusammengehörten. Ich hatte ihre vollen Lippen geerbt und ihre Augen, auch wenn meine blau und ihre grau waren. Doch in Form und Größe unterschieden sie sich nicht, sie waren so rund, dass man uns als unschuldig hätte betrachten können, was wir aber nicht im Mindesten waren.

„Wirst du mir eigentlich nie verzeihen?" Ich hatte nicht beabsichtigt, mit bebender Stimme zu sprechen, schnell umklammerte ich die Serviette. „Mutter, verdammt noch mal, wirst du es nie lassen?"

Sie schniefte wieder, als ob ich nicht einmal eine Antwort wert wäre. Ich war nicht mehr Elle, sondern Ella, und ich hasste es. Indem sie nicht antwortete, stritt sie meine Behauptung auch nicht ab. Und sie gab auch nicht vor, nicht zu wissen, was ich meinte. Ich senkte den Blick auf meinen halb gegessenen Burger, und der Kellner bewahrte mich davor, noch mehr zu sagen, indem er mich fragte, ob er mir den Rest einpacken sollte.

„Nein, besten Dank."

Meine Antwort ließ sie mit der Zunge schnalzen. „Was für eine Verschwendung!"

„Ich bezahle schließlich, also musst du dir keine Gedanken darüber machen."

„Das ist nicht der Punkt", klärte sie mich auf. „Ella, du kannst es dir nicht leisten, dein Geld einfach wegzuwerfen."

„Weil ich keinen Mann habe, der sich um mich kümmert", beendete ich ihren Gedanken. „Ich weiß. Bringen Sie bitte die Rechnung?"

Der Kellner, der uns erschrocken beäugt hatte, zog sich zurück. Meine Mutter sah mich wütend an. Ich hatte keine Wut mehr übrig. Ich konnte nur ausdruckslos starren.

„Der Kellner kennt dich nicht mal", erklärte ich ihr. „Und noch viel wichtiger: Es ist ihm vollkommen egal."

„Darum geht es nicht." Sie blickte düster.

Ich konnte nicht länger gegen sie kämpfen. Das Mittagessen lag mir wie ein Stein im Magen. Wieder wischte ich meinen Mund ab, dann meine Hände und legte die Serviette so über meinen Teller, dass der halb gegessene Cheeseburger mich nicht länger vorwurfsvoll anblicken konnte.

„Du solltest uns wirklich besuchen. Bevor es zu spät ist."

Ach, na endlich. Endlich erwähnte sie den wahren Grund für dieses Mittagessen. Ich zuckte mit den Schultern. „Ich habe sehr viel zu arbeiten."

Sie schoss nach vorn und öffnete den obersten Knopf meiner Bluse. Ihr Gesicht verzerrte sich.

„Arbeit. So nennst du das also?"

Ich legte eine Hand an meinen Hals, dann knöpfte ich die Bluse wieder über dem kleinen rosa Knutschfleck zu, den sie entblößt hatte. „Ich habe einen Beruf ..."

„Bist du eine Hure?" Sie lächelte höhnisch. „Ist das dein Beruf? Vielleicht hält dich das davon ab, eine gute Tochter zu sein. Vielleicht hast du zu viel damit zu tun ... schmutzig zu sein."

Wenn man nicht gerade in einen Spiegel schaut, kann man sich seinen eigenen Gesichtsausdruck nicht vorstellen, aber ich hatte das Gefühl, dass mein Ausdruck kalt und leer wurde. Und so musste es auch gewesen sein, denn sie verzog triumphierend die Lippen. Oh, was für Spiele wir ständig spielen, selbst wenn wir wissen, dass wir sie nicht gewinnen können.

„Treibst du es mit deinem Chef, Ella? Hat er dir diesen Knutschfleck verpasst?"

„Ich dachte, du hättest Angst, dass ich keinen Mann finde",

entgegnete ich im gleichen süßlichen Ton wie sie.

Wir haben nicht nur dieselben Augen, Lippen und Haare. Wir sind auch beide auf unsere Art rachsüchtig. Sie ist zwar die Königin darin, Groll zu hegen, aber ich könnte glatt als Herzogin durchgehen. Ich weiß, dass Worte tiefer verletzen können als ein Messer, ich habe es von der Meisterin höchstpersönlich gelernt.

Sie schüttelte den Kopf. „Ich schäme mich so für dich, Ella.“

Ich schwieg. Sagte kein Wort, und damit gewann ich. Sie konnte Stille nicht aushalten. Sie brauchte Treibstoff, um mit einer Tirade fortzufahren, und ich gab ihr keinen, obwohl mir hinterher die Zunge wehtat, so fest hatte ich daraufbeißen müssen.

Sie stand auf und klemmte sich ihre elegante Handtasche unter den Arm. „Du brauchst mich nicht hinauszubegleiten. Ich nehme mir ein Taxi. Und, Ella, du solltest uns wirklich besuchen. Wenn schon nicht meinetwegen, dann tu es wenigstens für deinen Vater.“

„Und vielleicht für die Nachbarn?“

Tja, und damit hatte ich verloren, nur weil ich es nicht durchgehalten hatte, zu schweigen. Meine Mutter fand es nicht sonderlich wichtig, das letzte Wort zu haben. Ein leidendes Seufzen konnte viel wirksamer sein, und genau ein solches gönnte sie mir noch, bevor sie davonrauschte und ihre rechtschaffene Empörung mit ihr verschwand wie eine Wolke.

Ich bezahlte, und da ich schließlich die Tochter meines Vaters war, ging ich in eine Bar ein paar Häuser weiter und fand einen Platz ganz hinten in einer Ecke, wo ich mit niemandem sprechen musste.

Das Streichen meines Esszimmers ging viel zu langsam voran. Jedes Mal, wenn ich die Farbeimer und die eingeweichten Pinsel in dem kleinen Wäschezimmer sah, bekam ich ein schlechtes Gewissen. Dieses Problem löste ich, indem ich einfach die Tür schloss. Die Schuld gab ich Dan. Seit seinem Klassentreffen hatte er mich fast jeden Abend angerufen. Unsere beiden Terminkalender hatten nicht mehr als Telefongespräche erlaubt, was für mich vollkommen in Ordnung war. Wenn ich abends von der Arbeit nach Hause kam, wollte ich mir einfach nur etwas zu essen aufwärmen, duschen und ins Bett kriechen. Dan schien das zu verstehen, er hatte mich um kein weiteres Treffen gebeten. Ich war ein wenig enttäuscht.

Nichts davon half mir in Bezug auf mein Esszimmer weiter. Ich liebte mein Haus. Nie zuvor hatte mir etwas wirklich gehört. Selbst mein erstes Auto kaufte ich erst danach. Mein Haus ist mein Paradies, meine Zuflucht.

Aber das Esszimmer hasste ich. Nicht weil es so merkwürdig geschnitten war, dass ich nicht wusste, wie ich dort Tisch, Stühle und ein Sideboard stellen sollte. Nicht wegen der fehlenden Fenster oder der monströsen Hängelampe, die ich noch nicht entfernt hatte. Ich hasste das Esszimmer, weil es mich ständig daran erinnerte, wie unmotiviert ich war, die Renovierung zu beenden.

Ich hatte ein etwas baufälliges Reihenhaus in einem Teil der Stadt gekauft, den der Bürgermeister als „unterprivilegiert" bezeichnete. Die Gegend war wirklich nicht gerade toll, aber es wurde langsam besser. Die Stadtverwaltung war bemüht, Harrisburg wieder mit Leben zu füllen, und hatte ziemlich viel Geld dafür ausgegeben. Es war angenehm, Nachbarn zu haben, die Sportwagen fuhren, statt sie zu klauen.

Ich hatte das Haus renoviert, nicht umgebaut, weil ich es im Original erhalten wollte, egal wie unpraktisch das in Bezug auf Schränke und Badezimmer war. Ein Zimmer nach dem anderen hatte ich gestrichen. Wie bei meiner Kleidung bevorzugte ich klare, neutrale Linien. Weiße Wände, stabile Möbel, die ich zumeist auf Auktionen oder Flohmärkten erstand, nicht weil ich mir keine neuen Möbel hätte leisten können, sondern weil ich alte einfach lieber mochte. Außerdem besaß ich ein paar Schwarz-Weiß-Fotos, einige Kerzen und Vasen – wobei es sich dabei meist um Geschenke handelte. Es gab ein eingebautes Regal voller Bücher und einen funktionierenden Kamin, vor dem ich sie lesen konnte.

Heute Abend war Gavin wieder da. In der letzten Woche hatte ich ihn nur selten zu sehen bekommen, allerdings öfter als einmal gedämpftes Geschrei aus dem Nachbarhaus gehört. Doch heute saß er wieder mit einem Buch vor meiner Tür. Trotz des warmen Wetters trug er ein riesiges schwarzes Sweatshirt mit aufgestellter Kapuze, und er sah Darth Vader so ähnlich, dass ich nicht anders konnte, als meinen ironischen Kommentar dazu abzugeben.

„Es ist zu anstrengend, den dunklen Mächten zu widerstehen, nicht wahr?"

Mein Witz verpuffte einfach. Gavin betrachtete mich aus dem Schatten seiner Kapuze heraus mit ernstem, blassem Gesicht. Er stand auf. „Hm?"

„Die dunklen Mächte … vergiss es." Ich wollte ihn nicht fragen, ob er die Star-Wars-Episoden gesehen hatte, also schloss ich die Haustür auf, und er folgte mir hinein. „Willst du mir beim Streichen helfen?"

„Klar doch."

Er war nie besonders redselig gewesen, aber das war selbst für seine Verhältnisse unkommunikativ. Während ich Tasche und Post auf den Tisch legte, warf ich ihm einen Seitenblick zu. Doch er eilte sofort ins Esszimmer, wobei er sein Sweatshirt über den Kopf zog und es ordentlich über eine Stuhllehne legte. Darunter trug er ein einfaches graues T-Shirt. Als er sich vorbeugte, um die Farbeimer zu öffnen, rutschte das T-Shirt aus der Hose und entblößte einen Teil seines Rückens. Er wirkte dünner als je zuvor. In letzter Zeit hatte ich das Auto seiner Mutter nicht mehr gesehen, was bedeutete, dass sie nicht da war, wenn ich nach Hause kam. Vielleicht hatte sie ihm kein Abendessen gemacht.

„Möchtest du was essen?"

Er blickte über die Schulter. „Klar."

Ich steckte zwei Tiefkühlpizzas in den Ofen und ging nach oben, um mich umzuziehen. Als ich wieder herunterkam, hatte Gavin bereits die Pinsel und Rollen ausgebreitet. Der Wecker am Ofen klingelte, er erhob sich und drehte sich zu mir um.

Ich blieb wie angewurzelt stehen, als ich seine Arme erblickte, die sonst immer bedeckt waren. Seine Haut war vernarbt, drei oder vier dünne, wütend rote Linien. Schnitte.

„Was ist mit deinem Arm passiert?"

Er zog die Ärmel seines T-Shirts tiefer. „Meine Katze hat mich gekratzt."

Ich nahm die Pizza aus dem Ofen und nutzte das als Entschuldigung dafür, dass ich nichts darauf entgegnete. Vielleicht hatte seine Katze ihn wirklich gekratzt. Vielleicht sagte er die Wahrheit. Ich fragte nicht weiter.

Diesmal aß er nur zwei Stücke Pizza und nicht vier wie

sonst, doch auch das kommentierte ich nicht, sondern wickelte die zwei in Folie und legte sie auf den Tisch.

„Nimm das mit, wenn du gehst", sagte ich. „Ich esse sie sowieso nicht."

Er lächelte ein klein wenig. „Okay."

Ich musste das Bedürfnis unterdrücken, ihm durchs Haar zu wuscheln. Er war ein Kind, aber nicht mein Kind – und er war bereits fünfzehn. Fünfzehnjährige Jungs finden es bestimmt nicht toll, das Haar verwuschelt zu bekommen. Er fragte, ob er Musik auflegen dürfe. Meine CD-Kollektion schien ihn zu verblüffen.

„Sie haben da ein paar coole Scheiben, Miss Kavanagh." Er hielt das aktuelle Album einer alternativen Rockband hoch.

Ich versuchte, wegen des unausgesprochenen Nachtrags „für eine alte Lady" nicht beleidigt zu sein. „Danke. Warum legst du die CD nicht ein?"

Das tat er, und dann begannen wir zu arbeiten. Manchmal Seite an Seite, manchmal an unterschiedlichen Wänden. In den letzten Wochen war er in die Höhe geschossen und inzwischen ein paar Zentimeter größer als ich, deswegen ließ ich ihn jetzt auf die Leiter klettern und bis unter die Decke streichen.

„Weißt du, Gavin", sagte ich nach einer Weile, „du musst mich nicht Miss Kavanagh nennen. Ich heiße Elle."

Er blickte von der Leiter auf mich herunter. „Meine Mom sagt immer, dass ich den Leuten Respekt entgegenbringen soll."

„Da hat deine Mom recht. Aber ich finde es nicht respektlos, wenn du mich mit meinem Vornamen ansprichst." Ich beendete die letzte Ecke und legte den Roller weg. „Schließlich biete ich es dir an."

Noch einen Augenblick malte er weiter, dann sagte er: „Okay. Ich schätze, dann kann ich es machen."

Der Raum sah gut aus, auch wenn noch mindestens eine Farbschicht fehlte. Ich begann aufzuräumen. Gavin half mir. Der Wäscheraum war klein, und wir stießen immer wieder aneinander. Einmal stolperte ich gegen das Regal, in dem ich meine Reinigungsmittel aufbewahrte, und übrig gebliebene Kleiderbügel, die jetzt herausfielen, und Gavin versuchte sie aufzufangen.

Es war alles ganz unschuldig, ohne Hintergedanken. Er berührte mich nicht einmal, langte nur um mich herum, um zu verhindern, dass die Bügel auf den Boden fielen. Wir lachten. Und dann sah ich zur Hintertür, in dessen Fenster ein Gesicht auftauchte.

Ich hatte aufgehört zu lachen und schrie, was mir Sekunden später peinlich war, als ich nämlich das Gesicht von Mrs. Ossley erkannte. Mit klopfendem Herzen drückte ich mich an Gavin vorbei und entriegelte die Tür. „Haben Sie mich erschreckt."

„Ich habe vorne geklopft, aber niemand machte auf." Sie warf mir ihr verkniffenes Lächeln zu. „Gavin, es ist Zeit, nach Hause zu kommen."

„Ich möchte Elle noch beim Aufräumen helfen …"

„Jetzt." Ihr Ton ließ keine Widerrede zu.

„Ist schon gut, Gavin", sagte ich. „Es ist ja nicht mehr viel. Du kannst gerne gehen."

„Ich hol nur schnell mein Sweatshirt", sagte er.

Mrs. Ossley und ich standen in unbehaglichem Schweigen in meinem winzigen Wäscheraum. Sie schien entschlossen, nicht mit mir zu sprechen, und ich hatte ihr ebenfalls nichts zu sagen. Kurz darauf wurden wir von Gavin gerettet, der mit aufgesetzter Kapuze zurückkam und seiner Mutter nach draußen folgte.

Ich verschloss die Tür hinter ihnen und spürte, dass ich sie mir zur Feindin gemacht hatte, ohne genau zu wissen, wie.

Es war nicht ungewöhnlich, von Chad wochenlang nichts zu hören. Wir blieben durch E-Mails und Karten in Verbindung und riefen uns gelegentlich an, wenn der eine oder andere von uns das Gefühl hatte, dass unser letztes Gespräch sehr lange her war. Oder wenn einer von uns eine Krise hatte. Als ich also nichts von meinem Bruder hörte, nachdem ich mich auf seinem Anrufbeantworter für das Buch *Prinzessin Pennywhistle* bedankt hatte, machte ich mir keine Sorgen. Doch als auch Tage später meine E-Mails unbeantwortet blieben, wusste ich, dass irgendetwas nicht in Ordnung war.

Seine Stimme fuhr mir direkt in den Magen. Er klang, als ob er den Mund voller Sirup hätte. „Hallo?"

Zwar schien es ihn etwas aufzuheitern, meine Stimme zu hören, aber von der sonst so übersprudelnden Plaudertasche war nichts mehr zu erkennen. Er murmelte etwas in der Art, dass er viel zu tun hätte, und erzählte von Lukes Schwester, die gerade ein Kind bekommen hatte. Belanglose Dinge, die die Distanz zwischen uns überbrückten, aber überhaupt nichts aussagten.

„Was ist los?", fragte ich. „Erzähl es mir, Chaddie."

Er schwieg so lange, dass ich schon dachte, die Verbindung wäre unterbrochen, doch dann hörte ich ihn atmen. „Ich bin traurig, Elle. Nur ein bisschen traurig."

„Ach Chad." Mehr war dazu nicht zu sagen. Worte konnten keine Umarmung ersetzen, unabhängig davon, wie viel Mitgefühl in ihnen lag. „Was tust du dagegen?"

Das erheiterte ihn zumindest so weit, dass er leise lachte. „Dasselbe wie immer. Ich ertränke meine Sorgen in Unmengen Schokoladeneis."

Besser als in Alkohol, den Chad nie anrührte. „Was sagt Luke dazu?"

„Er sagt nichts. Weil ich es ihm nicht erzähle."

„Er sollte es wissen", sagte ich sanft. „Ihr lebt zusammen. Das muss ihm doch auffallen."

„Wir sprechen nicht darüber", sagte Chad. „Luke ist immer fröhlich, ich will ihm nicht die Laune verderben. Und dir auch nicht, Elle. Ich muss da einfach irgendwie durch."

„Aber das musst du nicht allein tun."

„Verzeih, wenn deine Tipps mir nicht wirklich helfen", entgegnete Chad abfälliger, als ich ihn je hatte sprechen hören. „Du als Einzelkämpferin, sag mir, wann hast du das letzte Mal an der Schulter eines anderen Menschen geweint?"

Danach schwiegen wir wieder. Ich wartete darauf, dass er sich entschuldigte, was er nicht tat, und nach etwa einer Minute murmelte ich ein beleidigtes Auf Wiedersehen und legte auf. Selbst wenn man weiß, dass der andere recht hat, ist es manchmal leichter, einfach nur wütend zu sein.

Ich bekam öfter Einladungen zu Hauspartys, bei denen Kerzen, Küchenzubehör oder Schmuck verkauft wurden. Ich ging nie hin, war aber immer höflich genug, etwas aus dem Katalog zu bestellen. Zwar wollte ich nicht im Wohnzimmer einer Fremden herumsitzen und über Produkte kichern, die mir nicht gefielen, doch das hieß noch lange nicht, dass ich nicht begriff, wie Frauen tickten. Sie bei diesen Hauspartys zu unterstützen erzeugt ein gutes Gefühl, weshalb ich meist allen möglichen Kram kaufte und dann meiner Mutter zu Weihnachten oder zum Geburtstag schenkte.

Doch Marcy gab sich damit nicht zufrieden. Sie bestand darauf, dass ich an ihrer Hausparty teilnahm, und mir fiel keine gute Ausrede ein. Weil ich mich mit den Regeln solcher Veranstaltungen nicht auskannte, stand ich eine komplette Minute vor ihrer Wohnungstür und überlegte, ob ich klopfen oder einfach den Türknauf drehen sollte. Da erschienen zwei Frauen hinter mir im Gang und nahmen mir die Entscheidung ab.

„Oh, kommen Sie zur Party?", kicherte die größere.

Die Tür wurde geöffnet, Marcy kreischte. Die beiden Frauen kreischten. Ich ließ zu, dass ich nach vorn gezerrt und umarmt wurde, dann hatte ich plötzlich ein Glas Wein in der Hand und saß auf einem Stuhl. Marcy reichte ein paar Snacks herum. Die Frauen schwatzten, doch ich nippte ziemlich wortkarg an meinem Wein, schließlich kannte ich nur Marcy und hatte nicht sonderlich viel zu erzählen.

Ich weiß durchaus, was Sexspielzeug ist, auch wenn ich nie welches besessen habe. Und auch wenn mein Geschmack in Bezug auf Unterwäsche eher schlicht ist und wenig mit Strapsen und gemusterten Leoparden-Tangas zu tun hat, so habe ich Entsprechendes durchaus in Geschäften hängen sehen.

Also dachte ich, ich wäre auf diese Party vorbereitet, als

ich mit Stift und Bestellblock in der Hand dasaß. Doch kaum hatte die Verkäuferin zu sprechen begonnen, da wuchs mir schon alles über den Kopf. Als sie kleine Penisaufsätze für Kugelschreiber herumreichte, hoffte ich nur noch, dass ich mich nicht allzu sehr blamieren würde.

Doch darüber hätte ich mir keine Gedanken zu machen brauchen. Ausgerechnet Marcy, die so gerne und ausführlich über Sex sprach, quietschte und verbarg ihr Gesicht hinter den Händen, als die Verkäuferin das erste Stück aus dem Koffer zog. Und sie war nicht die Einzige. Offenbar war dieser Vibrator namens *King Dong* etwas, was die anderen auch nicht jeden Tag zu sehen bekamen. Ich entspannte mich ein wenig. Also war ich doch nicht so verklemmt, wie ich befürchtet hatte.

„Nun, Ladys", rief die Verkäuferin und verteilte rosa Papier, „ist die Zeit für zwanzig intime Fragen gekommen! Und da ich einige Preise verteilen werde, seien Sie bitte ehrlich!"

Wir beugten uns lachend über den rosafarbenen Fragebogen, dem wir anvertrauen sollten, mit wie vielen Männern wir geschlafen hatten, welches der verrückteste Ort war, an dem wir je Sex hatten, ob wir jemals mit mehr als einem Mann gleichzeitig geschlafen hätten. Wir sollten unsere Lieblingsstars nennen, verraten, ob wir unseren Partner schon mal betrogen hatten, und wie unsere liebste Sexstellung aussah. Und so weiter.

Pflichtbewusst beantwortete ich die Fragen und log dabei, dass sich die Balken bogen. Es gibt einfach Dinge, die ich in einem Raum voller fremder Menschen niemals verraten würde. Nicht einmal wenn man dafür mit Fell umwickelte Handschellen geschenkt bekommt.

Nachdem sie alle Produkte vorgestellt hatte, setzte sich die Verkäuferin an Marcys Küchentisch, um die Bestellungen aufzunehmen, während wir anderen unsere Weingläser nachfüllten und kichernd einen pinkfarbenen Phallus betrachteten. Ich hatte gerade Käsecracker in einer und Wein in der anderen Hand, als Marcy mich ausquetschte. „Also, was willst du kaufen?"

Ich zeigte ihr die Bestellung, die ich ordentlich mit meinem Peniskugelschreiber ausgefüllt hatte. Sie nahm mir den Stift aus der Hand, kritzelte etwas auf das Blatt und riss es an sich. Da ich beide Hände voll hatte, konnte ich nur verbal protestieren.

„Marcy, was machst du da?"

Sie lachte. „Komm schon, Elle. Du hast nur ein Babydoll-Nachthemd bestellt! In Weiß! Möchtest du es nicht wenigstens in Rot?"

„Ganz bestimmt nicht." Ich aß die Cracker auf und schnappte mir meinen Bestellbogen. „Nein, Marcy."

„Ich nehme die Deluxe-Ausführung *Rodney Rabbit*." Sie grinste. „Dir habe ich den *Eager Beaver* bestellt."

Ich schaute auf das Papier. „Marcy, *Eifriger Biber* …?"

„Ach komm. Jede Frau sollte einen guten Vibrator besitzen. Wenn du nichts dafür bezahlen willst, schenke ich ihn dir. Als meinen Beitrag zu deiner Gesundheit."

Ich wollte nicht lachen, wirklich nicht. Aber ihr gelang es doch immer wieder, mich zum Lachen zu bringen. „Ich kann auf meine Gesundheit sehr gut selbst aufpassen, danke. Und dafür brauche ich bestimmt keinen *Eifrigen Biber*. Außerdem gehe ich nicht mit einem Tier ins Bett."

„Nein?" Sie schnappte sich den Katalog. „Wie wäre es

dann mit *Silver Bullet?*"

„Wieso, muss ich mir Sorgen wegen Werwölfen machen?"
Der Wein hatte meine Zunge gelöst.

„Oder wie wäre es mit *Mermaid?* Die ist wasserdicht."

Ich betrachtete das Foto. „Nichts mit einem Gesicht
drauf. Igitt."

Sie war hübsch, diese Meerjungfrau, mit ihrem glatten
Schwanz und dem fließenden Haar. Marcy blätterte um und
stieß einen triumphierenden Schrei aus. „Das ist der Richtige
für dich."

„*Blackjack?*"

„Du wirst ‚Gib es mir, Baby' brüllen. Er ist aus weichem,
lebensechtem Silikon, und der patentierte Vibrator trifft ga-
rantiert alle wichtigen Punkte. Leise und diskret verschönert
der *Blackjack* das Liebesspiel mit sich selbst", las sie vor.

„Nun", sagte ich und betrachtete das Foto erneut. Im Gegensatz zu den anderen niedlichen Vibratoren war der *Blackjack* dreißig Zentimeter lang, wie eine Zigarre geformt und
komplett schwarz. „Sehr zweckmäßig."

Marcy stieß mich mit blitzenden Augen an. „Nimm
ihn."

Ich zögerte. „Marcy, ich …"

„Elle", unterbrach sie mich. „Aus Spaß. Komm schon.
Versuch's doch mal."

Ich sah mich im Zimmer um, wo all die anderen Frauen
lachend verführerische Dessous hochhielten und ihre Scheck-
bücher aus der Tasche zogen. Noch einmal betrachtete ich
den *Blackjack,* dann Marcy.

„Wenn irgendjemand im Büro auch nur einen Ton davon
erfährt …"

„Ich schweige wie ein Grab, versprochen."

Ich seufzte. Mal wieder hatte sie gewonnen, ich konnte der Verlockung nicht widerstehen. Jauchzend umarmte Marcy mich, wobei sie Wein auf meine Bluse schüttete.

„Ich trinke auf meine Gesundheit", rief ich, da klingelte mein Handy. „Kavanagh."

„Kavanagh, hier ist Stewart."

Dan. Ich zerknitterte nervös die Bestellung in meiner Hand, als ob er sie durchs Telefon sehen könnte. Dann kicherte ich gepresst.

„Elle, alles in Ordnung?"

„Mir geht's gut." Ich glättete das Papier wieder.

„Ich habe bei dir zu Hause angerufen, aber du warst nicht da. Was machst du gerade?"

Zwei Frauen umklammerten einen riesigen Doppeldildo und begannen mit ihm Limbo zu tanzen. Grölendes Gelächter übertönte meine Antwort. Ich ging in den Flur und dann in Marcys Schlafzimmer. „Marcy hat mich zu einer Hausparty eingeladen."

„Wirklich?" Er klang unerklärlicherweise erfreut. „Küchenzubehör?"

„Ähm … nein."

„Schade. Ich bräuchte einen neuen Wok."

Auf den Wein konnte ich das merkwürdige, benebelte Gefühl, das mich ergriff, nicht schieben. „Du kochst mit einem Wok?"

Lachend umging er meine Frage. „Wie lange bleibst du dort? Kannst du hinterher bei mir vorbeikommen?"

„Ich muss morgen arbeiten, Dan."

„Elle, es ist erst zwanzig Uhr."

„Dan." Ich lachte. „Du wirst ganz schön fordernd."

„Ich weiß." Er klang stolz. „Komm hinterher vorbei. Das willst du doch. Du weißt, dass du es willst."

Dadurch, wie er es sagte, begann mein Magen zu hüpfen, ich schloss kurz die Augen. Und dann stimmte ich zu, denn er hatte recht. Ich wollte ja. Ich wollte es für meine Gesundheit.

9. KAPITEL

Dan lachte, als ich ihm von der Party erzählte. Seine funkelnden Meeresaugen ermutigten mich, mehr zu erzählen. Ich habe mich noch nie für eine gute Geschichtenerzählerin gehalten, aber er war so ein guter Zuhörer, dass ich einfach weiterredete, bis mir auffiel, dass ich etwa zwanzig Minuten lang über Sexspielzeug und im Schritt offene Slips gesprochen hatte. Jäh brach ich ab.

„Klingt, als hättest du eine Menge Spaß gehabt", sagte er. „Zwanzig intime Fragen."

Dans Wein war besser als der von Marcy, und ich trank einen Schluck, bevor ich weit ausholend antwortete: „Die Gesellschaft insgesamt ist so fixiert auf Sex, dass daraus eine Art Proporz-Wettlauf wird. Jeder rennt und rennt und versucht alle anderen einzuholen, und am Ende glauben wir alle, dass wir einen Preis verdienen."

Wieder lachte er. Ich runzelte die Stirn. „Machst du dich über mich lustig?"

Er schüttelte den Kopf. „Nein. Du wirkst so ernst, da kann ich mich gar nicht über dich lustig machen."

Ich stellte mein Weinglas ab. „Tust du wohl."

„Nein." Dan legte eine Hand auf meinen Oberarm. „Ich finde es süß. Du bist ein bisschen betrunken."

Das war ich, und trotzdem reagierte ich entrüstet. „Du findest es süß, dass ich ein bisschen betrunken bin?"

„Nein. Ich finde es süß, wie du dich über die Gesellschaft aufregst. Und dass du Sex mit *Alice im Wunderland* in Zusammenhang bringst."

Gerne wäre ich weiterhin entrüstet geblieben, aber das

war schwer, solange er in unmittelbarer Nähe vor mir saß. „Wegen dem Proporz-Rennen? Du hast *Alice im Wunderland* gelesen?"

„Ja, habe ich." Er kam noch etwas näher. „Überrascht dich das?"

Wenn ich Ja gesagt hätte, wäre er vielleicht beleidigt gewesen. Ich ließ meinen Blick über seine Bücherregale wandern. „Liest du gerne?"

Bevor er antworten konnte, stand ich auf. Die Bücher anderer Leute anzusehen kann genauso intim sein, wie in ein Medizinschränkchen zu schauen. Dan besaß mehrere Reihen ledergebundener Gesetzestexte und anderen langweiligen Kram, doch darüber standen Taschenbuchausgaben von Thrillern und gebundene Klassiker. Grinsend warf ich ihm über die Schulter einen Blick zu.

„Du bist Mitglied in einem Buchklub?"

Er setzte einen Hundeblick auf. „Mhm."

„Hast du die gelesen?" *Das Herz ist ein einsamer Jäger. Jane Eyre. Sturmhöhe. Dracula. Fiesta.* Ich fuhr mit einem Finger über die Buchrücken, zog einige Bücher hervor und schnupperte an ihnen. Es ist wunderbar, wie ein gutes Buch duften kann.

„Ja, ich lese sie." Er trat hinter mich und schlang die Arme um meine Taille.

„Du hast auch *Der kleine Prinz?*"

„Ja."

Ich zog es heraus. Seine Ausgabe war neuer als meine, und jemand mit einer hässlichen Handschrift hatte hineingeschrieben: *Für Dan, in Liebe.* Ich zeigte es ihm.

Er zuckte mit den Achseln. „Alte Freundin."

„Hast du es gelesen?"

Dan schüttelte den Kopf. „Nein. Sollte ich?"

„Mir liegt es fern, dir zu sagen, was du lesen sollst oder nicht", entgegnete ich hochmütig und stellte das Buch ins Regal zurück.

„Aber du hast es gelesen."

Ich lächelte. „Allerdings habe ich das. Es ist eines meiner Lieblingsbücher."

„Ja?" Er sah mich an. „Vielleicht sollte ich es dann doch lesen."

„Meinetwegen musst du das nicht." Ich war ein wenig verlegen. *Der kleine Prinz* ist ein Kinderbuch. Ihm zu verraten, dass es sich dabei um mein Lieblingsbuch handelte, verriet auch viel über mich.

„Das weiß ich. Vielleicht will ich aber."

Ich duckte mich unter seinem Arm hindurch und lief wieder zur Couch. „Vielleicht gefällt es dir nicht."

„Oder vielleicht doch." Er folgte mir. „Möchtest du noch Wein?"

Ich warf ihm einen strengen Blick zu. „Ich habe den Eindruck, du willst mich richtig betrunken machen."

„Selbstverständlich."

„Damit du deinen Vorteil daraus ziehen kannst."

„Erwischt."

„Damit du schlimme Dinge mit mir anstellen kannst."

Er setzte sich neben mich. „Klar. Du hast es erfasst."

„Ich habe die schlechteste Punktzahl bei dem Test gehabt, falls es dich interessiert. Ich fühlte mich ziemlich minderwertig."

Mitfühlend sah er mich an. „Arme Kleine. Was hast du denn

im Gegensatz zu allen anderen noch nicht ausprobiert?"

„Alles."

Zwar hatte ich viel Sex mit vielen Männern gehabt, aber meistens war es langweilig und sinnlos gewesen, zehn Minuten wahlloses Vorspiel, gefolgt von eineinhalb Minuten heftigem Vögeln. Die Leute sind nicht so fantasievoll, wie es uns das Kino vorgaukelt. Andererseits hatte ich vielleicht auch nur Glück, nie auf einen Fetischisten oder Serienmörder getroffen zu sein. Oder vielleicht hatte ich auch unbewusst darauf geachtet, nie einen Mann mit Fantasie auszuwählen … bis ich Dan kennenlernte.

„Elle." Er hob eine Augenbraue. „Ich weiß doch, dass du schon einiges ausprobiert hast."

„Aber nichts Ungewöhnliches." Ich ließ zu, dass er mich an sich zog.

„Meinst du?" Er küsste mein Ohrläppchen. „Ich würde sagen, sich auf einer Toilette vögeln zu lassen ist schon ziemlich ungewöhnlich."

„Aber das stand nicht zur Wahl." Ich erschauerte unter seinen Lippen. Dann zog ich das rosa Blatt aus meiner Tasche und reichte es ihm. „Hier. Zwanzig intime Fragen. Hier erfährst du alles über meine traurige, langweilige Vergangenheit."

Dan faltete das Papier auseinander, und gemeinsam beugten wir uns darüber. Nachdem er es gelesen hatte, legte er eine Hand an meine Wange. „Du bist mit fünfzehn entjungfert worden?"

Nun, zumindest diese Frage hatte ich ehrlich beantwortet. „Und wie alt warst du?"

„Älter." Er sah wieder auf das Blatt. „Du hattest nur einen einzigen festen Freund?“

„Ja.“ Ich sah ihm beim Nachdenken zu, konnte aber nicht erkennen, was er dachte. „Wie viele hattest du?“

„Keinen.“

„Dann eben feste Freundinnen.“ Ich begann ihn langsam zu kitzeln.

„Vier oder fünf. Hey, hör auf!“

Nach einer Weile sah er mich ernst an. Ich versteifte mich. „Du warst mit achtundsiebzig Männern zusammen, hattest aber nur einen Freund?“

Ich nickte.

Er fragte nicht, warum. Stattdessen lehnte er seinen Kopf an meinen. Schweigend saßen wir da, es hätte unangenehm sein können, war es aber nicht. Mit dem Finger malte er kleine Kreise auf meinen Oberarm.

„Warst du schon mal mit zwei Männern zusammen?“

„Warst du schon mal mit zwei Frauen zusammen?“

„Ja. Würde dich das anmachen?“, fragte er, als ob wir übers Wetter sprächen. „Es zusammen mit einer anderen Frau zu machen?“

„Ich weiß nicht. Ich habe es nie ausprobiert.“

„Aber du wärst gerne mit zwei Männern zusammen.“

Ich nickte, dann leckte ich mir über die trockenen Lippen. „Ich glaube schon.“ Er schien darauf zu warten, dass ich weitersprach. „Ich hatte viel Sex – aber keinen besonders abwechslungsreichen.“

„Abwechslung kann viel Spaß machen, Elle.“

„Dann hatte ich bisher eben nicht viel Spaß.“

Er wandte mir das Gesicht zu. „Daran würde ich gerne etwas ändern.“

Ich kaute auf meiner Unterlippe. „Ich ... ich weiß nicht ...“

„Hey“, unterbrach er mich sanft. „Würdest du dich nicht besser fühlen, wenn du gar nichts wissen müsstest? Wenn es einfach passieren würde?“

Ich war mir nicht sicher. Eigentlich mochte ich Überraschungen nicht besonders. Mein ganzes Leben richtete ich nach Kalkulationen, Statistiken, Plänen und Regeln aus. Alles drehte sich um Ordnung. Struktur. Kontrolle.

Alles, bis Dan auftauchte.

„Ich bin ein bisschen verklemmt“, gestand ich. „Ich bin sogar sehr verklemmt. Sehr angespannt. Und ich bin ein Kontrollfreak.“

Dan schüttelte den Kopf. „So sehe ich dich überhaupt nicht.“

„Nicht?“ Ich wich etwas zurück. „Sag es mir, Dan. Was siehst du?“

Grinsend betrachtete er mich von Kopf bis Fuß. „Ich sehe eine Frau, die klug ist und wahnsinnig sexy.“ Als er meinen Gesichtsausdruck bemerkte, fuhr er fort: „Elle, das meine ich ernst. Gut, du bist ein wenig ... reserviert. Aber nicht verklemmt. Vor allem nicht, wenn du ein paar Gläser Wein getrunken hast.“

Ich zögerte einen Moment. „Hast du schon jemals ein Geräusch so lange gehört, dass du es völlig vergessen hast bis zu dem Moment, wo es aufhört?“

„Natürlich.“ Er nahm meine Hand. „Zikaden zum Beispiel. Am Anfang sind sie laut wie ein landendes Raumschiff, aber mit der Zeit vergisst man das Geräusch. Und dann, wenn es Nacht wird, hören sie auf, und erst dann fallen sie einem wieder ein."

Ich nickte. „Weißes Rauschen. Das ist in meinem Kopf, die ganze Zeit. Ich kann nie aufhören zu denken. Es rattert und rattert, immerzu." Dan schien von diesem kleinen Geständnis nicht beunruhigt zu sein. Ich korrigierte meine Behauptung: „Fast immer."

Er streichelte über meine Wange. „Was kann es anhalten?"

„Trinken."

„Das hält die meisten Leute vom Denken ab."

Ich blickte auf unsere verschränkten Hände. „Vögeln."

„Sex lenkt dich vom Denken ab?"

Und rechnen, aber das sagte ich nicht laut. „Es muss doch einen Grund für achtundsiebzig Männer geben, meinst du nicht?" Ich traute mich nicht, ihn anzusehen, aus Furcht, sein Blick wäre verächtlich geworden.

„Komm mit." Er zog mich hoch. Mit klopfendem Herzen folgte ich ihm ins Schlafzimmer. „Setz dich aufs Bett."

Er lief zum Schrank, nahm ein Halstuch heraus, faltete es zweimal und verband mir die Augen. Ich lachte nervös auf. Und wartete. Nichts geschah. Ich hörte, wie er sich im Zimmer bewegte, dann ein Rascheln – vielleicht zog er sich aus. Oder auch nicht. Dann hörte ich, wie eine Schublade geschlossen wurde. Er sprach kein Wort.

Ich saß am Rand des Bettes, mein Mund wurde langsam trocken vor Aufregung und Angst. Ich rührte mich nicht. In meinem ganzen Leben ging es um Kontrolle, nur jetzt nicht, in diesem Moment, mit diesem Mann.

Dann spürte ich, wie er meinen Rock nach oben schob und sich neben mich setzte. Ich richtete mich ein wenig auf, doch er legte einen Arm um meine Schultern und hielt mich fest. Mit der anderen Hand glitt er über den Schenkel zwischen meine Beine. Er streifte meinen Slip. Dann bewegte er sich nicht mehr.

Nun, wo ich nichts sehen konnte, waren meine anderen Sinne geschärft. Ich roch sein Aftershave und den Wein, den er getrunken hatte. Ich hörte seinen leisen Atem, spürte ihn in meinem Nacken. Ich saß mit angespannten Muskeln da.

„Dan?"

„Psst."

Ich schluckte. Nun knöpfte er meine Bluse auf und schob sie über meine Schultern. Kühle Luft liebkoste meine Haut. Er zog mir den BH aus, umkreiste mit den Daumen meine steinharten Brustwarzen. Kurz darauf schrie ich auf, als ich Hitze und Nässe auf ihnen spürte.

Sein Mund. Er saugte an meiner Brust, streichelte die andere mit der Hand, und ich keuchte auf. Dan hob mich ein wenig an und zog mir den Rock aus, die Lippen noch immer auf meiner Brust, schob er meine Beine weit auseinander. Ich verspannte mich.

„Denkst du noch immer?"

„Ja." Meine Stimme klang heiser.

„Mal sehen, ob ich dir da helfen kann."

Sein Humor löste meine Anspannung, und hinter der Augenbinde schloss ich die Augen wieder und ließ den Kopf zurückfallen. Als er mich schließlich zwischen den Beinen berührte, erschrak ich ein wenig. Er streichelte mich durch den Slip, dann zog er ihn mir mit einer einzigen Bewegung aus.

„Ist dir kalt?"

Ich schüttelte den Kopf. Seine Hände wanderten wieder über meinen Körper. „Du zitterst."

„Das liegt ... an dir."

Sein Atem streifte meine Haut, und kurz darauf presste er die Lippen auf meinen Hals. Ich warf den Kopf noch weiter zurück. Er saugte und küsste an meinem Hals, während er mit einem Finger in mich eindrang. Ich seufzte.

„Ich liebe die kleinen Töne, die du von dir gibst, wenn du erregt bist", flüsterte er in mein Ohr. „Und ich liebe es, wie feucht du für mich wirst. So schnell. Ich habe noch nie eine Frau erlebt, die so auf mich reagiert wie du."

Er streichelte mich, und innerhalb von wenigen Minuten war ich kurz vor dem Höhepunkt. Dan reizte mich weiter, ganz langsam, mit dem Mund malte er aufregende Bilder auf meine Haut. Dann zog er sich zurück und ließ mich keuchend liegen. Kurz darauf war er wieder da, ich spürte seinen Atem auf meinem Bauch. Jeder einzelne Muskel versteifte sich, und ich setzte mich auf. „Nein."

Beruhigend strich er mir über die Beine. „Entspann dich. Es ist alles gut."

„Nein, Dan. Ich muss sicher sein können, dass du aufhörst, sobald ich Nein sage. Das muss ich einfach wissen." Ich stieß ihn von mir und wollte die Augenbinde abnehmen. Doch er legte eine Hand auf meine. Einen Moment lang verharrten wir so, bis ich zitternd die Hand senkte.

„Elle, ich werde nichts tun, was du nicht magst. Ich verspreche es."

Ich nickte. Kurz darauf streichelte er mich wieder mit den Händen. Er ließ sich Zeit. Bewegte sich langsam, flüsterte süße Worte in mein Ohr, und ich begann zu stöhnen. Alles verschwand, außer ihm. Es war herrlich, es war schön, es brachte Vergessen, Unendlichkeit. Es war Sex, aber zwischen uns existierte auch eine Nähe, vor der ich mich fürchtete und die ich doch nicht zerstören wollte.

Als ich kam, sagte ich seinen Namen. Ich seufzte und sagte ihn noch mal. Dan presste die Hand gegen das Pulsieren meines Höhepunktes und hielt mich fest.

„Was ist das nur mit dir?", raunte er in mein Ohr, während mein Körper noch immer zuckte. „Ich kann nicht genug davon bekommen."

Ich konnte nicht antworten. Konnte ihm nichts erklären. Ich verstand es ja selbst nicht. Es machte mir Angst, aber ich fürchtete mich auch vor Achterbahnen und stieg trotzdem immer wieder ein.

Es ist genauso leicht, neue Gewohnheiten zu entwickeln, wie es schwer ist, alte abzulegen. Dan wurde langsam zu einer solchen Gewohnheit, Millimeter für Millimeter, Schritt für Schritt. Wenn wir uns nicht sahen, telefonierten wir. Tagsüber schickte er mir lustige SMS-Nachrichten und nachts E-Mails mit versteckt lüsternem Inhalt, sodass ich zugleich lachen und nach Atem ringen musste.

Der Sex war fantastisch. Abwechslungsreich. Gierig. Aufregend. Nach und nach auch vertraut, etwas, das ich ersehnte und zugleich fürchtete. Die Behauptung, dass ich alles tun würde, was er wollte, war vielleicht etwas vorschnell gewesen. Dan nahm mich mit in Höhen, die ich noch nicht gekannt, die ich mir selbst nicht erlaubt hatte. Ich gab ihm meinen Namen. Ich gab ihm meinen Körper. Doch mich selbst konnte ich ihm nicht geben. Zumindest nicht ganz. Ich hielt mich zurück, und falls er ahnte, dass ich Geheimnisse vor ihm hatte, so fragte er mich doch nie danach.

Immer trafen wir uns bei ihm, nie bei mir. Ich wollte ihm mein karges Mobiliar nicht erklären, die Farblosigkeit, das Fehlen von Familienfotos. Ich wollte nicht riskieren, dass er zufällig eine der Nachrichten meiner Mutter mit anhörte. Ich wollte mich vor ihm nicht entblößen.

Er drängte mich nicht, und ich musste nicht vor ihm zurückweichen. So lernten wir uns nach und nach kennen, und ich versuchte so zu tun, als ob an unserer Beziehung nicht mehr dran wäre. Drei Wochen gingen ins Land, in denen er sich so mühelos in mein Leben einfügte, dass ich mir wünschte, zu vergessen, wie es ohne ihn gewesen war.

Doch ich vergaß es nicht, und an manchen Tagen glaubte ich, dass es mir früher besser gegangen war. Doch immer wenn ich mir einredete, dass ich künftig seine Anrufe einfach nicht mehr erwidern würde, sagte oder tat er etwas, das mich meine Meinung ändern ließ.

Aus Frühling wurde Sommer, und inzwischen fuhr ich, wenn ich bei Dan war, nachts nicht mehr nach Hause.

Als ich eines Tages den Schlüssel bei mir zu Hause ins Schloss steckte, flog die Tür im Nachbarhaus auf, und Gavin kam herausgestolpert. Er trug dieselben ausgebeulten schwarzen Jeans und das graue T-Shirt wie immer, aber zumindest hatte er den dicken Kapuzenpulli weggelassen. Ihm hing das Haar in die Stirn. Ich wollte nicht starren. Wirklich nicht. Was immer für ein Drama sich bei ihm zu Hause abspielte, es ging mich nichts an. *Was in einer Familie geschieht, bleibt in der Familie.* Aber mein Schlüssel und das widerspenstige Schloss sorgten dafür, dass ich nicht schnell genug in mein Haus verschwinden konnte.

„Ich hab's dir gesagt! Räum deinen Scheiß auf, oder er

landet auf dem Müll!" Mrs. Ossley erschien auf der Türschwelle. „Verdammt, Gavin, ich arbeite den ganzen Tag. Ich habe keine Lust auf diesen Saustall!"

„Dann geh nicht in mein Zimmer!"

Die Nachbarin zu meiner Rechten, Mrs. Pease, öffnete ihre Tür einen Spalt und linste hinaus. Mrs. Pease lebte schon seit vierzig Jahren hier. Sie hielt ihr Haus ordentlich in Schuss, stellte ihre Mülltonne, wie es sich gehörte, an die Straße und hatte eine Katze, die ich manchmal im Fenster sah. Ansonsten hatte ich nichts mit ihr zu tun. Wir tauschten durch den Türspalt einen Blick.

Mrs. Ossley entdeckte mich. Ich dachte, dass es ihr womöglich peinlich wäre, bei einer solchen Szene beobachtet worden zu sein. Doch dann hob sie ein Glas an die Lippen. „Dennis kommt heute Abend, und ich kann es nicht brauchen, dass du das ganze Haus zumüllst. Räum endlich deinen Scheiß auf", fuhr sie fort, als ob ich gar nicht da wäre. Was mir auch lieber gewesen wäre.

Gavin richtete sich auf, strich sich das Haar aus den Augen und rief mit sich überschlagender Stimme: „Du sollst nicht in mein Zimmer gehen! Bleib draußen!"

„Dein Zimmer befindet sich in meinem Haus!"

Endlich drehte sich der Schlüssel, und ich schwor mir, das Schloss so schnell wie möglich zu ölen. Mir war ein bisschen übel. Dabei stritten sich doch Teenager und ihre Eltern immerzu über unaufgeräumte Zimmer. So schlimm war das gar nicht. Es gab keinen Grund, dass meine Hände zu zittern begannen.

Aber es war nicht nur das Glas in ihrer Hand gewesen, sondern auch ihr Lallen. Nicht jeder, der trinkt, ist Alkoholiker, auch nicht jeder, der sich betrinkt, brüllt und seine Kinder schlecht behandelt. Manche Leute sind einfach Riesenarschlöcher, und ich dachte, Mrs. Ossley gehörte wohl dazu.

Spielte es letztlich eine Rolle? Mich ging das alles nichts an. Es war ihr gutes Recht, auf Ordnung in ihrem Haus zu bestehen. Jungs sind doch dafür bekannt, dass sie alles in ein Chaos verwandeln. Und es war ihr gutes Recht, zu verlangen, dass ihr Sohn ihr gehorchte.

Und doch konnte ich an nichts anderes als das Glas in ihrer Hand denken. Ich glaubte nicht, dass sie ihn schlug. Zwar war mir klar, dass diese Geschichte mit den Katzenkratzern gelogen war, doch wusste ich auch, dass wohl kaum seine Mutter dafür verantwortlich war. Mütter ritzen ihre Kinder nicht mit Rasiermessern. Das machen die Kids schon selbst.

Aber das ging mich nichts an. War mir egal. Gavin war ein guter Junge. Hilfsbereit. Aber er war nicht mein Sohn.

Ich ging nach oben, zog mich aus, warf die Kleider in den überquellenden Korb, der mich daran erinnerte, wie sehr ich meinen Haushalt vernachlässigt hatte. Es war Tage her, dass ich zum letzten Mal gewaschen hatte. Oder Staub gesaugt. Dan nahm wirklich sehr viel meiner Zeit in Anspruch.

Während ich an Dan dachte, duschte ich lang und heiß. Mein nasses Haar fiel mir schwer über den Rücken, so lang hatte ich es bisher noch nie wachsen lassen. Meistens trug ich es zum Zopf oder hochgesteckt, daher war ich von seiner Länge selbst überrascht.

Als ob man nach einem langen Schlaf aufwachte. Das Wasser auf meiner Haut, die Hitze, der Duft der Seife, meine Hände, die über meinen Körper wanderten – all das war nichts Neues. Und doch fühlte es sich neu an.

Ich bin nie sehr romantisch gewesen. Fakten und Zahlen schienen mir immer sinnvoller als Blumen und Fantasien. Ich mochte Märchen nicht etwa, weil ich jemals an sie geglaubt hätte, sondern weil ich sie so lächerlich fand und sie mir bestätigten, dass ich mit meinen Zweifeln recht hatte. Eine in einem Glasturm gefangene Prinzessin wartet auf ihren Prinzen? Glas zerbricht. Was für eine Prinzessin würde schon darauf warten, von dem Prinzen gerettet zu werden? Nur eine dumme, unfähige Prinzessin. Pennywhistle wartete nie auf einen Mann. Sie half sich selbst.

Aber auch wenn ich nicht sonderlich romantisch war, hieß das noch lange nicht, dass ich mich nicht nach Romantik sehnte. Dass ich nicht daran glaubte, hieß noch lange nicht, dass ich es mir nicht wünschte.

Die Frage, warum es Dan war, warum ich ausgerechnet diesen Mann wollte, kann ich nicht beantworten. Manche Menschen glauben an Schicksal oder Karma. Manche glauben an Begehren auf den ersten Blick, und andere vertrauen darauf, dass es nur einen einzigen Menschen auf der Welt für uns gibt, eine wahre Liebe, die wir sofort erkennen, wenn wir sie treffen.

Ich glaube an Logik, an Beweise, an Resultate. Ich glaube, dass wir alle leer sind und unbedingt erfüllt sein wollen. Ich glaube, Dan und ich wurden voneinander angezogen wie Sterne, die sich nähern, bis sie verschmelzen und eine Sonne bilden. Ich glaube auch, dass es jemand anderes hätte sein können, dass es nicht nur einen einzigen Menschen für uns gibt, dass zu einer anderen Zeit ein anderer Mann ebenfalls einen Weg gefunden hätte, mich zu erfüllen. Ja, das glaube ich, aber ich bin froh, dass es Dan war. Dan hatte mir die

Augen geöffnet, aber nur, weil ich bereit gewesen war, sie zu öffnen.

Ich blieb unter der Dusche, bis das Wasser kalt wurde, schlüpfte dann in den Bademantel und wischte den beschlagenen Spiegel blank. Dann suchte ich in meinem Spiegelbild nach einem äußeren Zeichen meiner inneren Wandlung.

Natürlich fand ich keine. Meine Augen strahlten nicht plötzlich heller, die kleinen Fältchen waren nicht verschwunden, und meine Mundwinkel zogen sich nicht nach oben.

Ich setzte mich nackt auf mein Bett und kämmte mein Haar. Diese gleichmäßige Bewegung beruhigte mich, sie war fast hypnotisch. Sinnlich. Ich rieb mich mit duftender Körpercreme ein und schlüpfte in meinen weichen Schlafanzug. Meine Glieder waren ganz entspannt, ich legte mich für ein paar Minuten aufs Bett und starrte die Risse in der Decke an, zum ersten Mal, ohne sie zu zählen. Stattdessen stellte ich mir Bilder vor. Einen Vogel. Das Profil einer Frau. Eine Uhr.

Irgendetwas in mir hatte sich verändert, etwas, das ich nicht beschreiben konnte. Zum ersten Mal seit Jahren hatte ich nicht das Gefühl, hinter einer verschlossenen Tür zu stehen, voller Angst, sie könnte aufgehen. Nun war die Zeit für eine Veränderung gekommen.

Mein Magen knurrte, und ich zwang mich, aufzustehen und nach unten in die Küche zu gehen. Seit meiner Heimkehr waren Stunden vergangen. Es war Nacht geworden. Als ich ein Tiefkühlgericht in die Mikrowelle stellte, hörte ich gedämpfte Schreie durch die Wand. Die Mikrowelle piepte, die Stimmen wurden lauter. Etwas schlug so heftig gegen die Wand, dass ein Bild zu scheppern begann. Kurz darauf sah ich aus den Augenwinkeln eine Bewegung, und ich ging, ohne nachzudenken, zum Fenster.

Die Hintertür der Ossleys war aufgestoßen, ein goldenes Lichtdreieck erhellte ihren Garten. Dann flog etwas aus der Tür und landete auf dem Gras. Einen Augenblick später folgte Gavin.

„Ich hab es dir gesagt!", schrie Mrs. Ossley. „Du sollst deinen verdammten Scheiß aufräumen, oder er fliegt raus, Himmelherrgott noch mal! Dennis wird in verfluchten fünfzehn Minuten hier sein, und ich will deinen Scheiß nicht überall in diesem Scheißhaus sehen, Gavin!"

Ihre Wortwahl ließ mich erschauern, und dann wurde mir klar, dass ich mich wie die neugierigen Nachbarn benahm, die ich hasste. Schnell machte ich einen Schritt zurück, konnte aber noch immer durch die Rollos sehen und vor allem Mrs. Ossleys Geschrei hören. Weitere Sachen flogen durch die Hintertür auf das Gras, und dann erkannte ich, worum es sich handelte.

Bücher.

Diese Hexe warf Bücher aus dem Haus. Eines traf Gavin an der Schulter und flatterte mit geöffneten Seiten zu Boden. Er beugte sich hinunter, um sie aufzuheben, sein Gesicht war ganz verzerrt. Als er von einem weiteren Buch getroffen wurde, begriff ich, dass sie nicht einfach nur warf, sondern auf ihn zielte. Dieses Buch, ein schweres gebundenes Buch, traf ihn so hart an der Hüfte, dass er strauchelte.

Man sagt, dass Menschen in manchen Situationen Dinge tun wie ein Auto anheben oder in ein brennendes Gebäude rennen. So dramatisch war die Situation hier nicht, aber ich war trotzdem schnell und rannte, ohne zu überlegen, hinaus.

„Gavin", fragte ich. „Bist du in Ordnung?"

Er erschrak, dann wollte er etwas sagen, aber seine Mutter antwortete für ihn. „Komm ins Haus, Gavin."

Ich sah zu ihr, das Glas in ihrer Hand war nicht schwer zu erkennen. Nicht einmal, um Bücher zu werfen, hatte sie es abgestellt.

Gavin fuhr fort, die Bücher aufzuheben.

„Lass das!", befahl sie. „Komm rein."

„Mrs. Ossley, gibt es ein Problem?" Meine Stimme klang kälter als beabsichtigt, und das machte sie natürlich nur noch wütender.

„Nein, Miss Kavanagh", erwiderte sie scharf. „Warum gehen Sie nicht einfach wieder hinein und kümmern sich um Ihren eigenen Dreck?"

„Gavin?", fragte ich leise. „Geht es dir gut?"

Er nickte und bückte sich nach einem weiteren Buch. Es war in einer Pfütze gelandet. Der Buchrücken war gebrochen und einige Seiten flatterten auf die Erde, als er es aufhob. Es war schlammverschmiert. Und es war meine Ausgabe von *Der kleine Prinz*. Die, die unsere Nachbarin Mrs. Cooper mir als Kind gegeben hatte.

Gavin reichte mir das Buch über den kleinen Zaun, ohne mich anzusehen. „Es tut mir leid", murmelte er.

Ich hatte nichts zu sagen, sah ihm nur nach, wie er im Haus verschwand. Dann wurde die Tür hinter ihm zugeknallt, und ich blieb in meinem Schlafanzug mit dem ruinierten Buch allein zurück.

10. KAPITEL

„Hierhin hast du mich an dem Tag gebracht, an dem wir uns kennengelernt haben." Ich betrachtete das Schild mit der ziemlich grausigen Darstellung eines Wolfes, der gerade die Zähe in einem Lamm vergrub. *The Slaughtered Lamb.*

„Gutes Gedächtnis." Er hielt mir die Tür auf. „Suchen wir uns einen Tisch."

„Eine Kneipe mit so einem Namen kann man wohl kaum vergessen. Kann man hier auch essen?"

„Sogar sehr gut."

„Wunderbar", sagte ich. „Ich bin nämlich am Verhungern."

Lächelnd reichte er mir die Speisekarte mit dem üblichen Kneipenessen wie *Fish and Chips* und *Sheperd's Pie.*

„Ich auch. Ich bin froh, dass du isst."

„Natürlich esse ich." Ich musste lachen.

„Nein, ich meine, dass du wirklich *isst.* Viele Frauen knabbern einfach nur ein wenig an ihrem Essen herum."

„Oh." Ich versuchte, nicht zu erröten. „Nun, nein, ich schätze, ich verpasse kaum eine Mahlzeit."

„Hey", sagte Dan so sanft, dass ich aufsah. „Ich finde das gut."

„Tatsächlich?" So wie er die Angewohnheit hatte, seine eigenen Fragen zu beantworten, hatte ich die Angewohnheit, überflüssige zu stellen.

Er grinste. „Allerdings."

Komplimente, die nichts mit meinen intellektuellen Fähigkeiten zu tun haben, verwirren mich. Nicht weil ich automatisch annehme, dass sie nicht ernst gemeint sind, sondern weil ich einfach nicht weiß, wie man darauf reagiert.

„Gut", sagte ich also nur. Und dann zum Kellner: „Ich hätte gerne *Fish and Chips* mit Malzessig und Remouladensoße und ein … Guinness?"

Ich sah Dan an, der nickte. „Ich nehme dasselbe."

Der Kellner, der nicht älter sein konnte als einundzwanzig, lächelte. „Hey, endlich mal 'ne Frau, die richtiges Bier trinkt. Cool. Die meisten Mädels mögen nur Leichtbier."

Dan sah erst mich, dann den jungen Mann an. „Sie ist etwas Besonderes."

Der Kellner nickte. „Allerdings."

Die beiden waren so unterschiedlich. Dan, elegant, aber nicht adrett gekleidet, bevorzugte teure Geschäftsanzüge oder Khakihosen, Oxfordhemden und skurrile Krawatten. Heute trug er dunkle, gerade geschnittene Jeans und ein weißes T-Shirt unter einem schwarzen Strickpulli, dünn genug für die Sommerhitze, die Ärmel hochgeschoben. Lässig, aber nicht nachlässig.

Der Kellner dagegen trug zu seinen Jeans einen schwarzen Ledergürtel mit kleinen Nieten. Sein dunkles Haar sah aus wie Seide, hinten war es kürzer als vorne geschnitten, sodass es ihm über ein Auge fiel. Tätowierungen bedeckten seine Arme, und verschiedene Piercings verzierten seine Ohren und Augenbrauen, auch seine Brustwarzen, wie ich durch das enge weiße T-Shirt erkennen konnte. Seine Augen waren verblüffend blau, und seine Stimme klang, als hätte er schon zu viele Zigaretten geraucht. Er lächelte mich mit strahlend weißen Zähnen an, und jetzt begriff ich auch, warum die Mädchen am Eingangstisch ständig kicherten.

„Wie heißt du?" Dan zog Zigaretten aus der Hosentasche und bot mir eine an. Nachdem er mir Feuer gegeben hatte, inhalierte ich tief, hielt den Rauch lange genug in den Lungen, um die beiden zu beeindrucken, dann stieß ich ihn mit mehreren Ringen aus.

„Hübsch", sagte der Kellner bewundernd. „Ich heiße Jack."

„Dan." Sie schüttelten sich die Hände. Dan deutete mit dem Kinn auf mich. „Das ist …"

„Jennifer." Ich sagte den Namen, ohne eine Sekunde zu überlegen.

„Schön, dich kennenzulernen, Jennifer." Jack zog meine Hand an seine Lippen und küsste die Fingerknöchel. „Ich bin gleich zurück", sagte er dann. „Brüllt, wenn ihr mich braucht."

„Okay." Der Blick, den er mir zuwarf, bewies, dass er tatsächlich mit mir flirtete. Ich sah ihm nach, wie er zur Theke ging, begleitet von einem erneuten Kicheranfall der Schulmädchen. Über die Schulter warf er mir noch ein letztes verführerisches Grinsen zu.

„Er findet dich heiß." Dan drückte seine Zigarette aus.

Ich legte meine Zigarette in den Aschenbecher und ließ sie dort verglimmen. „Meinst du?"

„Auf jeden Fall."

Nachdenklich sah ich ihn an. „Stört dich das?" Ich war einfach neugierig.

„Überhaupt nicht. Warum hast du ihm einen falschen Namen gesagt?"

„Ich mag es nicht, wenn jeder meinen Namen kennt."

„Deswegen sagst du meistens einen falschen?"

Ich steckte die Speisekarten zurück in den Halter und sah Dan an. „Genau."

„Mir hast du deinen richtigen Namen genannt."

Wir wechselten einen dieser Blicke, die ich nicht so recht beschreiben kann. „Ja."

„Jemandem einen falschen Namen zu geben, könnte später Ärger machen, wenn man eine richtige Beziehung eingehen will und feststellt, dass alles mit einer Lüge begonnen hat."

„Dir habe ich die Wahrheit gesagt. Wieso sollte es dich interessieren, was ich anderen sage?"

„Vermutlich sollte es das nicht." Er blickte zur Theke, wo Jack gerade unsere Guinness einschenkte. „Findest du ihn attraktiv?"

Ich musterte ihn. „Er ist jung."

„Das beantwortet meine Frage nicht."

„Er ist niedlich", sagte ich. „Er hat diesen Punkband-Gothic-Look."

Dan zündete sich eine weitere Zigarette an. „Wenn du nicht mit mir hier wärst, würdest du dann mit ihm nach Hause gehen?"

Ich antwortete nicht sofort, weil Jack mit unseren Getränken zurückkam. Er stellte sie vor uns hin, strahlte mich erneut an und verkündete, dass das Essen gleich käme. Er schien enttäuscht, als wir sagten, dass wir im Moment nichts weiter bräuchten.

„Vielleicht", antwortete ich, als Jack sich wieder um seine anderen Kunden kümmerte. „Ich glaube zwar eher nicht, aber vielleicht."

„Soll ich lieber gehen, damit du mit ihm zusammen sein kannst?"

Ich dachte, er wollte mich schockieren oder zumindest

herausfinden, wie schnell ich schockiert sein würde, doch ich nahm nur wieder meine Zigarette in die Hand und blies Ringe. Dan hingegen lehnte sich zurück, starrte mich an und trank sein Bier.

„Möchtest du gehen, damit ich mit ihm zusammen sein kann?"

Er zögerte, dann beugte er sich über den Tisch und flüsterte: „Ich möchte euch beiden zusehen."

Gerade wollte ich an der Zigarette ziehen, hielt aber überrascht mitten in der Bewegung inne. Dans Gesicht war sehr nah an meinem.

„Wirklich?"

Dan nickte und biss mir sanft ins Ohrläppchen. „Ja."

Ich drückte die Zigarette aus, setzte mich zurück und trank einen Schluck Bier. Hitze wirbelte durch meinen Körper, ich zog meine Strickjacke am Hals zusammen, dann legte ich die Hände flach auf den Tisch. „Du möchtest nur zusehen?" Ich trank noch einen Schluck, während ich auf seine Antwort wartete.

„Hast du eine bessere Idee?"

Nun sahen wir beide Jack an, der mir kurz zunickte. Was sagte man zu einem Mann, mit dem man das Bett teilt, wenn er einen fragt, ob man mit einem anderen schlafen möchte?

„Du willst mit uns beiden vögeln."

Ich nickte, noch immer unfähig zu sprechen, obwohl allein die Vorstellung mich schon erregte.

Dan betrachtete mich nachdenklich. „Würde dich das glücklich machen?"

„Glücklich?" Ich lachte. „Ich weiß es nicht, aber ... es könnte mir gefallen, denke ich. Bist du sicher, dass du das nicht lieber machen würdest?" Ich zeigte auf die Schulmädchen in der Ecke. Eine vollführte bei ihrer Freundin gerade einen Lapdance, was ihr von den Jungs am Nebentisch lauten Beifall einbrachte.

„Wenn ich dich bitten würde, es mit einer anderen Frau zu machen – würdest du?"

Wieder musste ich schlucken. „Wenn du es möchtest."

„Shit", murmelte er. „Himmel, Elle, du bist so verdammt … ich kann nicht …" Er nahm mich in die Arme, was ich nicht erwartet hatte, drückte sein Gesicht an meinen Hals, atmete meinen Duft ein, seine Hände lagen warm auf meinem Rücken. Ich saß steif da, nicht sicher, ob ich etwas falsch oder richtig gemacht hatte.

Schließlich richtete er sich auf. „Du bist wunderschön, weißt du das?"

Ich schüttelte den Kopf. „Sag das nicht immer. Ich mag es nicht."

Er legte die Hände an mein Gesicht und strich mit dem Daumen über meine Lippen. „Du hast einen verdammt aufregenden Mund. Gefällt dir das?"

Darüber musste ich lachen. „Ich habe einen großen Mund."

„Wer hat dir das denn eingeredet?" Er streichelte mir wieder durchs Haar, und diese Geste ließ mich zurückweichen, obwohl ich sie gleichzeitig genoss.

„Meine Mutter. Mein Bruder."

„Ah", sagte er. „Was wissen die denn schon?"

Ich antwortete nicht. Nun strich er über meine Augenbrauen. Ich kam mir albern vor, ließ es aber trotzdem zu.

„Wenn ich dich bitten würde, mit einer Frau zu schlafen,

wäre das etwas für mich, nicht für dich."

Ich zuckte mit den Schultern, weil ich nicht wusste, worauf er hinauswollte. „Wahrscheinlich."

Nun warf er wieder einen Blick auf Jack. „Aber das wäre für dich."

„Dan", sagte ich zögernd, und diesmal lehnte ich mich vor, um ihn zu berühren, legte meine Hände auf seine Schultern, unsere Knie streiften sich. „Was soll das alles? Was? Warum tun wir das?"

Er ließ die Hände über meine Arme gleiten, streichelte meine Handgelenke. „Wenn ich das nur wüsste? Aber ich will nicht damit aufhören, egal was es ist."

Es interessierte mich nicht, was für einen Anblick wir wohl boten, wie wir uns so ernst anschauten und dabei an den Händen hielten. Diese schlichte Berührung erregte und beruhigte mich zugleich. Ich war zwar aufgeregt, aber nicht ängstlich.

Alle Zahlen und Gedanken in meinen Kopf verschwanden, als ob Jack einen Schalter in meinem Kopf ausgeknipst und einen zwischen meinen Beinen angeknipst hätte. Meine Lust sorgte dafür, dass ich zu zählen vergaß.

Ich betrachtete Jack einen Moment lang. „Glaubst du, er würde es tun?"

„Ich glaube, er würde sein linkes Ei geben, wenn er mit dir schlafen dürfte."

„Sehr schön formuliert", sagte ich.

Dan lachte. „Ja, Elle, ich glaube, Jack würde dich gerne vögeln." Während er das sagte, schob er eine Hand unter meinen Rock, strich über meinen Slip, und ich zuckte zusammen. Er knabberte kurz an meinem Ohrläppchen, dann zog er sich zurück, während ich nach Luft schnappte.

Als das Essen kam, hatte ich erst ein halbes Bier getrunken, fühlte mich aber bereits sehr beschwipst. Jack stellte die Teller vor uns ab, Dan begann mit ihm zu plaudern, und ich starrte die Tischplatte an.

Dann begannen wir zu essen. Öl tropfte über unsere Finger, das Essen schmeckte köstlich, Dan fütterte mich mit kleinen Fischstückchen. Es war unschicklich, albern und sehr, sehr aufregend.

Er seufzte, schob seinen leeren Teller von sich, wischte sich die Finger ab und tätschelte seinen Bauch. „Lecker."

Ich hatte nicht alles geschafft, und Jack erschien. „Soll ich dir das einpacken?"

„Nein danke."

Wieder dieses Grinsen, das sein ganzes Gesicht verwandelte. Ich fragte mich, wie viele Röcke wegen dieses Grinsens schon hochgehoben worden waren. Vermutlich eine Menge.

„Darf es noch etwas sein? Vielleicht noch etwas mehr zu trinken?"

Ich schüttelte den Kopf. Dan legte einen Arm auf meine Stuhllehne, eine besitzergreifende Geste. „Jack, wir haben uns gefragt, wann du wohl Feierabend hast?"

Jack zögerte keine Sekunde. „In etwa einer halben Stunde."

Ich konnte meinen Blick nicht von ihm losreißen. Das Piercing in seiner Zunge blitzte auf, wenn er sprach, und ich stellte mir vor, wie es sich auf meiner Haut anfühlen würde. Meine Brustwarzen wurden hart.

„Dann nehmen wir vielleicht doch noch zwei Guinness", sagte Dan. „Und warten auf dich?"

Jack räumte unsere Teller ab, während er Dan antwortete, mich aber dabei ansah: „Klar."

So einfach war das. Ich sah Jack hinterher. Dieses Mal warf er mir keinen Blick über die Schulter zu. Ein paar Minuten später kam er mit zwei Gläsern Bier zurück. Dan bezahlte. Wir tranken und Dan erzählte, ich für meinen Teil musste zu dem Gespräch nicht viel beisteuern, und dafür war ich dankbar. Ich wäre nicht in der Lage gewesen, mich zu unterhalten. Ich konnte an nichts anderes denken als an das, was gleich geschehen würde.

Dan wählte das Motel aus, und Jack folgte uns auf seinem Motorrad. Ich blieb im Auto sitzen, während Dan uns ein Zimmer besorgte und Jack eine Zigarette rauchte. Meine Handflächen schmerzten, und erst da bemerkte ich, dass ich die Fingernägel tief in sie vergraben hatte.

Schließlich schloss Dan die Tür hinter uns allen und drehte den Schlüssel um. Jack legte Helm und Lederjacke auf einen Stuhl am Fenster. Ich wusste nicht recht, was ich tun sollte, jeder einzelne Muskel in meinem Köper war angespannt vor Erwartung, alle Sinne in höchstem Maße geschärft.

Sie machten es mir leicht. Jack nahm mich in die Arme. Er war größer als Dan, und zuerst fühlte es sich merkwürdig an, dass ich meinen Kopf tief in den Nacken legen musste, um ihn anzusehen. Er drückte mich einen Moment an sich, küsste meine Wange, meinen Hals, mein Kinn, als wüsste er, dass ich ihm meine Lippen verweigern würde.

Dan stellte sich hinter mich, strich mein Haar zur Seite und küsste meinen Nacken. Er presste die Hüften an mich, während ich von vorn Jacks Erektion spürte. So etwas hatte ich mir manchmal vorgestellt, wenn ich mich selbst streichelte. Von zwei Männern umgeben zu sein, einer vorn, einer hinten, starke Arme, die mich halten und zwei Münder, die heiße Spuren auf meiner Haut hinterlassen. Eingeklemmt zwischen den beiden, musste ich mir keine Sorgen um meine zitternden Beine machen, sie würden mich sicher nicht fallen lassen.

Zwei Münder. Vier Hände. Zwei Erektionen. Dan fuhr über meine Schenkel, schob meinen Rock nach oben und glitt zwischen meine Beine. Jack zog meine Bluse aus dem Bund und knöpfte sie auf. Beide küssten mich. Meinen Nacken, Hals, Schultern, Rücken, über den Kleidern und unter ihnen, während sie mich so schnell auszogen, als hätten sie es bereits mehrfach geprobt.

Dann stand ich in Unterwäsche und Schuhen da. Jack blickte über meine Schulter Dan an, dann nickte er. Dan biss mich sanft in die Schulter, während Jack sich vor mich hinkniete. Ich erschrak. Sein Kopf war auf Höhe meiner Hüften, und ich wich einen Schritt zurück. Doch Dan hielt mich fest. Sein Pulli fühlte sich weich auf meiner nackten Haut an.

„Ich …"

„Psst", flüsterte Dan in mein Ohr. Dann legte er eine Hand unter meine Brust. Mit der anderen umgriff er meine Taille.

Jack legte beide Hände an meine Hüften, beugte sich vor und küsste meinen Bauch. Meine Muskeln zuckten, aber die vier Hände hielten mich fest. Seine Lippen wanderten zum Bund meines Höschens, und ich verspannte mich noch mehr.

Jack war kurz davor, seinen Mund zwischen meine Beine zu drücken, und das wollte ich nicht, mochte ich nicht, konnte ich nicht ertragen, aber ich konnte mich nicht mehr bewegen.

„Psst, Elle, psst", beruhigte mich Dan.

Jack küsste meinen Hüftknochen, meine Schenkel, dann ... mein Knie. Ich begann zu kichern, als er über meine Wade strich und meinen Fuß anhob, um mir den Schuh auszuziehen. Dann den anderen. Grinsend sah er zu mir auf, ein hübscher Junge, der vor mir auf den Knien lag.

„Wir kümmern uns gut um dich, siehst du?", fragte Dan.

Jack nickte. „Hast du Angst?"

„Nein." Das hatte ich in diesem Moment auch wirklich nicht.

Jack grinste. „Gut."

Er drückte einen Kuss auf mein anderes Knie und stand auf. Dan ließ mich einen Moment los, um das Bett aufzudecken, dann nahmen mich beide an der Hand. Ich legte mich aufs Bett.

„Sieh sie dir an", sagte Dan. „Umwerfend schön, nicht wahr?"

„Verdammt heiß", antwortete Jack.

Dan zog Pullover und T-Shirt aus, Jack tat es ihm gleich. Dann öffneten sie ihre Gürtel – ohne mich aus den Augen zu lassen, zogen Jeans, Boxershorts und Strümpfe aus. Ich beneidete sie um ihre Gelassenheit. Falls einer von den beiden sich Gedanken über die Muskeln des anderen machte, über Länge, Größe, Breite, dann zeigten sie es zumindest nicht. Sie standen einfach nackt vor mir, als ob sie auf meine Zustimmung warteten.

Dan, etwas kleiner, aber muskulöser und mit Haaren auf der Brust, war mir inzwischen vertraut. Jack, größer, mit Tä-

towierungen auf seiner blassen Haut und den Brustwarzen-
piercings, war fast vollkommen unbehaart.

Aber er hatte etwas anderes.

„Oh mein Gott."

Jack blickte lachend auf seinen Schwanz. Auf seinen ge-
piercten Schwanz. Der Ring, der groß genug war, um mir
Angst einzujagen, drückte sich seitlich gegen seine Eichel.

„Himmel, Jack", rief Dan. „Warum tust du dir so was
an?"

Jack lachte wieder, streichelte sich und fuhr dabei immer
wieder über den Ring. „Das soll sie herausfinden."

Ich blinzelte fasziniert. „Komm her."

Er gehorchte, kletterte aufs Bett und kniete sich neben
mich. Ich richtete mich ein wenig auf, um einen besseren
Blick zu haben. Als ich ihn berührte, stöhnte er leise. Ich streichelte ihn, genauso wie er es zuvor getan hatte. Der Ring rieb
gegen meine Handfläche, das Metall fühlte sich warm und
weich an.

Seufzend legte er eine Hand über meine und half mir.
„Das ist gut."

Dan gesellte sich zu uns, öffnete meinen BH und begann
sanft meine Brüste zu kneten, während er seinen Mund heiß
und feucht auf meine Schulter presste und mich durch den
Stoff meines Slips liebkoste. Ich jammerte leise bei der Berührung, vor Erregung bereits angeschwollen. Dan manövrierte
mich so, dass ich zwischen seinen Beinen saß, den Kopf an
seine Brust gelehnt.

Jacks Atem hatte sich beschleunigt, ich sah zu ihm auf.
Sein Lächeln strahlte wie immer, doch seine Augen wirkten
ein wenig glasig, sein Körper glänzte vor Schweiß. Er pumpte

mit den Hüften in meine Faust, griff mir ins Haar, zog ein wenig daran, ich schrie leise auf und drückte mich fester gegen Dans Hand. Ich konnte seine Erektion an meinem Rücken pulsieren spüren. Jack legte eine Hand auf meine und stoppte mich.

„Langsam", wisperte er, und beim Klang seiner rauchigen Stimme krampfte sich mein ganzer Körper vor Begierde zusammen.

„Leg dich hin", murmelte Dan und stopfte mir ein Kissen unter den Kopf. Die beiden Männer tauschten einen Blick, dann zogen sie mir gemeinsam den Slip aus. Ich hob den Hintern, um ihnen zu helfen. Jack kniete sich vor mich, küsste mein Knie, legte mein Bein so, dass mein Fuß auf seinem Schenkel lag. Dan streichelte mein anderes Bein, meine Hüfte und meinen Bauch und warf mir einen beruhigenden Blick zu. Jack küsste wieder mein Knie, und ich musste kichern. Er begann meinen Fuß zu massieren und presste seine Lippen auf den Spann. Ich zuckte zusammen.

Der Kuss kitzelte, jagte aber zugleich einen Schauer durch meinen Körper, als ob er bereits in mich eingedrungen wäre. Sofort öffneten sich wie automatisch meine Beine, ich hob ihm die Hüften entgegen. Dabei stieß ich Dan aus Versehen gegen die Nase, er fuhr zusammen, was wieder nur bewies, dass wirklich guter Sex eigentlich eine Choreografie brauchte.

„Wenn du sie das nächste Mal so küsst, sag vorher Bescheid", sagte Dan zu Jack.

Jack lachte. „Ich glaube, es hat ihr gefallen."

Vielleicht hätte es mich stören sollen, dass sie von mir sprachen, als ob ich nicht selbst antworten könnte, aber so war es nicht. Es war aufregend, die beiden so reden zu hören, wie sie es vielleicht getan hätten, wenn sie allein gewesen wären. Jede Form von falscher Romantik wäre lächerlich gewesen.

„Sie hat hübsche Füße." Jack küsste meine Fußsohle noch einmal, und ich stöhnte heiser auf. „Siehst du, wie sie sich windet?"

Dan nickte und fuhr mit den Händen über meinen Bauch. „Sie ist schon ganz feucht. Fass sie an."

Jack stellte meinen Fuß vorsichtig ab, berührte mich und leckte sich die Lippen. Das Piercing blitzte auf. „Ich wette, sie schmeckt gut."

Dan sah mir ins Gesicht, in dem sich wohl Panik abzeichnete, denn er strich mir das Haar aus der Stirn und streichelte meine Wange.

„Nein", sagte Dan. „Das ist nicht für dich."

Jack nickte, als ob er mit dieser Antwort gerechnet hätte. Dan sah mir tief in die Augen und drückte einen Kuss in meinen Mundwinkel, respektierte damit, ohne sich zu beklagen, die Distanz, auf der ich bestand. Ich legte meine Hände in seinen Nacken und hielt ihn einen Moment fest.

Schließlich setzte er sich auf. „Leck ihre Brustspitzen", sagte er. „Das mag sie."

Jack reagierte schnell. Was das Zungenpiercing betraf, hatte ich recht gehabt. Wie beim Ring in seiner Eichel war das Metall warm und weich, und ich schnappte nach Luft. Dan nahm die andere Brustwarze in den Mund. Ich sah herab. Ein dunkler Kopf, ein heller Kopf, so nah beieinander und beide ganz und gar auf mich konzentriert. Ich fragte mich, ob sie sich auch gegenseitig küssen würden oder berühren, und bei dem Gedanken musste ich wieder stöhnen. Dan sah mich an.

Ich leckte mir über die Lippen. Nun sah auch Jack auf, dann blickten die beiden Männer sich an und lachten. Ich fiel in ihr Gelächter ein.

„Ihr Lachen ist ganz schön sexy, oder?", fragte Dan.

„Alles an ihr ist sexy." Jack begann wieder zu saugen und schob eine Hand zwischen meine Beine. Sie fühlte sich anders an als die von Dan. Weniger sicher. Ich fand sein Zögern unerträglich erregend. Alle Muskeln in meinem Körper hatten sich zusammengezogen, ich musste mich zwingen, weiterzuatmen.

Dan legte nun auch eine Hand zwischen meine Beine, dann spürte ich, wie ein Finger in mich drang und ein zweiter, und keuchte auf.

„Shit", murrte Jack. „Mal sehen, ob wir sie noch einmal dazu bringen können."

Sie hatten mir das Bedürfnis genommen, zu sprechen. Sie erwarteten keine Antworten von mir und keine Gegenleistungen. Sie kümmerten sich um mich. Dan flüsterte Jack gelegentlich Anweisungen zu, die dieser sofort befolgte. Zwei Männer arbeiteten zusammen, um mir Genuss zu verschaffen. Dan drang mit den Fingern in mich ein, während Jack weiterhin meine Perle streichelte, beide schienen vollkommen fasziniert von den Reaktionen meines Körpers.

Ich hob die Hüften, presste mich fester an sie. Dan rückte ein wenig von mir ab, und ich protestierte leise.

„Setz dich hin, Baby", sagte er sanft und half mir.

Gemeinsam schoben sie mich zum Rand des Bettes, bis meine Füße den Boden berührten. Dan setze sich hinter mich und zog mich an seine Brust. Jack streifte sich ein Kondom über.

„Wird es nicht reißen?", fragte ich.

Er schüttelte den Kopf, das seidige Haar fiel ihm in die Augen. „Nee."

Mein Herz hämmerte furchtsam, ich lehnte mich gegen Dan, mein Kopf passte genau an seine Schulter, er küsste sanft meine Schläfe.

„Bist du bereit?"

Es war süß von Jack, mich das zu fragen, und ich wollte ihm antworten, doch mein Hals war wie zugeschnürt, ich konnte nur nicken. Er umfasste seinen Schwanz und führte ihn vorsichtig zwischen meine Beine.

„Schon gut", flüsterte Dan. „Entspann dich."

Langsam drang Jack in mich. Ich erwartete schon, dass es wehtun würde, doch das Piercing verursachte nur eine andere Art von Druck. Sein Schwanz war länger als der von Dan, und als er ganz in mir war, schrie ich auf. Jack sah mit gerunzelter Stirn auf. „Himmel, sie ist so eng."

Dans Erektion an meinem Rücken richtete sich bei den Worten noch weiter auf. „Ich weiß."

Jack schob sich das Haar aus den Augen. „Alles okay bei dir?"

Seine Besorgnis berührte mich. Erregte mich. Diese Nacht hätte eine schlechte Erfahrung werden können, doch so war es nicht. Ich nickte wieder, weil ich meiner Stimme nicht traute. Jack lächelte. Dan küsste meinen Nacken.

„Ich möchte, dass du sie jetzt fickst", sagte Dan.

Jack nickte und sah mich an. Ich fuhr mir mit der Zunge über die Lippen. „Ja, Jack, fick mich."

Als Dan meine heisere Stimme hörte, erschauerte er. Jacks Schwanz in mir pulsierte. Dann begann er sich sehr konzentriert zu bewegen. Dan hielt mich fest, Jack stieß ein paarmal langsam in mich, dann legte er die Hände unter meine Knie, hob sie hoch, und wurde schneller.

Ich schrie. Jack hörte zwar nicht auf, murmelte aber: „Gut so?"

„Ja", presste ich hervor. „Oh ja."

Dans Atem war heiß an meinem Ohr. Mit einer Hand streichelte er meine Klit, während Jack mich vögelte, und ich vergrub die Fingernägel in dem Leintuch und zerdrückte es in meinen Fäusten.

Ich hatte es mir immer anders vorgestellt, mit zwei Männern zusammen zu sein. Stellte mir vor, mit dem einen zu schlafen und den anderen mit dem Mund zu verwöhnen. Oder in jeder Hand einen Schwanz zu halten. Nie wäre ich auf die Idee gekommen, von einem von ihnen zärtlich gehalten zu werden.

Ich blickte zum Spiegel auf der Kommode. Wir waren wie in einem Gemälde ordentlich umrahmt: drei Menschen, eine Frau zwischen zwei Männern, die sie hielten, als wäre sie etwas Wertvolles. Ich musste einmal blinzeln, um sicher zu sein, dass es sich bei der Frau um mich handelte.

Etwas Schweiß von Jacks Augenbraue tropfte auf meinen Bauch. Sein Gesicht war verzerrt, doch er hielt das Tempo und schaffte es, noch nicht zu kommen. Wir bewegten uns alle zusammen, Dan zog kurz die Hand zwischen meinen Beinen hervor und hielt sie mir vor den Mund. „Spuck!"

Ich gehorchte, und mit der von meinem Speichel feuchten Hand umfasste er seinen Schwanz. Die Vorstellung, was er gerade tat, erregte mich noch mehr. Kurz darauf streichelte er wieder mich, doch jetzt glitt sein Penis leichter über meine Haut. Er schmiegte sich an meinen Rücken, und da begannen die Muskeln zwischen meinen Beinen zu zucken. Jack keuchte auf und hob meine Knie etwas höher. Seine Stöße wurden härter, pressten mich an Dan. Ich war fast so weit. Jack war fast so weit. Dan schien auf der Strecke zu bleiben.

„Dan?"

„Psst Baby", flüsterte er, ohne dass seine Finger aufhörten, so perfekt zu kreisen. „Ich bin fast da."

Wir bewegten uns schneller und schneller. Haut klatschte auf Haut. Jemand stöhnte laut. Ich schrie. Jemand rief meinen Namen, meinen echten Namen, aber es war mir egal, ich war viel zu beschäftigt.

„Ich komme gleich", stammelte Jack. Er stieß fester zu, schloss die Augen und warf den Kopf zurück.

„Komm mit uns", sagte Dan. „Komm schon, Elle. Komm."

Das war sowieso nicht mehr zu verhindern, aber seine Worte machten es mir noch leichter. Eine Sekunde lang wurde das Universum zu einer riesigen Faust, die sich schloss. Dann öffnete sie sich wieder und schleuderte Sterne heraus, Monde und Planeten und Kometen. Ich wölbte den Rücken und schrie wortlos auf. Etwas Heißes spritzte gegen meinen Rücken, und Dan vergrub seine Finger so tief in meiner Haut, dass kleine Blutergüsse zurückbleiben würden. Stöhnend presste er sich gegen mich. Jack drang ein letztes Mal mit einem Schrei in mich ein und erschauerte. Noch mehr Schweiß tropfte auf mich herab, dann ließ er meine Knie los und setzte vorsichtig meine Beine ab.

So verharrten wir einen Moment, ein Bild der Zufriedenheit. Die Muskeln in meinem Rücken und meinen Beinen schmerzten, aber es war kein unangenehmes Gefühl. Dan küsste wieder meine Schläfe und legte die Hände über meine Brüste. Jack zog sich zurück und ließ mich in Dans Umarmung ruhen.

Ich wusste nicht recht, was ich sagen sollte, sah Jack nur dabei zu, wie er das Kondom wegwarf, sich umdrehte und mich angrinste.

„Was dagegen, wenn ich unter die Dusche gehe?"

Ich schüttelte den Kopf.

„Könntest du mir ein Handtuch bringen?", fragte Dan.

„Na klar."

Jack verschwand im Bad, warf Dan dann ein Handtuch zu, und ging wieder hinein. Ich hörte, wie er die Dusche anstellte. Dan wischte zärtlich meinen Rücken ab. Ich drehte mich zu ihm um.

„Hey." Er lächelte.

„Hey", antwortete ich.

„Geht es dir gut?"

Es ging mir gut, doch ich zögerte einen Moment, weil ich auf Gewissensbisse oder ein mieses Gefühl wartete. Aber ich verspürte nichts als Frieden und eine Art Verwunderung. War das alles tatsächlich passiert?

„Mir geht es gut."

„Schön. War es so, wie du es dir vorgestellt hast?"

Ich lachte. „Nein."

„Nein?" Er schaute finster. „Nicht gut?"

„Besser", sagte ich und berührte kurz seine Wange.

Er grinste. „Nun, das ist … gut."

„Nächstes Mal können wir es mit einem Mädchen versuchen, wenn du magst." Ich kaute auf der Unterlippe.

Lachend zog er mich an sich, ich ließ diese Umarmung zu, erwiderte sie aber nicht. „Wir werden sehen", sagte er nur.

Jack kam mit einem Handtuch um die Hüfte aus dem Badezimmer, hob seine Kleider auf, schüttelte sie kurz aus und zog sie an. Dann rubbelte er sein Haar mit dem Handtuch trocken und warf es auf den Boden.

„Gehst du?" Dan streichelte noch immer zärtlich meinen Nacken.

Plötzlich wünschte ich mir, meine Blöße irgendwie bedecken zu können. Hastig stand ich auf, um ebenfalls ins Bad zu gehen. Jack warf mir ein strahlendes Lächeln zu, und am liebsten hätte ich mit ihm von vorn begonnen. Er hatte echtes Talent, der Junge.

„Ja", sagte er zu Dan, lachte ein wenig und schüttelte den Kopf. „Du hattest recht, Mann, sie ist wirklich unglaublich heiß. Ihr zwei könnt mich jederzeit anrufen, okay?" Jack zog die Tür hinter sich zu, ich ging ins Badezimmer und stellte die Dusche an.

„Bist du sauer?", hörte ich Dan hinter mir fragen, als ich gerade unter die Dusche stieg.

Ich antwortete nicht und ließ das Wasser über mich fließen. Dan zog den Duschvorhang zur Seite. „Elle, sprich mit mir."

Ich rieb die kleine Seife immer und immer wieder zwischen meinen Händen und erzeugte eine Menge Schaum. Jack hatte die Seife zuvor benutzt. Jack hatte mich gevögelt. Jack hatte mich gevögelt, weil Dan ihn darum gebeten hatte.

„Sollte ich sauer sein?", fragte ich schließlich und seifte mich ein, ersetzte den Geruch nach Sex durch den Duft der Hotelseife.

„Du hast gesagt, dass du bisher noch nicht viel ausprobiert hast. Ich dachte, es würde dir gefallen. Und es hat dir gefallen." Er klang weder vorwurfsvoll noch defensiv.

Ich sah ihn an. „Woher wusstest du das?"

„Du hast es mir gesagt. Wir hätten auch einfach ohne ihn gehen können, wäre kein Problem gewesen."

Ich hielt mein Gesicht unter die Brause und versuchte zu entscheiden, ob ich vielleicht wirklich wütend sein sollte. „Hattest du dir auch schon ein Mädchen ausgesucht? Nur für den Fall?" Die Worte klangen bitterer, als ich beabsichtigt hatte, und ich spülte den Mund aus, um ihren Geschmack wegzuwaschen. Das Wasser lief in meine Ohren, aber ich hatte keine Schwierigkeiten, seine Antwort zu verstehen.

„Nein."

Daraufhin schwieg ich, weil ich einfach nicht vergessen konnte, wie es sich mit Dan hinter und Jack vor mir angefühlt hatte. Wie sie mich festgehalten und mir Vergnügen bereitet hatten, ohne etwas von mir zu erwarten, außer dass ich genoss. Und wie viel Freude es ihnen selbst bereitet hatte. Und dass Dan das alles nur aus einem Grund getan hatte, nämlich mir zuliebe.

Er kam zu mir unter die Dusche, und ich protestierte nicht. Von hinten schlang er die Arme um mich und schob eine Hand zwischen meine Beine, begann mich zu streicheln, und ich reagierte sofort. Dann drückte er mich gegen die Wand. Meine Haut war vom heißen Wasser gerötet, Dampf hüllte uns ein, unsere glitschigen Körper rieben sich aneinander. Ich streichelte seinen Schwanz, bis er hart war, und freute mich darüber, dass ich ihn so schnell wieder erregen konnte.

„Hat es dir gefallen, zuzuschauen?", frage ich und sah ihn an.

Er nickte, streckte den Unterleib nach vorn. „Ja. Aber es gefällt mir besser, wenn ich derjenige bin, der mit dir schläft."

Wir hatten kein Kondom, und zum allerersten Mal war er mir wichtiger als die Sicherheit. Das machte mir Angst. Er nahm mich einen Moment fest in die Arme, ich hörte nicht auf, ihn zu streicheln. Er auch nicht.

Mit ihm kam mir alles so leicht vor.

„Du bist noch immer so erregt. Sag, dass es an mir liegt."

„Es liegt an dir", antwortete ich gehorsam.

„Sag, Dan, du erregst mich."

Ich grinste ein wenig. „Dan, du erregst mich."

Er streichelte mich intensiver und stieß fester in meine Hand. „Sag, Dan, ich liebe es, wenn du mich fickst."

„Dan …" Ich stöhnte seinen Namen mehr, als ich ihn aussprach. „Ich …"

„Ich liebe es, wenn du mich fickst", wiederholte er mit heiserer Stimme.

„ Ich liebe es, wenn du mich fickst." Ich erschauerte.

„Sag mir, dass du kommst."

„Ich komme", keuchte ich. „Verdammt, ja … ich komme gleich."

Diesmal war der Höhepunkt nicht ganz so intensiv wie zuvor, aber nicht weniger wundervoll. Ich umgriff seinen Penis fester und drehte die Hand ein wenig. Er stieß einen Fluch aus und stützte sich mit beiden Händen an der Wand ab. Wasser prasselte auf sein Haar, ich streichelte ihn schneller. Fester. Mit einem heiseren Schrei presste er sich an mich, kurz hatte ich den moschusartigen Duft seines Spermas in der Nase, bevor er durch das Wasser weggespült wurde. Er zitterte. „Ich glaube, ich muss mich hinsetzen."

Alarmiert stellte ich das Wasser kälter. „Bist du okay?"

Er lachte. „Himmel, Elle, du bist unglaublich."

Ich fühlte mich nicht unglaublich. Ich fühlte mich … erschöpft. Ich hätte mich am liebsten auch hingesetzt, aber dafür war in der Dusche nicht genug Platz, also stellte ich das Wasser ab, zog zwei Handtücher vom Haken, reichte ihm eines und wickelte mich in das andere ein.

„Vorsichtig", riet ich ihm. „Achtzig Prozent aller Haushaltsunfälle passieren im Badezimmer."

Dan stieg aus der Dusche, klappte den Toilettendeckel herunter und setzte sich. „Könntest du mir ein Glas kaltes Wasser geben?"

„Klar." Ich riss das Papier von einem Glas, füllte es mit Wasser und reichte es ihm, nahm mir das zweite und trank gierig.

„Danke." Er stürzte das Glas in einem Zug hinunter, dann stand er auf, trocknete sich ab, warf das Handtuch auf den Boden, hob den Toilettendeckel und begann zu pinkeln.

Das ließ mich umgehend mit brennenden Wangen und klopfendem Herzen aus dem Bad fliehen. Warum es mir peinlich war, ihm beim Pinkeln zuzusehen, nachdem ich ihm gerade einen runtergeholt hatte, wusste ich auch nicht. Aber dass er sich so ungeniert benahm, löste etwas in mir aus. Manche Menschen haben solche Punkte, die man treffen kann, ich habe jede Menge davon.

Kurz darauf kam Dan aus dem Badezimmer und schlang

von hinten die Arme um mich. Ich versteifte mich ein wenig. Er küsste mich auf die Schulter.

„Warum genau wirst du nicht gerne umarmt?", fragte er.

Mit einem leisen Lachen schüttelte ich den Kopf und nutzte meine Bewegung als Entschuldigung, um mich von ihm zu lösen. „Wer sagt, dass ich nicht gerne umarmt werde?"

„Du."

„Das habe ich nie gesagt." Ich suchte Slip, BH, Rock und Bluse zusammen.

„Dein Körper sagt es."

Dan schien es nicht eilig zu haben, er setzte sich aufs Bett, stützte sich auf dem Ellbogen ab und fühlte sich in seiner Nacktheit offenbar vollkommen wohl. Ich hingegen begann bereits, mich anzuziehen.

„Manche Menschen lassen sich lieber berühren als … andere."

Er beobachtete, wie ich meinen Rock überstreifte. „Du glaubst, du lässt dich nicht gerne berühren?"

Ich zuckte mit den Schultern, schützte Desinteresse vor und begann die Bluse zuzuknöpfen. Dan stand auf, stellte sich erneut hinter mich und legte die Hände auf meine Schultern. Dann strich er sanft über meine Arme. „Du versteifst dich, wenn ich dich so anfasse."

„Tatsächlich?" Ein alter Trick, eine Gegenfrage zu stellen, statt zu antworten.

Er nickte, kam näher, drückte sich an meinen Rücken, schlang die Arme um meine Rippen und legte das Kinn auf meine Schulter. „Als wir im Bett waren und ich dich so festgehalten habe, hast du dich nicht versteift."

Ich sagte nichts. Seufzend ließ er mich los. Ich fuhr fort,

die Bluse zuzuknöpfen und stopfte sie in den Rock. Dann nahm ich einen Kamm aus der Tasche und kämmte mein nasses Haar.

Dan zog sich schweigend an. Plötzlich war eine unangenehme Atmosphäre entstanden, und ich wusste, dass es meine Schuld war. Ich wusste, dass er etwas von mir wollte, hatte aber keine Ahnung, wie ich es ihm geben sollte. Es ärgerte mich, dass er sich nicht einfach zufriedengeben konnte. Er wollte mehr.

Ich zerrte den Kamm so heftig durch mein Haar, dass mir Tränen in die Augen stiegen, und ich fluchte leise. Schweigend nahm Dan mir den Kamm aus der Hand und hob mein Haar. Ich stand still, plötzlich nicht mehr in der Lage, mich zu rühren, und ganz sanft kämmte er eine Strähne nach der anderen durch. Geduldig. Langsam. Erst als der Kamm fließend durch meine Haare glitt, gab er ihn mir zurück.

„Ich warte im Auto", sagte er und ließ mich allein vor dem Spiegel zurück, in dem kurz zuvor noch drei Menschen zu sehen gewesen waren und jetzt nur noch einer.

11. KAPITEL

Von Gavin hatte ich, seit seine Mutter Bücher nach ihm geworfen hatte, nichts mehr gehört. Jeden Abend, wenn ich von der Arbeit nach Hause kam, lauschte ich angestrengt nach Geräuschen hinter der Wand, aber alles blieb still. Ich sah seine Mutter manchmal morgens, wenn sie das Haus verließ. Zwar sprach sie nie mit mir, doch ihr Blick genügte vollkommen. Ein neues Auto, das wohl besagtem Dennis gehörte, parkte nun in unserer Straße. Offenbar war er eingezogen. Ob das die Situation für Gavin verschlechterte oder verbesserte, konnte ich nicht beurteilen. Ein paarmal überlegte ich, hinüberzugehen oder anzurufen, tat es aber nicht.

In dieser Hinsicht bin ich nicht besonders mutig. Es war einfacher, nichts zu tun, das unangenehme Gefühl zu ignorieren, das ich in jener Nacht hatte, und die Erinnerung an Gavins zerschnittenen Arme zu verdrängen. Es war einfacher, an nichts davon mehr zu denken.

Ebenso war es einfacher gewesen, mit Chad nach unserem Streit nicht mehr zu telefonieren. Zum Glück ist mein Bruder nicht so ein emotionaler Feigling wie ich und hat keine Probleme, den ersten Schritt zu tun. Er schickte mir eine Vase aus Glas ins Büro, sie war mit Murmeln und Glücksbambus gefüllt. Das war viel besser als Blumen.

Ich war noch keine fünf Minuten zu Hause, als Chad auch schon anrief, um herauszufinden, ob sein Geschenk bereits angekommen war.

„Hallo Mäuschen", begrüßte er mich. „Frieden?"

„Frieden." Ich stellte die Vase in die Mitte meines Küchentischs. „Du bist der beste Bruder der Welt, weißt du das?"

„Ich bemühe mich."

Wir plauderten über unsere Arbeit. Über Luke. Über die Bücher, die wir lasen, und die Filme, die wir sahen. Wir sprachen weder über unsere Mutter noch unseren Vater.

„Gibt's sonst was Neues bei dir, Süße?"

Ich spürte, dass Chad ein Nein von mir erwartete. „Ehrlich gesagt, ja."

„Hm?" Ich stellte mir vor, wie er sich aufrichtete. „Raus damit."

„Ich habe jemanden kennengelernt."

„Was? Ich meine, toll!"

Seine Reaktion machte mich verlegen. „Tu nicht so, als ob es ein Wunder wäre, Chad."

„Nun, ich wüsste nicht, dass das Rote Meer sich noch einmal geteilt hat oder jemand auf Wasser gegangen ist. Insofern kommt das, was du sagst, einem Wunder recht nahe."

„Hör auf damit."

„Ach Süße, ich freue mich so für dich. Das weißt du doch."

„Ich weiß. Aber es …" Ich konnte den Satz nicht beenden, weil ich nicht wusste, was ich sagen sollte.

„Ich weiß, Ella. Ich weiß."

Ich korrigierte meinen Namen nicht. „Er heißt Dan. Er ist sehr nett."

„Mhm."

„Er ist Anwalt."

„Gut."

Ich wusste, wie sehr Chad sich zusammenreißen musste, um mich nicht mit Fragen zu überschütten. „Er trägt lustige Krawatten."

„Wie lange kennt ihr euch schon?"

„Etwa vier Monate."

Chad schwieg einen Moment. „Wow."

„Stopp. Bitte nicht."

„Bitte was nicht?" Er klang defensiv. „Was?"

„Bitte sag jetzt nicht, dass er seit Jahren der erste Mann ist, den ich öfter als einmal getroffen habe. Seit Matthew."

„Süße, du solltest bitte Matthews Namen nicht einmal erwähnen."

„Vielleicht bin ich nicht so nachtragend wie du, Chaddie." Ich berührte einen der in sich gedrehten Bambusstiele. „Ich meine, ich will Matthew ja nicht verteidigen, aber er ist nicht schuld daran, dass ich so lange mit niemandem mehr zusammen war."

Chads Schnauben zeigte, dass er mir nicht glaubte, aber er begann nicht, zu diskutieren. „Dieser Typ, Dan, ist er gut zu dir?"

Ich kaute auf meiner Unterlippe, bevor ich antwortete. „Das ist er, ja. Bis jetzt zumindest."

„Und du magst ihn."

„Ja, ich mag ihn."

„Das ist gut, Süße." Chad klang so aufrichtig, dass ich nicht wagte, ihm von meinen Zweifeln zu erzählen. „Das ist sehr gut."

„So ernst ist es nicht", erklärte ich. „Wir treffen uns einfach nur, ohne Verpflichtungen."

„Triffst du noch einen anderen?" Er wusste ganz genau, wie er mich zum Reden brachte – das ist der Vorteil zwischen Geschwistern oder der Nachteil.

„Nein", musste ich gestehen.

„Und was ist mit ihm?"

„Das weiß ich nicht."

„Aber ihr benutzt Kondome, vermute ich?"

„Chad, du musst mir keine Vorträge über Safer Sex halten. Aber ja, wir nehmen Kondome." Ich schüttelte den Kopf.

„Warum weißt du nicht, ob er noch eine andere Frau trifft?"

„Weil ich ihn nicht gefragt habe." Er begann mich zu nerven. Nicht nur weil er so neugierig war, sondern weil ich selbst schon überlegt hatte, Dan diese Frage zu stellen. „Ich weiß nicht, ob es mich wirklich interessiert."

„Wie könnte es dich nicht interessieren?" Er schien in meinem Namen entrüstet zu sein, und dafür liebte ich ihn, egal wie sehr er mich nervte. „Er könnte es mit der halben Stadt treiben!"

„Könnte er! Was macht das für einen Unterschied? Er ist nicht mein Freund. Ich bin nicht seine Freundin, Chad. Wir treffen uns einfach gelegentlich und schlafen miteinander, wenn wir Lust haben. Es ist einfach praktisch. Das ist alles."

„Das ist nicht alles, Elle. Nicht, wenn es schon seit Monaten so läuft. Ich kenne dich zu gut."

„Du weißt nicht alles von mir." Ich hatte diese kindischen Worte schon ausgesprochen, bevor ich es verhindern konnte. „Es funktioniert einfach gut, mehr nicht."

Er seufzte leise. „Na gut. Aber denk dran, Elle, selbst Prinzessin Pennywhistle hat schließlich doch noch ihren Prinzen gefunden."

Ich hielt den Hörer von mir und starrte ihn an, eine völlig sinnlose, aber befriedigende Geste. „Prinzessin Pennywhistle ist frei erfunden. Sie ist nicht echt. Eine Erfindung. Eine ziemlich schlechte, um genau zu sein."

„Hey! Prinzessin Pennywhistle ist großartig! Ich kann nicht fassen, dass du so etwas sagst!"

Ich war mir nicht sicher, ob er Witze machte oder nicht. „Prinzessin Pennywhistle war eine Besserwisserin."

„Wenigstens konnte sie zugeben, dass es Zeit war, nicht mehr länger gegen Drachen zu kämpfen und stattdessen Prinzen zu retten", sagte Chad, und ich legte auf.

Doch Chads Worte reichten, um die kleinen Räder in meinem Kopf zum Drehen zu bringen. Ich hatte meine Gefühle für Dan bisher verleugnet, mich selbst davon überzeugt, dass es nur um Sex ging und sonst gar nichts. Doch nun konnte ich nicht mehr länger so tun.

Das Büro, in dem Dan arbeitete, sah nett aus. Jede Menge Fenster und gesund wirkende Pflanzen, eine Sekretärin mit silbernem Haar und einer Brille, die sie an einer Kette um den Hals trug. „Mr. Stewart lässt bitten." Die Sekretärin lächelte mir zu, deutete auf eine geschlossene Tür, und ich legte die Hand auf den Knauf.

Ich rechnete schnell, damit niemand bemerkte, was ich tat. Heute funktioniert das auch, während ich als Kind laut rechnen musste. Ich multiplizierte die Buchstaben seines Namens mit der Anzahl in meinem Namen und dividierte alles durch zwei. Die Lösung war überhaupt nicht aussagekräftig, aber das Rechnen beruhigte mich. Und so gelang es mir, mit einem Lächeln die Tür zu öffnen, das nicht Meilen gegen den Wind als aufgesetzt erkannt werden würde.

Dan telefonierte gerade, hob eine Hand, um zu zeigen, dass er gleich so weit wäre, und ich vertrieb mir die Zeit, indem ich sein Büro begutachtete. An den Wänden hingen gerahmte Diplome. Gute Schulen. Außerdem Fotos, ein lächelnder Dan mit Menschen, die ich nicht kannte. Er hatte einen hübschen, großen Schreibtisch. Nur wenige Papiere lagen darauf, anders als bei mir, wo sich Aktenberge stapelten. Dieser kurze Einblick in seine Persönlichkeit amüsierte mich, ebenso wie er den Becher mit den Stiften, den kleinen Notizblock, einen Behälter mit Büroklammern und den Tacker auf dem Tisch arrangiert hatte.

Ich legte meine Handtasche auf seinen Tisch, stellte mich hinter ihn und las über seine Schulter, was er in seinen Kalender geschrieben hatte. Zu meiner eigenen Überraschung entdeckte ich meinen Namen. Mehr als nur einmal. Kein Hinweis darauf, was das zu bedeuten hatte, nur sorgfältig mit schwarzer Tinte geschriebene Buchstaben.

Dass er sich unsere Treffen vermerkt hatte, wunderte mich, ich sah ihn an, doch er konzentrierte sich noch immer auf sein Telefongespräch. Was sollte ich davon halten, dass mein Name neben Notizen wie „Konferenz mit John" oder „Bericht zweites Quartal fällig" stand? Ich suchte nach dem heutigen Tag und fand meinen Namen ganz unten, mit anderer Tinte geschrieben, vielleicht erst nachdem ich ihn angerufen hatte.

Er hatte also die Übersicht behalten. Ich nicht. Sollte ich ein schlechtes Gewissen haben, weil unsere Treffen ihm mehr bedeuteten als mir? Aber vielleicht schrieb er sich den Namen aller Frauen auf, die er traf – und das erinnerte mich wieder daran, dass ich keine Ahnung hatte, wen er außer mir noch sah. Ich überflog den Terminkalender noch einmal schnell, und obwohl ich tatsächlich einige Frauennamen fand, standen sie alle in Zusammenhang mit etwas Beruflichem. Keiner stand einfach allein da so wie meiner, ein Name ohne Erklärung.

„Entschuldige bitte." Er legte auf und zog mich auf seinen Schoß, bevor ich mich dagegen wehren konnte. Sein Stuhl drehte sich ein wenig. Ich musste mich an seiner Schulter festhalten. „Du bist zu früh."

Ich war nicht zu früh, ich war pünktlich, aber ich sagte nichts. „Deine Sekretärin hat mich reingeschickt."

„Sie hat den strengen Befehl, alle umwerfenden Frauen sofort hereinzulassen. Ohne Wartezeit." Er legte den Kopf in den Nacken, um mich zu betrachten. Seine Hand lag ganz selbstverständlich auf meiner Hüfte, die Finger fühlten sich warm an.

„Ach tatsächlich." Ich runzelte übertrieben die Stirn. „Und dich besuchen eine Menge umwerfende Frauen?"

„Heute nicht", entgegnete er. „Heute nur eine."

„Tja dann." Ich tat so, als wollte ich von seinem Schoß aufstehen. „Dann gehe ich wohl besser, damit du Zeit für sie hast."

Er lachte auf. „Hast du Hunger? Ich dachte, wir holen uns irgendwo ein Sandwich und gehen dann zum Fluss. Heute ist so ein schöner Tag. Wie viel Zeit hast du?"

„So viel ich will. Einer der Vorteile, wenn man Chefin ist: Man kann lange Mittagspausen haben."

Dan machte ein beeindrucktes Gesicht. „Gut, ich habe heute Nachmittag auch keine Termine und kann mir ebenfalls so viel Zeit lassen, wie ich will."

Wir lächelten einander an, und ich entdeckte das Begehren in seinen Augen in der Sekunde, in der ich es selbst spürte. Sein Blick wanderte zur Tür. „Ist nicht abgeschlossen."

„Erwartest du jemanden?"

Sanft schob er die Hand zwischen meine Knie und dann etwas höher. Er stöhnte leise. „Du bringst mich um, Elle. Weißt du das? Du bringst mich um."

„Das ist nicht gut", antwortete ich. „Das will ich nicht."

Er drückte mich etwas zur Seite, und seine Erektion presste sich an meinen Schenkel. „Siehst du, was du bei mir anrichtest?"

Ich schmiegte mich an ihn. „Sehr beeindruckend."

Liebevoll zupfte er an meinem Slip. „Warum trägst du überhaupt einen, wenn du zu mir kommst? Du weißt doch genau, dass ich ihn dir ausziehen werde."

„Nächstes Mal denke ich dran."

Er lachte. Gemeinsam öffneten wir seine Hose, zogen mir den Slip aus, und ich setzte mich mit gespreizten Beinen auf ihn. Er fickte mich schnell und hart, aber nachdem ich den ganzen Morgen an ihn gedacht hatte, brauchte ich nicht viel mehr. Er blickte auf meine Hand, mit der ich mich streichelte, und fuhr sich mit der Zunge über die Lippen. „Ich liebe es, wenn du das tust", murmelte er.

„Das?" Ich rieb mich langsam im Kreis und schaukelte gegen ihn.

„Das. Dass du nicht wartest, bis ich errate, was du willst, dass du einfach ... oh verdammt, Elle ..."

Wir kamen gleichzeitig, und er zog mich fest ans sich, als ich meine Arme um ihn schlang. So verharrten wir einen Moment, schwer atmend, dann stand ich auf und nahm ein kleines Päckchen feuchte Tücher aus der Handtasche. Er beobachtete mich amüsiert. „Du denkst an alles, nicht? Wusstest du, dass wir sofort miteinander schlafen würden, als du sagtest, dass du in mein Büro kommen wolltest?"

„Sicher war ich mir nicht."

„Du sorgst einfach vor."

Ich grinste ihn an. „Dan. Komm schon. Gibt es einen anderen Grund, warum wir uns treffen? Sollte ich denn nicht davon ausgehen, dass es passiert?" Noch während ich diese Worte aussprach, wusste ich, dass sie falsch waren. Manche Dinge sollte man vielleicht denken, aber nicht sagen. Sein Lächeln verblasste, die strahlenden blaugrünen Augen verdüsterten sich, er sah weg.

„Ja. Ich schätze, du hast recht."

Ich hatte ihn verletzt, wusste aber nicht, wie ich es wiedergutmachen konnte, ohne zuzugeben, dass ich unrecht hatte. Nicht darauf einzugehen war einfacher.

Als wir zum Fluss liefen, war er stiller als sonst. Wir hielten an einem Kiosk an, kauften Sandwiches und Getränke und überquerten die Front Street. Eine Menge Leute waren ebenfalls auf die Idee gekommen, die Mittagspause an der frischen Luft zu verbringen, und wir mussten ziemlich weit laufen, bis wir eine freie Bank fanden. Wir liefen schweigend, und ich tat so, als wäre das normal.

Als wir endlich ankamen, hatte ich kaum noch Hunger, doch ich wickelte das Sandwich trotzdem aus, riss das kleine Päckchen auf und verteilte Senf auf der Truthahnbrust. Dan hatte ein Steakbrötchen mit Zwiebeln und Paprika gekauft.

„Meine Herren", rief ich, um die Stimmung etwas aufzuhellen. „Da wird aber nachher jemand einen großen Kaugummi brauchen."

Er sah mich ernst an. „Wieso? Hast du etwa vor, mich zu küssen?"

Natürlich hätte ich damit rechnen müssen, dass er irgendwann die Nase voll haben würde von mir, doch jetzt hatte ich das Gefühl, als hätte mir jemand einen heftigen Schlag in den Magen versetzt. Schnell schaute ich hinunter auf mein Sandwich, warf das leere Senfpäckchen weg, legte das Papier zusammen – aber ich aß nicht.

Dan blickte aufs Wasser. Auf der Market-Street-Brücke drängten sich die Autos, die Bäume auf City Island waren grün. An einem so schönen Sommertag wie heute waren das Karussell und die Kindereisenbahn bestimmt in vollem Gange. Vielleicht gab es heute Abend im Stadion ein Baseballspiel. Vielleicht sollte ich ihn fragen, ob er mit mir dorthin gehen wollte. Eis essen. Karussell fahren.

Doch ich fragte ihn nicht. Ich hätte es tun können, hätte es sogar gern getan. Aber ich … fragte einfach nicht.

Dan kaute. Trank. Schluckte. Wischte Mund und Hände an der Serviette ab. Er aß, ohne sich mit Soße oder Fett zu bekleckern, wofür ich ihn insgeheim bewunderte. Ich kämpfte schwer mit dem Senf und hatte bereits Eistee auf meine Bluse geschüttet.

Wir hatten schon oft schweigend zusammen gesessen, aber das hatte sich besser angefühlt. Angenehm, wie ich mit wachsendem Missmut bemerkte. Jetzt waren wir schlimmer als Fremde. Wir waren wie zwei, die beinahe, aber nur beinahe hätten Freunde werden können.

Ich trank den Tee, konnte das Sandwich aber nicht hinunterwürgen. „Ich habe es nicht so gemeint", murmelte ich schließlich. „Das, was ich vorhin gesagt habe."

„Doch, du hast es so gemeint. Und außerdem", er zuckte mit den Schultern, „ist es ja wahr, oder nicht?"

„Es tut mir leid, Dan."

Er sah mich nicht an. Sein Blick wanderte über den Susquehanna River, dessen graugrüne Oberfläche vom Sommerwind gekräuselt war. Er packte die Reste seines Essens zusammen und warf sie in den Papierkorb neben der Bank.

„Fertig?"

Ich nickte.

Dan schob die Hände in die Hosentaschen. Der Wind blies ihm das sandfarbene Haar aus der Stirn. Ich entdeckte kleine Falten in seinen Augenwinkeln, die ich bisher nicht bemerkt hatte. Ich kannte seinen Geburtstag nicht, wusste nicht, ob er Geschwister hatte oder wo er aufgewachsen war, welches seine Lieblingsfarbe war oder ob er Sport machte. Ich wusste, wie er schmeckte und roch, ich kannte die Länge und Dicke seines Penis, die Rundung seines Hinterns, die Sommersprossen auf seinen Schultern und das Haar auf seiner Brust. Ich wusste, dass er gerne lachte und freundlich oder fordernd sein konnte, oder freundlich fordernd oder fordernd freundlich.

„Meine Lieblingseissorte ist Teaberry." Als ich es sagte, konnte ich den herrlichen Geschmack auf der Zunge spüren. „Man bekommt es nicht oft, aber drüben auf City Island gibt es einen Stand. Und Eiswaffeln."

Mit hochgezogener Augenbraue warf er mir einen Blick zu. „So?"

„Ja."

Ich hatte es nicht verdient, dass er mir auch nur einen Millimeter entgegenkam, und er tat es nicht. Dafür respektierte ich ihn nur noch mehr. Er lief mir nicht hinterher wie ein kleines Hündchen. Der Wind zerrte an seiner Krawatte, auf der heute Sponge Bob zu sehen war.

„Vielleicht könnten wir da mal irgendwann zusammen hin", schlug ich vor. „Zum Eisessen."

Er sah mich wieder an. „Vielleicht."

Ich schenkte ihm ein vorsichtiges Lächeln. Er konnte nicht wissen, wie viel Mut mich das kostete, aber andererseits … ich wollte auch gar nicht, dass er es wusste.

Wir standen eine Weile unbewegt nebeneinander, bis er endlich die Hände aus der Tasche nahm. Das Lächeln, das er mir zuwarf, war nicht so strahlend wie sonst, aber immerhin. „Ich muss langsam zurück."

Ich nickte, enttäuscht und erleichtert zugleich, dass er nicht reden wollte. Ich brauchte Zeit, um über alles nachzudenken. Wohin das mit uns führte. Was ich gerne hätte oder nicht.

„Soll ich dir ein Taxi rufen?"

Wieder nickte ich. Mein Büro war zu Fuß nicht zu erreichen. „Danke für das Mittagessen", sagte ich, bevor ich einstieg. Er winkte, ein mittelgroßer Mann in einem teuren Geschäftsanzug und einer Krawatte, die im Wind tanzte. Ich winkte zurück.

Mit den besten Vorsätzen stieg ich ins Auto. Mein Elternhaus war nicht weit entfernt, ungefähr vierzig Minuten Fahrt an einem Samstag. Zu nah und zu fern zugleich.

Der Ort hatte sich seit meiner Kindheit kaum verändert. Breite von Bäumen gesäumte Straßen, Häuser, die älter als fünfzig Jahre waren, ein paar Fachgeschäfte und Boutiquen. Es gab viel mehr Tankstellen und Fast-Food-Restaurants als früher, aber davon abgesehen war alles so wie damals, als ich mit Pferdeschwanz auf dem Fahrrad durch die Gegend gebraust war, zur Bibliothek vielleicht oder zum Schwimmbad.

Ich bog in die Straße meiner Eltern ein, wo mich dieselben Häuser in denselben Farben wie damals begrüßten. Die Bäume waren gewachsen. Ich wollte meinen Vater besuchen. Wirklich. Meine Mutter war vielleicht eine hysterische Märtyrerin, aber nachdem sie mir gegenüber seine Krankheit eingestanden hatte, musste es ihm wirklich schlecht gehen. Vielleicht lag er sogar im Sterben. Und ich sollte wohl mit ihm sprechen, bevor das geschah. Ich kannte dieses leere Gefühl nur allzu gut, wenn jemand stirbt, bevor man mit ihm seinen Frieden gemacht hatte.

Aber dann bog ich doch nicht auf unsere Auffahrt. Ich hielt auf der gegenüberliegenden Straßenseite und betrachtete das Haus, in dem ich aufgewachsen war. Mein Magen krampfte sich zusammen.

Seit meiner Collegezeit war ich nicht mehr hier gewesen. Meine Mutter hatte gesagt, ich solle nie zurückkommen, und ich gehorchte nur allzu gerne. Sie hatte ihre Einstellung geändert, aber ich meine nicht. Ich hasste dieses Haus und was darin geschehen war, ich konnte einfach nicht zurück. Nicht einmal, um meinen sterbenden Vater zu besuchen. Ich fuhr weiter, drehte am Ende der Straße um und eilte zurück in die Stadt, die mein wirkliches Zuhause war.

Marcy war natürlich überrascht, mich zu sehen. Als ich bei ihr klingelte, war es schon spät am Abend, und ich hatte vorher nicht angerufen. Sie ließ mich herein, und ich sah, dass Wayne da war.

„Oh, tut mir leid. Ich wollte nicht stören." Schon machte

ich auf dem Absatz kehrt, doch Marcy stellte sich mir in den Weg.

„Sei doch nicht albern. Wir haben gerade gegessen. Setz dich, Elle. Möchtest du etwas trinken?"

Ich hatte bereits getrunken, ein paar Wodkas in einer Bar, doch ich nickte. „Gerne. Egal was."

Die beiden tauschten einen Blick, den ich hätte deuten können, wenn ich nicht schon so angetrunken gewesen wäre. Wayne stand auf, nahm ein Flasche Wodka Limone aus dem Schrank und drei Gläser. Marcy holte Zitronen aus dem Kühlschrank. „Lemon Shooters?", fragte sie.

Wieder nickte ich. „Tut mit leid, dass ich an einem Samstagabend einfach so hereinplatze. Ihr habt bestimmt etwas vor."

„Wir warten nur auf ein paar Freunde." Marcy klang verlegen. „Wir wollten zusammen spielen."

„Brettspiele?" Ich blinzelte erstaunt, das klang so gar nicht nach der Marcy, die ich kannte.

Wayne lachte. „Genau. Brettspiele. Was für ein Samstagabend, nicht wahr?" Er schlang einen Arm um Marcy und drückte seine Lippen auf ihre Schläfe. Sie sahen sich an, als ob sie ein Geheimnis teilten. Ich fühlte mich wie ein Außenseiter.

„Ich sollte gehen."

„Nein, Elle, bleib doch. Das wird lustig, versprochen." Marcy nahm mich in den Arm. „Bitte bleib."

Also blieb ich. Marcys Freunde kamen, und wir spielten *Trivial Pursuit*, *Tabu* und *Therapie*, Mädchen gegen Jungs. Wir tranken Lemon Shooters und aßen Nachos und Salzstangen. Wir Mädchen gewannen, aber die Jungs schien das nicht zu stören. Ich war der einzige Single, aber auch das interessierte niemanden. Zumindest wurde es nicht erwähnt, und falls es mitleidige Blicke gab, so bemerkte ich nichts davon.

Lange hatte ich nicht mehr mit mehreren Leuten gespielt und gelacht. Um genau zu sein, musste ich überlegen, ob ich jemals Teil einer solchen Gruppe gewesen war. In der Highschool war ich eine stille Streberin gewesen. Meine beste Freundin Susan Dietz war nach der zehnten Klasse weggezogen und danach … nun, danach wurde alles anders. Im College führte Matthew mich in seine Clique ein, und mindestens ein Jahr lang feierte ich Partys und hatte plötzlich Freunde. Bis auch das sich änderte.

Die Erinnerungen ließen mich nicht melancholisch werden, sie gehörten zu meiner Vergangenheit. Und nicht alles in meiner Vergangenheit war schlecht. Die Gesellschaft löste sich gegen ein Uhr auf, ich wurde von allen Seiten fest umarmt und gedrückt, Marcys Freunde schienen wie sie sehr köperbetont zu sein. Es machte mir nichts aus.

„Ich bin froh, dass du vorbeigekommen bist." Marcy schloss mich in die Arme. Ich tätschelte ein wenig unbeholfen ihren Rücken. Als sie mich auf die Wange küsste, machte ich mich lachend los.

„Danke, dass ich bleiben durfte."

„Wayne kann dich nach Hause bringen."

Wayne blickte aus seinem Sessel hoch. „Klar, Elle."

Ich schüttelte den Kopf. „Danke, aber ich nehme mir ein Taxi. Macht euch keine Sorgen."

Ich war vielleicht betrunken, aber nicht so betrunken, dass ich mit Wayne, der den ganzen Abend ohne Pause getrunken hatte, in ein Auto gestiegen wäre. Er winkte mir matt zu und richtete dann seine Aufmerksamkeit wieder auf den Fernseher. Marcy brachte mich zur Tür. „Schön, dass du hier warst. Geht es dir gut?"

Ich nickte. „Ich dachte einfach, ich komme mal vorbei. Ich wollte dir deine Party nicht vermiesen."

„Hast du nicht." Marcy schaute schnell über die Schulter. „Hattest du Spaß?"

„Allerdings." Ich musste mich nicht zwingen, zu lächeln. „Ich habe schon ewig keine Spiele mehr gespielt."

„Dann solltest du das nächste Mal wiederkommen." Pause. „Und bring Dan mit."

Bevor ich es verhindern konnte, verzog ich das Gesicht. „Klar, okay."

„Nicht? Seid ihr nicht mehr zusammen?" Sie lehnte sich mit verschränkten Armen an den Türrahmen, und erst jetzt bemerkte ich, dass Marcy so gut wie nichts getrunken hatte. Es war nicht leicht, Fragen von jemandem zu beantworten, der deutlich nüchterner war als man selbst.

„Doch. Wir sehen uns noch."

„Gut." Marcy grinste und nahm mich noch einmal in den Arm. Diesmal drückte ich sie auch, vielleicht nur, damit sie mich schneller losließ.

„Elle? Bist du wirklich in Ordnung?"

Ich war schon fast am Fahrstuhl und drehte mich um. „Klar."

„Wirklich? Du wirkst ein wenig deprimiert."

Da hätte ich ihr beinahe von meinem Vater erzählt, aber schließlich handelte es sich dabei nicht um ein Thema, das man mal eben um ein Uhr morgens in einem Hausflur diskutiert. Und schon gar nicht mit so viel Alkohol im Blut. Also tat ich, was ich am besten konnte. Lügen.

„Nein, ich bin nur ein bisschen müde." Lächelnd winkte ich ihr zu, und die Fahrstuhltür versperrte mir den Anblick ihres besorgten Gesichts.

Und wieder hatte ich die besten Absichten. Genügend Taxis standen vor den Bars und Klubs, in denen noch der Teufel los war. Diese Gegend in der Second Street wurde auch Anmach-Meile genannt wegen der vielen Singles, die durch die Nachtklubs zogen. Ich lief Richtung Bushaltestelle, kam aber nicht dort an.

Vor drei Jahren war ich regelmäßiger Gast auf der Anmach-Meile. Ich hatte kein Problem, mich von Jungs zu einem Getränk einladen zu lassen und im Gegenzug mit ihnen zu tanzen und ein wenig zu fummeln. Manchmal, oder eher öfter, machte ich es ihnen mit der Hand oder ließ mich vögeln. Weil ich mich weder wie eine Schlampe kleidete noch auf der Theke tanzte, waren das für mich weniger Eroberungen als vielmehr Geheimnisse. Meine kleinen Geheimnisse.

Zum Ausgehen war ich eigentlich gar nicht angezogen, aber ich ging trotzdem in eine Bar. Der Türsteher warf einen Blick auf meinen Führerschein und knöpfte mir dann zehn Dollar ab, ohne sich zu einem Lächeln herabzulassen. Um diese Uhrzeit lag so etwas wie Verzweiflung in der Luft. In etwa einer Stunde würde der Klub schließen, die Zeit wurde knapp. Als ich mich durch die Menschenmenge an der Tür presste, drehten sich viele Köpfe um. Frischfleisch war im Anmarsch.

Mädchen beäugten mich von Kopf bis Fuß, prüften meine Klamotten und flüsterten sich gegenseitig ins Ohr. Jungs starrten mit Bierflaschen in den Händen. Und ich? Ich schlüpfte ganz leicht in meine alte Rolle wie in bequeme Jeans.

Zwar überlegte ich, was ich da eigentlich tat. Warum ich

in einen Klub ging, um einen Fremden kennenzulernen, obwohl ich doch Dan hatte. Ich drängte mich durch die Menge, ohne mit jemandem Blickkontakt aufzunehmen. An der Theke bestellte ich mir etwas zu trinken, drehte mich dann um und musterte die Leute. Gestreifte Hemden schienen gerade in zu sein, mindestens zwei Drittel der Männer trugen sie. Die anderen hatten sich für T-Shirts mit so klugen Sprüchen wie „Küss mich, ich bin ein Pirat" entschieden. Ich war nicht auf der Suche nach einem Piraten.

Ein paar Mädchen hatten sich um drei junge Männer versammelt, die sich ganz offensichtlich in der Aufmerksamkeit, die ihnen entgegengebracht wurde, sonnten. Sie alle lachten laut und wirkten ziemlich betrunken. Der Mann neben mir, ein großer dunkelhaariger Typ, zeigte mit seiner Bierflasche auf sie: „Fünf Mädchen. Drei Kerle. Irgendjemand geht leer aus."

Er musste sich nah zu mir beugen, damit ich ihn verstand. Ich hob meine Bierflasche und prostete ihm lächelnd zu. „Zumindest scheinen sie viel Spaß zu haben."

Der Fremde nickte. Die Musik in dem Laden war ziemlich widersprüchlich, in der einen Sekunde erklang Hip-Hop und in der nächsten eine Hardrockballade. Jetzt gerade lief ein Retro-Popsong, zu dem offenbar alle tanzen wollten.

Er war niedlich. Ich lehnte mich etwas an ihn. Er roch sogar gut, selbst nach einem Abend voller Schweiß und Zigarettenqualm. Unsere Blicke trafen sich, wir verließen zusammen die Bar, überquerten den Parkplatz, setzen uns auf die Rückbank seines Autos, und er schob die Hand unter meinen Rock.

Ich fragte nicht nach seinem Namen, und er stellte sich

nicht vor. Ich behauptete, ich hieße Jennifer und wäre zwei-
undzwanzig. Er schien mir zu glauben. Während er unter
meinen Slip glitt, fummelte er an seinem Reißverschluss herum und steckte mir dann seine Erektion in die Hand.

Er kannte die Regeln der Anmach-Meile und bestand
nicht auf Geschlechtsverkehr. Zumindest unternahm er den
Versuch, mich zu befriedigen, und dass es nicht klappte, war
nicht wirklich sein Fehler. Ich gab angemessene Geräusche
von mir und krümmte mich unter seinen Händen, obwohl
ich so weit von einem Höhepunkt entfernt war, wie eine Frau
nur sein konnte.

Nach etwa fünf Minuten Rubbeln kam er, kurz bevor
mein Handgelenk zu schmerzen begann und ungefähr vier
Minuten, nachdem ich jegliches Interesse verloren hatte.
Er spritzte mit einem lauten Schrei in meine Faust, und ich
konnte nur hoffen, dass keine Polizeistreife unterwegs war.
Dann brach er wie ein Toter auf mir zusammen. Nach etwa
einer Minute schob ich ihn von mir.

Ohne ein Wort blinzelten wir uns an. Ich wischte meine
Hand an seinem Hemd ab, was er zuließ, ohne sich zu be-
schweren, und richtete meine Kleider.

„Kann ich dich nach Hause bringen?" Diese Höflichkeit
brachte ihm zumindest doch noch ein paar Punkte ein.

„Nein danke." Ich lächelte. Er konnte ja nichts dafür.

„Bist du sicher? Weil …"

Ich stieg aus, bevor er den Satz beenden konnte. Ich fühlte
mich nicht länger betrunken. Und als ich dieses Mal einem
Taxi winkte, stieg ich auch tatsächlich ein.

12. KAPITEL

Meine Rolle als pflichtbewusste Tochter ging zwar nicht so weit, dass ich mein Elternhaus besuchte, aber als meine Mutter anrief und mich zum Abendessen in ein Restaurant einlud, fiel mir so schnell keine Ausrede ein. Vor allem nicht, nachdem sie mir mitgeteilt hatte, dass mein Vater auch kommen würde. Mein Vater in einem Restaurant?

Dafür musste ich meine Verabredung mit Dan absagen. Als ich ihn anrief und ihn bat, das Abendessen zu verschieben, sagte er nichts. Aber ich konnte sozusagen hören, wie er die Stirn runzelte.

„Ich habe deine Eltern noch nie getroffen", meinte er schließlich.

Schweigen breitete sich aus. Ich sehnte mich nach einem altmodischen Telefon, weil ich dann das Kabel zwischen den Fingern hätte drehen können. So musste ich mich mit einer Haarsträhne begnügen.

„Das möchtest du auch gar nicht", entgegnete ich, als ich die Stille nicht länger aushalten konnte.

„Dann ruf mich doch einfach an, wenn du Zeit hast."

Eine Ewigkeit schien zu vergehen, bis ich ihm antwortete. „Ich möchte nicht, dass du meine Eltern kennenlernst."

„Weshalb nicht?"

Ich konnte es ihm nicht verdenken, dass er beleidigt klang. „Weil selbst ich überhaupt keine Lust auf dieses Abendessen habe, Dan. Dich kann ich dem noch viel weniger aussetzen. Und darüber hinaus wäre es für mich sehr anstrengend, dich dabeizuhaben."

Diese ehrlichen Worte schienen ihn nicht gerade zu besänftigen. „Alle Familien sind anstrengend, Elle. Aber wenn du nicht willst, dass sie mich kennenlernen …"

„Ich will nicht, dass du sie kennenlernst", unterbrach ich ihn. „Das ist ein Unterschied."

„Glaubst du, dass ich dich nicht mehr mag, wenn ich sie einmal getroffen habe?", zog er mich auf. Ich lachte nicht. „Elle?"

„Es geht um meine Mutter", erklärte ich ihm. „Du würdest das nicht verstehen."

„Da ich sie nie gesehen habe, nein. Vermutlich nicht."

„Das möchtest du lieber nicht. Glaub mir."

„Ehrlich gesagt doch."

„Dan, vertrau mir."

„Du willst nicht, dass ich deine Eltern kennenlerne. Ist schon gut. Viel Spaß."

Ich wollte nicht streiten, aber andererseits konnte ich mir auch beim besten Willen nicht vorstellen, ihm meine Eltern vorzustellen. „Es ist sehr kompliziert, Dan."

„Elle, offenbar ist das meiste in deinem Leben sehr kompliziert."

Dann legte er auf, und ich starrte einen Moment lang das Telefon an. Dieses Mal rief ich ihn nicht wieder an.

Meine Mutter saß ganz allein am Tisch. „Daddy konnte nicht kommen."

„Wieso nicht?"

„Er hat zu tun, Ella. Ist doch auch egal." Sie verrührte Süßstoff in ihrem Tee.

„Es ist nicht egal, du hattest gesagt, dass er kommen würde. Ich hätte ihn gerne gesehen."

Sie schniefte. „Wieso? Bin ich nicht gut genug?"

„Darum geht es nicht."

Sie schürzte die Lippen. „Wenn du dir solche Sorgen machst, hättest du uns auch zu Hause besuchen können."

Wortlos blickten wir uns an, bis der Ober kam. Sie bestellte für uns beide, ein Gericht, das ich nicht mochte, und doch war ich dankbar, dass ich nicht über eine Bestellung nachdenken musste. Danach sprach sie ununterbrochen über die Hochzeit meiner Cousine, ich war bei dieser Feier nicht dabei gewesen. Und nichts hätte mich weniger interessieren können, aber zumindest füllten ihre Erzählungen den Raum zwischen uns, und wir mussten nicht wirklich miteinander sprechen.

Diesmal zahlte sie. Wir verließen das Restaurant, und ich begleitete sie zum Parkplatz, als mir bewusst wurde, dass ich sie gar nicht gefragt hatte, wie sie überhaupt hierhergekommen war.

„Ich bin gefahren", verkündete sie und wühlte in der Handtasche. Dann zündete sie sich eine Zigarette mit der Selbstverständlichkeit einer seit Jahrzehnten Süchtigen an. „Ich werde mich jetzt wohl langsam wieder daran gewöhnen müssen."

Für die Zukunft, wenn mein Vater nicht mehr da war. Das sagte sie zwar nicht, aber ich hörte es trotzdem. Diese einfachen Worte enthüllten mehr über die Krankheit meines Vaters als alles andere, und doch war ich nicht in der Lage, mit mehr als einem Murmeln zu reagieren.

„Wirst du uns jemals besuchen kommen, Ella?"

Ich sah ins Auto, in dasselbe Auto, das sie seit fünfzehn Jahren hatten. „Nein, Mutter. Ich glaube nicht."

„Du bist so ein egoistisches Ding. Ich verstehe dich einfach nicht. Dein Vater ist krank …"

„Das ist nicht meine Schuld."

„Weißt du was?", zischte sie. „Ich glaube, es ist an der Zeit, dass du endlich darüber hinwegkommst. Wie wäre das, Ella? Werde einfach damit fertig. Es ist schon zehn Jahre her. Ich kann nicht ständig auf den Knien vor dir herumrutschen und dich um Verzeihung bitten für das, was in der Vergangenheit geschehen ist."

„Mutter, es geht nicht um dich, okay?"

„Worum dann? Sag es mir bitte, ich würde es nur zu gerne wissen." Ihr Ton strafte ihre Worte Lügen. „Ich würde nämlich wirklich gerne hören, dass es nicht um mich geht. Ich habe kapiert, dass du mich hasst, aber du könntest wenigstens deinen Vater besuchen. Es geht ihm nicht gut."

„Das ist nicht meine Schuld", wiederholte ich, diesmal mit festerer Stimme. „Und du hast recht, vielleicht sollte ich einfach darüber hinwegkommen. Aber ich kann nicht."

Darauf wusste sie offenbar nichts zu entgegnen. „Wenn du dich so an die Vergangenheit klammerst, hast du keine Zukunft. Glaub mir."

„Guter Tipp", sagte ich milde. „Wenn man bedenkt, von wem er kommt."

Sie starrte mich an. „Warum mache ich mir überhaupt die Mühe? Warum? Wenn ich doch nichts als Ärger mit dir habe? Vielleicht sollte ich es einfach lassen, Ella, sollte dich deinen eigenen Weg gehen lassen. Und jede Art von Beziehung zu dir einfach vergessen. Es ist unmöglich, mit dir zu reden. Denn du hörst niemandem zu, außer dir selbst."

Vermutlich stimmte das, auch wenn ich es nicht zugeben wollte. „Dann solltest du mich wirklich lassen. So wie Chad."

Tiefe Falten gruben sich in ihr Gesicht. „Erwähne ihn mir gegenüber nicht."

„Aber vielleicht sollten wir über Chad sprechen." Ich nannte seinen Namen mit Absicht, wollte sie zwingen, ihn zu hören. „Und ich denke, wir müssen auch über Andrew sprechen. Darüber, was geschehen ist. Wir haben nie ein Wort darüber verloren …"

„Weil es darüber nichts zu sagen gibt." Ihr Gesicht glättete sich wieder wie durch Zauberhand. Sie blies den Rauch durch die Nase aus.

Ich hatte viele Jahre lang versucht, zu vergessen. Hatte versucht, nicht darüber zu sprechen. Und jetzt, hier auf diesem Parkplatz, überkam mich plötzlich das Bedürfnis, mich nicht länger vor der Vergangenheit zu verstecken.

„Mom", flüsterte ich. „Bitte. Ich muss mit dir darüber sprechen. Über das, was geschehen ist. Ich kann einfach nicht länger schweigen. Es macht mich krank."

„Du bist bereits krank." Sie deutete mit der Zigarette auf mich. „Du musst endlich darüber hinwegkommen! Er ist tot! Er ist fort!"

„Auch das ist nicht meine Schuld!", schrie ich.

„Und ob es deine Schuld ist!", brüllte sie zurück, und dann inhalierte sie den Rauch so, als ob er kostbarer wäre als Sauerstoff.

Benommen beobachtete ich, wie sie die Zigarette austrat und sofort die nächste anzündete. Rauchen ist eine schmutzige Angewohnheit, schlecht für die Zähne und die Haut, ganz zu schweigen von den Lungen, und auch wenn ich gelegentlich rauchte, war ich nie süchtig geworden. Dass meine Mutter rauchte, erstaunte mich immer wieder.

„Es ist nicht meine Schuld, dass er gestorben ist." Ich wollte, dass meine Worte fest klangen. Ich wollte sie glauben. „Andrew hat sich umgebracht, Mutter, damit hatte ich nichts zu tun."

„Du hast ihn dazu gebracht", schnappte sie. „Bevor du ihn in die Finger bekamst, war alles in Ordnung."

„Das glaubst du nicht wirklich." Dabei wusste ich, dass es so war.

„Ich hätte dich niemals aufhalten sollen, als du es versucht hast." Zigarettenqualm waberte zwischen uns in der Luft und brannte in meinen Augen und meinem Hals. Ich sehnte mich nach Tränen, um das Brennen wegzuwaschen. „Dann würde er noch leben und du wärst ..."

„Nicht", flüsterte ich. „Sag es nicht."

Sie sah mich mit schmerzverzerrtem Gesicht an. „Du und Chad, ihr beide wart eine einzige Enttäuschung für mich und euren Vater. Ich verstehe nicht, was geschehen ist. Andrew war der perfekte Sohn."

„Auch das glaubst du nicht wirklich, oder? Wie kannst du so etwas sagen?" Am liebsten hätte ich sie an den Schultern gepackt und durchgeschüttelt. „Mutter, er war nicht perfekt. Das ist sowieso niemand. Und er ... schon gar nicht."

„Hüte deine Zunge, Ella."

„Standen Chad und ich immer nur an zweiter Stelle?", fragte ich. „Eltern sollten kein Lieblingskind haben."

„Nun, ich verrate dir was." Sie trat die zweite Zigarette unter ihrem teuren Wildlederschuh aus. „Hatten wir aber."

Dann stieg sie ein und fuhr davon.

„Du solltest nach Hause kommen", sagte ich zu Chad, als er mich das nächste Mal anrief. „Ich vermisse dich."

„Ich vermisse dich auch. Komm mich doch besuchen. Es ist schön hier in Kalifornien."

„Mutter sagt, dass es Dad überhaupt nicht gut geht."

„Und hast du ihn besucht, Süße?"

Mein Bruder wusste immer, welche Knöpfe er drücken musste, um mir ein schlechtes Gewissen zu machen. Im Grunde ist er meiner Mutter ähnlicher, als er zugeben will. Ich musste aber trotzdem lächeln, weil er ja recht hatte.

„Nein. Komm nach Hause. Dann besuchen wir ihn zusammen."

„Weißt du mehr als ich? Hat unser Vater vielleicht zu unseren Gunsten eine riesige Lebensversicherung abgeschlossen? Denn sobald ich einen Fuß in dieses Haus setze, kratzt er umgehend ab, das ist dir doch klar."

„Er ist todkrank, Chad. Willst du, dass er stirbt, ohne ihn noch einmal gesehen zu haben?"

„Nicht." Mein kleiner Bruder schien heute nicht besonders gut drauf zu sein. „Fang erst gar nicht damit an, Ella. Die beiden haben mich rausgeworfen und gesagt, ich solle diese Türschwelle nie mehr überschreiten. Sie haben mich beschimpft."

„Er nicht." Ich öffnete eine Wasserflasche und nahm einen Schluck.

„Er hat sie nicht aufgehalten, also ist es dasselbe. Nur weil er zu besoffen war, um aus seinem beschissenen Sessel aufzustehen, ist das keine Entschuldigung. Und ehrlich", rief er vorwurfsvoll, „ich bin verdammt überrascht, dass ausgerechnet du so etwas sagst. Ausgerechnet du, Ella."

„Ich wünschte, du würdest mich nicht so nennen."

„Elle", korrigierte er sich. „Süße, Kleines. Ich hab dich lieb."

„Ich dich auch, Chaddie."

„Bitte mich einfach nicht, nach Hause zu kommen. Du weißt, dass ich das nicht kann."

„Ich weiß." Seufzend rieb ich mir die Stirn, um die aufsteigenden Kopfschmerzen zu lindern. „Ich weiß. Aber sie ruft mich immer wieder an."

Unser Gespräch auf dem Parkplatz erwähnte ich nicht.

„Sag ihr, sie soll sich verpissen", meinte er schlicht. „Dieses Miststück hat nie etwas für uns getan. Nicht als wir sie brauchten. Soll sie doch ernten, was sie gesät hat."

„Denkst du manchmal darüber nach … Chad, denkst du manchmal darüber nach, ihr zu verzeihen?"

„Denkst du je darüber nach, *ihm* zu verzeihen?"

Das war eine barsche Frage, aber trotzdem eine, über die ich in letzter Zeit öfter nachgedacht hatte. „Er ist tot. Was würde es jetzt noch nützen?"

„Sag du es mir, Mäuschen." Er gab einen tröstenden Laut von sich, der zwar keine Umarmung ersetzen konnte, aber besser war als nichts.

„Warum nur sind wir so verdammt verkorkst?", fragte ich mit einem leisen Kichern. „Warum, Chad? Warum kommen wir nicht einfach … darüber hinweg?"

„Ich weiß nicht, Schätzchen. Ich wünschte, ich könnte es."

„Es wäre an der Zeit. Wir sollten nicht zulassen, dass unsere Vergangenheit unser Leben zerstört!" Zum Glück hatte ich zuvor die Bürotür geschlossen, sodass niemand mich hören konnte.

Er lachte. „Wem sagst du das?"

„Es ist Jahre her, Chad. Jahre, in denen wir gelitten haben. Ich habe keine Lust mehr, es hilft mir nicht weiter. Aber ich weiß nicht, wie ich es lassen kann."

„Ach Liebes."

Wir beide schniesten ein wenig, mein Bruder und ich, Tausende von Kilometern voneinander getrennt, aber doch zusammengeschweißt in unserem Kummer.

„Ich treffe mich mit jemandem", sagte Chad. „Das hilft mir sehr."

„Was ist mit Luke?"

Er lachte. „Nein, Kleines. Luke gibt es noch. Ich meine, ich gehe zu einem Seelenklempner."

„Oh." Ich wusste nicht recht, was ich sagen sollte. „Nun gut."

„Vielleicht solltest du auch einmal mit jemandem reden."

Ich schüttelte den Kopf, auch wenn er mich nicht sehen konnte. „Ich spreche mit dir."

„Und mit Dan?"

„Nein."

„Vielleicht solltest du das."

„Hör mal", rief ich verärgert, „seit wann gibst du mir Ratschläge, was mein Liebesleben angeht?"

„Seit du endlich eines hast", antwortete Chad.

Ich seufzte. „Er ist ein netter Kerl."

„Und?"

„Und ich … ich will einfach nicht wieder verletzt werden, verstehst du?"

„Das will niemand, Süße. Willst du dein ganzes Leben

damit verbringen, dir darüber Sorgen zu machen?" Er schwieg einen Moment. „Willst du zulassen, dass Andrew dich so weit gebracht hat?"

„Will ich nicht."

Mein Bruder seufzte. „Dann tu etwas dagegen, Elle."

Ich nahm ein kariertes Blatt Papier aus der Schublade und malte Punkte in die Kästchen.

„Es hilft, darüber zu sprechen. Man bekommt eine neue Sichtweise. Und erfährt, dass man nicht verrückt ist. Unsere Eltern sind das verdammte Problem, Süße, nicht wir."

„Dafür brauche ich keinen Psychologen." Ich lachte leise.

„Du weißt, dass ich immer für dich da bin. Aber trotzdem, ich finde, du solltest wenigstens darüber nachdenken. Es könnte dir helfen."

„Denkst du darüber nach, nach Hause zu kommen? Bitte!"

„Gut, ich denke darüber nach."

Ich sah auf die Uhr. „Mist, ich muss los. Ich melde mich, ja? Und Chad, danke."

„Jederzeit, Schätzchen. Wie viele?"

„Wie viele was?"

„Wie viele was auch immer du gezählt hast", sagte er.

„Ich habe ein kariertes Papier vor mir. Also ganz schön viele."

„Zähl weiter, Liebes."

„Das werde ich, Chad. Mach's gut."

Ich legte auf und starrte auf das Papier. Dann schob ich es zur Seite. Chad hatte einen Freund und einen Seelenklempner, und ich hatte keines von beidem. Es war an der Zeit, zu entscheiden, ob ich eines davon wollte. Weil ich es brauchte.

Zu wissen, was zu tun ist, heißt noch lange nicht, auch zu wissen, wie man es macht. Ich hatte mich ziemlich lange in meiner Höhle versteckt. Egal wie sehr ich mir wünschte, ans Licht zu kriechen, ich wusste, dass es meinen Augen wehtun würde. Ich war eine Närrin.

Eine Närrin, aber zumindest klug genug zu wissen, dass ich für mein Leben selbst verantwortlich war und die Vergangenheit endlich hinter mir lassen musste.

Als ich vom Bauhaus nach Hause kam, stand Dennis' Auto auf meinem Parkplatz. Der Umstand, auf der anderen Straßenseite parken zu müssen, förderte meine Begeisterung für mein anstehendes Projekt nicht gerade. Ich schleppte Farbeimer, neue Roller und Pinsel ins Haus und breitete die Plastikplane über dem Boden aus.

Dann begann ich zu streichen. Diesmal nicht Weiß, sondern tiefes Nachthimmelblau. Ich malte stundenlang, ohne eine Pause zu machen, dann trat ich einen Schritt zurück und begutachtete, was ich getan hatte.

Ich weiß, dass ich alle Klischees erfüllte, mir war klar, dass mein Faible für Schwarz und Weiß von dem Wunsch nach einem sicheren Leben herrührte, in dem kein Platz für Grau war. Als ich jetzt die blaue Wand betrachtete, erkannte ich, dass ich eine Wahl getroffen hatte, dass ich mich nach Veränderung sehnte. Und obwohl das Zimmer noch nicht fertig war, musste ich lächeln.

Als es klopfte, öffnete ich mit Farbe an den Händen und auf den Wangen die Tür. „Gavin, hallo."

„Hallo." Er sah dünner als das letzte Mal aus, aber vielleicht lag das nur an den schwarzen Kleidern. Und die schwarze Kapuze konnte auch der Grund dafür sein, dass er noch blasser als üblich wirkte. Er hielt mir die Plastiktüte einer Buchhandlung hin. „Ich habe etwas für Sie."

Ich zog eine neue Ausgabe von *Der kleine Prinz* aus der Tüte. „Oh Gavin. Das war doch nicht nötig."

Er zuckte die Achseln. „Doch. Das alte ist hinüber, und es war mein Fehler."

Ich wartete, bis er mir in die Augen sah, dann sagte ich: „Es war nicht dein Fehler."

Er scharrte mit den Füßen. „Doch. Ich habe sie wütend gemacht. Ich hätte aufräumen sollen, wie sie es sagte."

Dazu schwieg ich. Mrs. Ossley hatte das Recht, ihn zum Aufräumen aufzufordern, nicht aber, ihm Bücher an den Kopf zu werfen.

Gavin sah wieder auf. „Ich dachte, vielleicht …"

„Ehrlich gesagt", unterbrach ich ihn, damit er aufhörte zu stottern, „könnte ich deine Hilfe brauchen."

Er folgte mir hinein, betrachtete die blaue Wand von oben bis unten wie ein neugieriger kleiner Hund. Nach einer Weile lächelte er auch.

„Gefällt mir." Er nickte anerkennend.

„Ja, mir auch. Der Rest wird auch blau, und die Leisten möchte ich in Gold streichen. Und ich habe das hier gekauft."

Ich zeigte ihm den Stempel in Sternenform. „Ich will überall Sterne hinstempeln."

„Wow, Miss Kavanagh, Sie wollen es ja wirklich wissen. Ich meine, Elle. Das ist total abgefahren."

„Ein bisschen abgefahren", stimmte ich zu. „Oder vielleicht überhaupt nicht. Wir werden sehen."

Einen Moment lang sah er so traurig aus, dass mein Lächeln verblasste. Er zog den Kapuzenpulli aus und begann in gebückter Haltung, Farbe in eine Schale zu schütten. Ich dachte, wenn man Bücher an den Kopf geworfen bekommt, gewöhnt man sich wohl an so eine gebückte Haltung.

Wir legten Musik auf, malten die Wände an und wurden ein wenig albern. Als ich einen Pinsel als Mikrofon nahm und Gavin eine schmalzige Boyband-Ballade vorsang, lachte er tatsächlich laut auf. Ich fiel in sein Gelächter ein. Jeder einzelne Pinselstrich schien mich noch etwas fröhlicher zu machen.

Zum Mittagessen gab es überbackene Käsesandwichs und Tomatensuppe, ein tröstliches Kinderessen, das er hastig herunterschlang. Als ich ihn fragte, ob er noch mehr wollte und er ablehnte, stand ich auf und richtete ihm trotzdem noch ein zweites Sandwich. Seine Handgelenke sahen aus, als könnte man sie durch einen Blick zum Brechen bringen.

„Bekommst du zu Hause nicht genug zu essen?" Ich behielt einen leichten Tonfall bei und drehte mich nicht um. Geständnisse legt man leichter ab, wenn man dabei niemanden ansehen muss.

„Mom ist viel zu beschäftigt mit Dennis, um zu kochen. Und sie arbeitet. Sie arbeitet auch viel", fügte er hastig hinzu.

Ich schüttete den Rest der Suppe in seine Schüssel. „Dennis ist bei euch eingezogen, oder?"

Er nickte mit tief gesenktem Kopf.

„Und wie findest du das?"

„Es ist schon okay."

Ich trank einen Schluck Cola. Mich ging es überhaupt nichts an, was bei meinen Nachbarn los war. Ein fünfzehnjähriger Junge war durchaus in der Lage, sich selbst ein Brot zu schmieren, wenn es sein musste. Er brauchte keine Mutter, die ihm drei warme Mahlzeiten am Tag zubereitete, und dass es in dem Haus genug Nahrungsmittel gab, wusste ich, weil die Mülltonne jede Woche überquoll.

„Und wie geht es dir?" Ich sah, wie er die Schultern anspannte. „Ich habe dich in letzter Zeit nicht oft gesehen."

„Hatte zu tun", nuschelte er. Dabei zerpflückte er den Rest seines Sandwichs, aß aber nicht. Ich wollte ihn nicht drängen. Gavin war mein Nachbar, ein netter Junge, mehr nicht, und doch öffnete ich den Mund und fragte weiter. „Hast du viel gelesen?"

„Ja."

„Was denn?"

Er ratterte eine eindrucksvolle Liste von Sience-Fiction- und Fantasyromanen herunter, ein paar davon kannte ich, von anderen hatte ich noch nie gehört. Nach dem Essen half er mir beim Abräumen und stellte das Geschirr in die Spülmaschine. Dann drehten wir die Musik wieder auf und fuhren fort, zu streichen.

Mein Haus ist alt, ich habe keine Klimaanlage einbauen lassen. Und das Esszimmer hat keine Fenster. Wir schwitzten. Die Schnitte auf Gavins Bauch sah ich, als er das T-Shirt hochzog, um sich das Gesicht abzuwischen.

Vier, fünf, sechs gerade rote Linien, um die herum die Haut geschwollen und gerötet war. Das rührte nicht von Katzenkrallen her, es sei denn von übernatürlich riesigen.

Ich konnte es nicht länger ignorieren. Denn auch ich hätte einmal jemanden brauchen können, der mich zum Reden zwang, was aber niemand getan hatte. Prinzessin Pennywhistle konnte vielleicht ganz allein den Schwarzen Ritter besiegen, aber ich hatte Hilfe gebraucht und sie damals nicht bekommen.

„Gavin. Komm mal her."

Er drehte sich mit dem Farbroller in der Hand um. Etwas an meinem Gesichtsausdruck schien ihn zu beunruhigen, denn er erblasste. „Was?"

Ich winkte ihn zu mir. „Komm."

Zögernd und mit verdrossenem Blick kam er zu mir. Er verschränkte die Arme vor der Brust, und wir starrten uns einen Moment lang an, bevor ich die Musik leiser stellte. Die Stille zwischen uns war sehr laut.

„Schieb mal dein T-Shirt hoch", bat ich.

Er schüttelte den Kopf. Als ich meine Hand auf seinen Arm legte, zuckte er so zusammen, dass es mir fast das Herz zerriss.

„Ich will es mir nur anschauen, Gav."

Wieder schüttelte er den Kopf. Ich fragte ihn nicht noch mal, ließ aber auch seinen Arm nicht los. Nach einer Minute etwa zog er das T-Shirt nach oben und zeigte mir seine Wunden. Ich zwang mich, keine Miene zu verziehen. „Die sehen schlimm aus."

„Geht schon." Seine Stimme zitterte ein wenig. Seine Muskeln unter meiner Hand wurden hart wie Stein.

„Hast du etwas draufgeschmiert? Damit sie sich nicht entzünden?"

„Ich … nein …"

Ich legte kurz meine Hand auf seinen Bauch. „Deine Haut ist ganz heiß. Das ist kein gutes Zeichen. Mit was hast du das gemacht?"

„Mit einer Glasscherbe."

„Komm mit mir nach oben, wir werden Salbe draufschmieren." Ich lief zur Treppe, beinahe sicher, dass er mir nicht folgen würde. Dass er abhauen würde. Doch er kam mit mir ins Badezimmer und setzte sich gehorsam auf den Toilettendeckel, während ich mein Medizinschränkchen nach Jod, Wundsalbe und Binden durchsuchte.

„Zieh das aus, dann geht es besser."

Er legte sein T-Shirt auf das Waschbecken. Verblasste weiße Narben verliefen kreuz und quer über seiner Brust und seinen Oberarmen, während die frischeren Wunden auf dem Bauch waren. Ich reinigte sie sorgfältig, tupfte die Salbe auf und umwickelte ihn mit Binden, aber ich konnte sie nicht zum Verschwinden bringen.

Ich setzte mich auf den Rand der Badewanne. „Willst du mir davon erzählen?"

Schon wieder schüttelte er den Kopf, aber schon wieder lief er nicht davon, er zog sich nicht einmal das T-Shirt über. Ich verstaute Jod und Wundsalbe in dem Schränkchen, wusch mir die Hände, und er stand noch immer nicht auf. Seine Schultern bebten, er kämpfte gegen die Tränen an.

Ich wusste nicht, wie es ging. Wie man zur Vertrauten wurde. Ich wusste nicht genau, wie man die Schmerzen eines anderen erträglicher machte. Als ich seine Tränen sah, war ich diejenige, die am liebsten abgehauen wäre. Doch stattdessen legte ich eine Hand auf seine Schulter.

„Gavin", presste ich hervor, und da begann er zu schluchzen wie ein verängstigtes Kind. Irgendwie schaffte ich es, die Arme um ihn zu schlingen. Sein Gesicht drückte sich heiß an meinen Hals. Er war so dünn, dass seine Schulterblätter in meine Hand pikten, aber ich ließ ihn nicht los.

„Sie berührt mich nie", flüsterte er mit einer Stimme dick vor Scham und Selbsthass. „Sie umarmt mich nie oder sagt, dass sie mich lieb hat. Aber von *ihm* kann sie die Finger nicht lassen."

Ich rieb ihm über den Rücken. „Warum fügst du dir selbst solche Schmerzen zu?"

Er setzte sich auf und fuhr sich über die Augen. „Dann spüre ich wenigstens irgendwas, Mann. Ich muss doch was spüren."

„Hast du deiner Mom davon erzählt?"

„Hab ich versucht, aber sie will nicht zuhören."

Ich reichte ihm das T-Shirt, dann ein Taschentuch, er putzte sich die Nase und warf das Taschentuch in den Mülleimer, ohne mich anzusehen.

„Was glaubst du, warum deine Mutter dich nicht umarmt?"

„Weil sie mich hasst", antwortete er. „Oder so was."

Ich war nun wirklich nicht gerade prädestiniert dafür, ihm Ratschläge über die Beziehung zu Müttern zu geben. Deswegen hielt ich nur einen Waschlappen unter kaltes Wasser und gab ihn Gavin. „Wasch dir das Gesicht."

Er warf mir ein verlegenes Lächeln zu. „Werden Sie es meiner Mom sagen?"

„Möchtest du das?"

Für einen Moment schwieg er. „Nein."

„Gavin, ich mache mir Sorgen um dich. Ich will nicht, dass du dich noch weiter selbst verletzt, ja? Es gibt bessere Wege, mit Sorgen und Angst umzugehen." Ich fühlte mich auf einmal so alt. So alt und nutzlos. Da erklärte ich ihm, wie man sein Leben wieder in den Griff bekommen konnte, ohne es selbst zu schaffen.

„Was, Alkohol? Gras? Nee, danke. Mein alter Herr war der totale Kiffer. Dazu habe ich keine Lust. Ich versuche doch, etwas zu fühlen, und nicht, abzustumpfen."

Eine scharfsinnige Beobachtung für einen fünfzehnjährigen Jungen. „Aber sich zu schneiden ist auch nicht gut."

Schulterzuckend blickte er auf den Boden. „Sagen Sie's meiner Mom oder nicht?"

„Was glaubst du, würde sie tun, wenn ich es ihr erzählte?" Langsam tat mir der Hintern weh, aber ich stand nicht auf.

„Keine Ahnung. Nix. Rumbrüllen."

„Vielleicht auch nicht", sagte ich. „Vielleicht würde sie dir auch Hilfe suchen."

Er sah mich mit trostlosem Blick an. „Sie glauben, dass ich nicht ganz dicht bin, oder?"

„Nein, Gavin." Ich ergriff seine Hand. „Wirklich nicht. Manchmal ist es einfacher, etwas zu tun, von dem man weiß, dass es einem schadet, nur weil es einen von anderen schmerzhaften Dingen ablenkt."

„Sie will ihn heiraten, und dann wird sie sich überhaupt nicht mehr für mich interessieren. Mich nur noch anschreien."

„Deine Mom liebt dich, Gavin. Da bin ich mir sicher, auch wenn sie sich nicht so verhält."

Er schnaubte. „Nicht alle Mütter lieben ihre Kinder, Miss Kavanagh. Das ist nun mal so. Das will man immer nur glauben, aber es stimmt nicht."

Das wusste ich nur zu gut, aber es war zu traurig, um es laut auszusprechen. Ich war hier die Erwachsene. Ich musste die Zauberworte finden, damit es ihm wieder besser ging. Ich fand sie nicht.

„Ich sollte gehen", sagte er schließlich. „Sie flippt aus, wenn ich das Wohnzimmer nicht aufgeräumt habe, bevor sie nach Hause kommt."

Ich nickte. „Gavin, du weißt, wenn du jemanden zum Reden brauchst, kannst du immer zu mir kommen, ja? Egal um was es geht."

„Okay."

„Wir können über alles sprechen."

„Klar, danke."

Dann stand er auf und schob sich an mir vorbei. Ich hoffte, genug getan zu haben, wusste aber, dass es nicht so war.

13. KAPITEL

Ich arbeitete fleißig an dem Esszimmer weiter und war nach wenigen Tagen fertig. Goldene Zierleisten und blaue Wände mit Sternen. An eine Wand direkt unter der Decke schrieb ich ein Zitat aus *Der kleine Prinz*. „Alle Menschen haben Sterne, aber es sind nicht die gleichen." Ich war begeistert. Die Farbe ergänzte meine Möbel, wie es pures Weiß niemals vermocht hätte. Das neu gestrichene Zimmer, das ich vorher am wenigsten gemocht hatte, wurde auf einmal zu meinem Lieblingszimmer.

Dieses blaue Zimmer machte mir Mut, Dan anzurufen und zu fragen, ob er mit Marcy, Wayne und mir zum jährlichen Susquehanna-Künstlermarkt ginge. Auf diese Weise wollte ich mich dafür entschuldigen, dass ich ihn nicht meinen Eltern vorgestellt hatte. Keiner von uns erwähnte die Tage, die wir nicht miteinander gesprochen hatten, und er schien sich wirklich darauf zu freuen, meine Freunde kennenzulernen.

Wir verabredeten uns an der lebensgroßen Statue des Zeitung lesenden Mannes, aber ich war nicht pünktlich, weil der Bus Verspätung hatte. Ich sah sie, bevor sie mich entdeckten. Marcy und Wayne hielten Händchen und unterhielten sich auf eine selbstverständliche Weise, um die ich sie beneidete.

„Elle!" Dan lief auf mich zu. „Wir haben uns schon gewundert, wo du bleibst."

Ich fragte mich, ob er mich umarmen würde, und er tat es. „Der Bus hat im Stau gesteckt. Aber wie ich sehe, habt ihr euch gefunden."

Er legte einen Arm um meine Taille. „Ja, ich dachte mir,

dass diese traumhafte Blondine Marcy sein müsste."

Kichernd drückte Marcy sich an Wayne. „Er wollte mir einreden, dass du mich so beschrieben hast, Elle, aber ich habe ihm nicht geglaubt."

Ich hatte natürlich nicht „traumhaft" gesagt. Blondine, ja. Lebhaft, auf jeden Fall. Und dass sie wahrscheinlich hochhackige Schuhe und ein Tank-Top tragen würde.

„Hallo Elle." Wayne küsste mich auf die Wange. „Schön, dich zu sehen."

„Hallo." Ich nickte ihm zu.

Dan nahm meine Hand, und ich zog sie nicht weg, obwohl mich diese besitzergreifende Geste ein wenig nervös machte.

„Sollen wir erst etwas essen?"

Ich brauchte einen Moment, um zu begreifen, dass Dan mich gefragt hatte. Marcy und Wayne sahen mich erwartungsvoll an. Als ob ich zu entscheiden hätte, was wir zuerst taten. Als ob ich das Sagen hätte.

„Warum nicht?"

„Sehr gut, ich bin am Verhungern." Dan drückte meine Hand.

Dieser Mann hatte Schlagsahne von meinen Brustwarzen geleckt, und ich brauchte keinen Seelenklempner, um zu wissen, dass Händchenhalten in der Öffentlichkeit für mich kein Problem hätte sein dürfen. Marcy und Wayne taten es auch, so wie Dutzende von anderen verliebten Pärchen, die an uns vorbeiliefen.

Aber das waren eben Pärchen, Liebende. Im Gegensatz zu Dan und mir. Bei ihnen war es eine Gewohnheit, ein Ritual, eine Art, die Zeit miteinander zu verbringen. Wir waren kein Paar, oh nein. Nicht wie Marcy und Wayne, nicht wie der Junge mit den Dreadlocks und das Mädchen mit dem Ramones-T-Shirt. Wir waren kein Paar. Oder?

„Elle?" Dan krauste die Stirn. „Alles in Ordnung?"

„Klar", sagte ich, obwohl es nicht stimmte.

Es gab genug Leute, die ich zählen konnte, also tat ich es und teilte das Ergebnis durch zwei. Paare. Zu zweit. Wie auf der verdammten Arche Noah …

„Elle? Du siehst blass aus. Möchtest du dich setzen?"

Ich schüttelte den Kopf. „Nein, mir geht's gut. Ich brauche nur etwas zu trinken. Lasst uns was zu trinken besorgen, ja?"

Ich war für das ununterbrochene Geschnatter von Marcy dankbar, denn es ließ wenig Raum für meine eigenen Kommentare. Dankbar war ich auch für die Erdbeerlimonade, die Dan mir kaufte. Ich nippte daran, während er mir das Haar hinter die Ohren strich, die Augen besorgt zusammengekniffen. Zumindest hatte er meine Hand loslassen müssen, um die Limonade zu bezahlen, und ich umklammerte den Becher mit beiden Händen, damit es so blieb.

Albern. Dumm. Ich wusste es. Er wusste es. Mir war klar, wie unangemessen meine Reaktion war, aber das Herz hat seine eigenen Gründe, die der Verstand nicht erfassen kann. So etwas in der Art hatte Blaise Pascal einmal gesagt, und ich fand diesen Satz schon immer wahr.

Ich hatte ihn um diese Verabredung gebeten. Ich wollte mit ihm zusammen hier sein. Händchen halten. Wie ein Par. Meine Panik war völlig unbegründet, und doch konnte ich nichts dagegen tun.

„Oh, schaut mal." Marcy hob die Hand. „Lasst uns doch

die Windspiele ansehen."

Sie und Wayne liefen auf einen Stand zu, Dan blieb neben mir stehen, ohne mich zu berühren. Marcy kaufte eines der aus Küchenutensilien zusammengebauten Windspiele, worüber Wayne sich lustig machte. Sie bat mich um meine Meinung, und ich sagte, mir würde es gefallen. Dan stellte sich auf Waynes Seite. Alle lachten, und nach einem kurzen Augenblick fiel ich in ihr Gelächter ein.

Ich sah die Frage in Dans Augen, aber da er sie nicht aussprach, überging ich sie. Wir aßen. Wir schauten uns die Stände an und kauften Lose. Ich war so still wie immer, was Marcy mit kleinen Schreien und Geplapper ausglich. Dan und Wayne schienen sich gut zu verstehen, sie diskutierten über Sport und andere Männerthemen, während Marcy mich zu einem Stand mit wirklich abscheulichen Keramikclowns zerrte.

„Meine Güte, Elle, was würdest du mit so einem hässlichen Ding wohl anstellen?", fragte Marcy.

„Ich würde es meiner Mutter schenken."

„Sammelt sie Clowns?"

„Nein." Ich warf ihr das erste ehrliche Lächeln des Abends zu. „Sie fände ihn schrecklich."

„Himmel, Mädchen, ich hoffe, dass ich dich nie auf dem falschen Fuß erwische."

„Ach Marcy, hast du noch nicht gemerkt, dass ich zwei falsche Füße habe?" Das sollte eigentlich ein Witz sein, aber während ich sprach, sah ich Dan an, und meine Worte klangen hohl.

Sie warf mir einen merkwürdigen Blick zu. „Was ist los, liebe Freundin?"

„Nichts, wirklich."

„Er scheint nett zu sein", begann sie.

„Ist er."

„Also, was dann?"

„Nichts", behauptete ich erneut.

Mein Lächeln überzeugte sie offenbar, denn sie hakte sich kichernd bei mir unter. „Diese Jungs. Sieh sie dir nur an."

Dan lachte gerade, dann blickte er mich an. Sein Lächeln wurde strahlender. Er winkte mir zu, ich winkte zurück. Er fuhr sich mit der Zunge über die Lippen, und mein Herz setzte für einen Moment aus.

„Du magst ihn, nicht wahr?", hakte Marcy nach. „Das sieht man."

„Ja, ich mag ihn."

Marcy hat kein Gefühl für persönliche Grenzen. Sie legte einen Arm um mich und ließ ihr Kinn auf meiner Schulter ruhen. Es war ein wenig spitz, ich zuckte zusammen.

„Also?", fragte sie. „Wo ist das Problem?"

„Es gibt kein Problem."

Ich mag den Künstlermarkt. Mir gefallen die Verkaufsstände und die Künstler und die Karnevalsatmosphäre, mir schmeckt sogar das Essen. In diesem Jahr gab es eine schwimmende Bühne auf dem Fluss. Wir besorgten uns etwas zu essen und zu trinken und hockten uns auf die Betonstufen am Ufer. Die Band spielte Oldies, die den meisten gefielen und niemanden verärgerten. Marcy und Wayne saßen eng nebeneinander, fütterten sich gegenseitig mit Pommes frites und teilten sich einen Milchshake. Dan und ich saßen mit Abstand voneinander und teilten gar nichts.

Als er mich nach Hause brachte, hielt ich ihm einfach wortlos die Tür auf, damit er hereinkommen konnte. Dann ging
ich durch den schmalen Gang Richtung Küche. Am Esszimmer blieb er stehen. „Wow."

„Damit bin ich gerade erst fertig geworden", sagte ich ver-
schämt.

Er betrat den merkwürdig geschnittenen Raum und las
das Zitat an der Wand. „Aus *Der kleine Prinz.*"

„Du kennst es."

Er blickte mich über die Schulter an. „Ich habe es gelesen,
weil du es mir empfohlen hast."

Wieder flatterten meine Nerven, und so eilte ich schnell
aus dem Zimmer in die Küche und setzte Teewasser auf. Er
folgte mir.

„Die Küche ist auch hübsch." Er blickte sich um in meiner schwarz-weißen Existenz.

„Danke."

„Das Bild gefällt mir." Er zeigte auf eine Schwarz-Weiß-
Fotografie, die ich neben die Hintertür gehängt hatte. Darauf
war ein Mädchen zu sehen, dessen Gesicht von langem dunklen Haar verdeckt wurde. Sie saß allein auf einer Steinmauer
an einem Karpfenteich und umarmte ihre Knie. Die Wasser-
oberfläche kräuselte sich. Das Bild erinnerte mich an all die
Gründe, warum ich ihn immer wieder von mir stieß. Ich wartete, dass er das Bild genauer betrachtete. Dass er es wirklich
sah.

„Wo hast du es her?" fragte er.

„Das hat mein Bruder gemacht."

Der Wasserkessel pfiff, ich übergoss die Teebeutel – Earl
Grey, mein Lieblingstee – und hielt kurz mein Gesicht über

den duftenden Dampf.

„Das bist also du."

„Ja."

„Wie alt warst du da?" Mit den Händen in den Hosentaschen trat er einen Schritt näher und studierte das Foto.

„Fünfzehn."

Ich stellte Tassen auf den Tisch, Zucker, Milch und Schokoladenkekse, obwohl ich Magenschmerzen von dem Meerrettichsandwich hatte. Ich musste die Vase mit dem Glücksbambus wegstellen, um genug Platz zu haben.

„Woran hast du gedacht, als das Foto gemacht wurde?"

Die Frage erschreckte mich dermaßen, dass ich die Vase fallen ließ. Glücklicherweise war sie aus hartem, durchsichtigem Plastik und nicht aus Glas, aber der Bambus und das Wasser mit den Murmeln ergoss sich über den Boden. Ich stieß ein herzhaftes „Scheiße!" aus.

Dan war bereits neben mir, um mir zu helfen, und das nervte mich. Ungeduldig scheuchte ich ihn weg und beugte mich mit einem Handtuch über den Fußboden.

„Er wird es überleben, Elle. Bambus ist zäh."

„Das war ein Geschenk." Ich wischte das Wasser auf, während er die Bambusstiele auf den Tisch legte. „Es war ein Geschenk. Jetzt sind die Wurzeln kaputt!"

Er sammelte die Murmeln auf. „Das wird schon wieder, Ellen."

Ich stand auf, um das Handtuch auszuwringen, und ich musste ihm den Rücken zukehren, um ihm nicht etwas Unhöfliches entgegenzuschleudern. Etwas, das er nicht verdiente und ich ihm trotzdem an den Kopf werfen wollte. Ich hörte, wie er die Murmeln in die Vase plumpsen ließ, und

247

drehte mich zu ihm um. „Mach die Vase nicht kaputt!"

Mit zusammengekniffenen Augen sah er mich an. „Ich mache sie nicht kaputt."

Ich betrachtete die Murmeln in der Vase und die in seiner Hand. „Du hast drei liegen lassen."

Er sah sich um. „Wo?"

„Ich weiß nicht, wo", zischte ich wütend. „Ich weiß nur, dass es 287 waren, und jetzt sind es nur noch 284."

„Elle." Dan stellte sich hinter mich, rührte mich aber nicht an.

„Ich habe gezählt", sagte ich, „als das Foto gemacht wurde. Ich habe die Fische im Teich gezählt."

Er legte leicht eine Hand auf meine Schulter. „Und wie viele waren darin?"

„Sechsundfünfzig."

„Elle, dreh dich um."

Ich wollte mit ihm streiten. Ich wollte ihn so in Rage bringen, dass er von allein abhaute.

„Habe ich etwas falsch gemacht?"

Sein einziger Fehler war, dass ich ihn mochte. Aber wie sollte ich ihm das sagen? „Nein."

„Was dann?" Er fuhr sich durchs Haar. „Du benimmst dich, als würde ich dir schrecklich auf die Nerven gehen."

„Tust du nicht."

„Was ist dann los?"

„Überhaupt nichts ist los!" Ich sah ihn düster an. Das Telefon klingelte, beim vierten Klingeln riss ich den Hörer ans Ohr. „Hallo?"

„Hallo Liebling."

„Hallo." Ich drehte Dan den Rücken zu.

„Störe ich?", fragte Chad.

„Ja. Kann ich dich zurückrufen?"

„Klar, Schätzelchen. Alles in Ordnung?"

„Ich melde mich später." Es hatte keinen Sinn, ihn anzulügen. Chad wusste immer genau, wann ich verärgert war.

„Natürlich, natürlich. Bis später."

Ich legte auf. Dan stemmte eine Hand in die Hüfte, betrachtete das Telefon, dann mich. Ich konnte nicht anders und grinste sarkastisch. „Ja bitte?"

Er schüttelte den Kopf. „Willst du, dass ich gehe?"

Das wollte ich nicht, nickte aber trotzdem. „Ich glaube, das wäre am besten, ja."

Er warf die Arme in die Luft. „Scheiß drauf. Gut, okay, ich gehe."

Weit kam er nicht. Bis zum Kiosk an der Ecke und zurück. Es dauerte nicht länger als zehn Minuten, schon hämmerte er gegen meine Tür. Beinahe hätte ich nicht aufgemacht, doch dann befürchtete ich, dass er vor meinen Nachbarn eine Szene hinlegen würde, und riss die Tür auf.

Er hielt mir einen Strauß rote Rosen hin. „Tut mir leid."

Ich weiß nicht, ob mein Gesicht auch nur einen Teil des Entsetzens widerspiegelte, das mich durchfuhr. Ich trat einen Schritt zurück. Bei der Beerdigung meines Bruders hatte es Rosen gegeben. Überall. Um seinen Sarg herum. Auf seinem Grab.

Ich hasste Rosen.

„Elle?"

Ich hielt mir die Nase zu, um sie nicht riechen zu müssen. „Nimm sie weg."

Er zögerte, dann warf er sie in den Mülleimer neben der

Eingangstür und kam auf mich zu. Ich hob abwehrend eine Hand.

„Was für eine Frau mag keine Rosen?" Er wirkte so verblüfft, dass ich vielleicht hätte lachen müssen, wäre ich nicht so verzweifelt gewesen.

„Ich bin allergisch gegen Rosen", log ich. „Ich habe doch gesagt, du sollst gehen!"

„Werde ich nicht. Nicht bevor du mir sagst, was verdammt noch mal los ist."

Ich wollte mich an ihm vorbeidrücken, doch er hielt mich am Ellbogen fest. „Lass mich los."

„Gibt es einen anderen?"

„Warum ist das immer die erste Frage, die einem Mann einfällt?" Ich riss mich los.

„Gibt es einen?"

„Du kannst mich mal, Dan." Mein Hals schmerzte. Mein Kopf schmerzte. Ich wollte dieses Gespräch nicht führen, wusste aber auch nicht, wie ich es beenden konnte.

Er begann sein Hemd aufzuknöpfen. „Wenn es das ist, was du willst …"

Ich wich zurück. „Sehr witzig. Verschwinde."

Mit offenem Hemd stürzte er sich auf mich. Nie hatte ich ihn so gesehen, in seinen Augen tobte ein Sturm, sie waren fast schwarz geworden. Er presste die Lippen zu einer dünnen Linie zusammen, und auf einmal konnte ich mir nicht vorstellen, dass er jemals gelächelt hatte.

„Sag nicht, dass du es nicht willst."

Genau das wollte ich ihm sagen, aber als ich den Mund öffnete, kam kein Wort heraus. Er öffnete seinen Gürtel. Ich wich noch einen Schritt zurück, mit hämmerndem Herzen.

Ich konnte meinen Blick nicht von seinem Gesicht reißen, von der wilden Entschlossenheit darin.

„Sag es, Elle."

Ich atmete ein paarmal tief durch. „Ich habe es dir von Anfang an gesagt, Dan."

„Jaja, du willst keine Beziehung." Er betrachtete mich von Kopf bis Fuß. „Du lässt dich seit Monaten von mir vögeln, aber eine Beziehung sollen wir nicht miteinander haben. Elle, was spielt es für eine Rolle, wie wir es nennen?"

„Für mich spielt es eine Rolle!" Tränen hätten vielleicht die Schmerzen in meinem Hals gelindert, aber ich hatte keine. „Das ist etwas, das ich einfach … Dan, ich kann nicht … ich will einfach nicht …" Ich holte tief Luft. „Ich will keinen Freund haben."

„Warum nicht?" Er schloss den Gürtel wieder. „Ich bin gut genug dafür, es dir zu besorgen, aber nicht, dein Freund zu sein. Warum? Schämst du dich für mich? Bist du verheiratet? Was?"

„Ich bin nicht verheiratet."

„Was ist es dann?", fragte er sanfter und begann sein Hemd zuzuknöpfen. „Ich dachte nämlich, wir hätten diesen Scheiß längst hinter uns gelassen."

Ich setzte mich auf die Couch und drückte ein Kissen an meine Brust. Ich bot ihm keinen Platz an, aber er setzte sich ebenfalls.

„Ich dachte, dass du mich gerne vögelst." Zu mehr war ich in diesem Moment nicht in der Lage.

„Das tue ich auch, Elle. Aber ich bin auch einfach gerne mit dir zusammen. Du denn nicht mit mir?"

Er klang verletzt, und dafür hasste ich mich. Und ihn. Ich

zupfte an dem Kissen und suchte nach freundlichen Worten. „Ich möchte keinen Freund", wiederholte ich. „Ich möchte keine Verpflichtungen. Einen Freund zu haben bedeutet Händchenhalten, Blumen schenken und niedliche kleine Kärtchen zum Geburtstag schreiben. Man muss etwas investieren, Gefühle investieren, und das möchte ich nicht. Ich möchte das nicht geben und nicht erwarten."

Dan machte ein verständnisvolles Geräusch, und dafür hätte ich ihm am liebsten eine Ohrfeige verpasst. „Du möchtest nicht erwarten, dass ich mit dir zusammen sein will, etwas mit dir unternehme, dass ich mehr will als nur Sex?"

„Es ist ja nicht so, dass ich nie einen hatte", entgegnete ich. „Einen Freund, meine ich."

„Und er hat dich verletzt."

„So simpel ist das nicht."

„Das ist es nie." Er zerzauste sich seufzend das Haar. „Und jetzt sollen alle Männer für seine Sünden bezahlen?"

„So in etwa, ja." Aber das war nicht die ganze Wahrheit.

„Elle …" Dan schien nach Worten zu suchen. „Wir sind jetzt seit vier Monaten zusammen, und ich weiß noch immer überhaupt nichts von dir."

„Du weißt ziemlich viel von mir."

„Stimmt. Ich weiß, wie ich dir einen Orgasmus verschaffen kann."

„Das ist doch schon etwas, Dan."

Er runzelte die Stirn. „Aber nicht genug."

Ich sah ihn an. „Das muss genug sein."

„Warum, Elle? Warum muss das genug sein?"

„Weil ich nicht mehr zu geben habe!", schrie ich.

„Das glaube ich nicht."

„Du solltest es glauben. Ich habe ja nicht mal genug für mich übrig, geschweige denn für andere."

Er rieb sich übers Gesicht. „Wegen deines Ex?"

„Nein, Dan", sagte ich sanfter, als es ich für möglich gehalten hätte. „Es ist nicht seinetwegen."

Er sah mich verständnislos an. „Hat er dir wehgetan? Körperlich, meine ich."

Das überraschte mich. „Nein. Wie kommst du darauf?"

Er riss mit einer schnellen Bewegung die Hände in die Höhe und beobachtete, wie ich erschrocken zusammenzuckte. „Deswegen."

Ich schüttelte den Kopf. „Nein. Er hat mich nie geschlagen, falls du das meinst."

„Dann jemand anders."

„Meine Mutter", antwortete ich. „Aber nicht lange."

Ich sah, dass er glaubte, durch dieses Geständnis mehr über mein Innenleben erfahren zu haben, aber er konnte ja nicht wissen, dass die Ohrfeigen meiner Mutter das kleinste Problem in meinem kaputten Leben waren. Sein Gesicht wurde weicher, als ob er plötzlich verstünde.

„Bloß kein Mitleid", sagte ich scharf.

„Habe ich nicht."

„Sie hat damit aufgehört, als ich alt genug war, zurückzuschlagen." Ich beobachtete ihn wieder und empfand einen perversen Genuss darin, ihm diese kleine Wahrheit zu offenbaren. Cocktailparty-Geheimnisse. Das, was sich Fremde bei einem Drink gegenseitig erzählen, um den Eindruck von Offenheit zu erwecken.

Ich fragte mich schon immer, welche noch viel dunkleren Geheimnisse jemand hatte, der einem Fremden erzählte, dass seine Mutter ihn schlug oder sein Vater Alkoholiker war. Ich wartete darauf, dass er etwas über seine eigene schreckliche Kindheit sagen würde, denn das tun die Leute für gewöhnlich. Sie teilen ihre eigenen unschönen Erinnerungen mit einem, damit man sich besser fühlt. Ich verrate dir meine Geheimnisse, wenn du mir deine verrätst.

„Es tut mir leid, dass du so etwas erleben musstest. Aber ich bemitleide dich nicht."

„So ist das Leben eben", entgegnete ich. „So was passiert Tag für Tag, immerzu. Sie ist mir nie mit einem Fleischmesser hinterhergejagt oder so was."

„Und trotzdem zuckst du noch immer zusammen."

„Du bist sauer und stärker als ich. Macht der Gewohnheit, schätze ich."

Er seufzte. „Was hat dir dein Freund angetan? Hat er dich betrogen?"

„Nein."

„Aber er hat dich verlassen."

Je länger wir redeten, desto weniger wollte ich, dass er ging. Es besänftigte mich, wie er mit mir sprach. Ob er das bewusst tat oder nicht, konnte ich nicht sagen, aber es fiel mir auf. Ich wusste, was er da tat, und wie vieles andere mit ihm, ließ ich es geschehen.

Obwohl ich es eigentlich nicht wollte. Ich wollte mich nicht erklären, nicht in die Vergangenheit eintauchen, wollte ihm nicht die Wahrheit sagen. „Wir waren jung, ich war neunzehn, er zwanzig. Wir haben uns auf dem College kennengelernt. Er hieß Matthew."

Er hieß Matthew, und als er mich das erste Mal küsste, glaubte ich, nie wieder in der Lage zu sein, zu atmen.

„Hast du ihn geliebt?" Die Frage klang vorsichtig.

„Das dachte ich zumindest. Und ich dachte, dass er mich liebt. Aber was ist Liebe überhaupt? Nur ein Wort."

„Aber auch ein Gefühl."

„Hast du jemals geliebt?", schoss ich zurück.

Er schwieg eine volle Minute lang und schaute auf den Boden. „Was ist dann passiert?"

„Er dachte, dass ich ihn betrüge, aber das stimmte nicht. Das hätte ich niemals getan." Ich betrachtete Dan mit zusammengekniffenen Augen, doch er schien mir zu glauben. „Er hatte Briefe gefunden, von denen er glaubte, mein Liebhaber hätte sie geschrieben. Er nannte mich eine Lügnerin und noch ein paar Dinge mehr. Nutte vor allem, obwohl mich das Wort ‚Lügnerin' mehr verletzt hat. Ich hätte lügen und ihm gestehen sollen, was er hören wollte. Doch stattdessen sagte ich die Wahrheit."

„Und er hat dir nicht geglaubt?"

„Doch", sagte ich.

„Aber wenn du ihn nicht betrogen hast …"

„Es ist lange her", murmelte ich. „Und wie gesagt, wir waren beide sehr jung."

„Und mehr willst du mir nicht erzählen." Er runzelte die Stirn.

„Nein, Dan."

„Aber du willst, dass ich gehe."

Ich sah ihm in die Augen. „Nein, das will ich nicht."

Erfreut kam er näher und legte mir eine Hand auf die Schulter. „Was willst du denn, Elle?"

„Ich möchte nicht, dass es zu eng wird", erklärte ich.

„Und du glaubst, dass ich das will?"

„Ich weiß, dass du es willst. Aber du wirst es nicht von mir bekommen."

Er sagte lange nichts. „Als ich *Der kleine Prinz* las, dachte ich, dass du die Rose sein müsstest. Mit den vier Dornen. Ständig willst du mich davon überzeugen, dass du dich selbst beschützen kannst. Aber jetzt weiß ich, dass du Rosen hasst. Also musst du der Fuchs sein. Vielleicht möchtest du in Wahrheit, dass ich dich zähme."

Viele Männer, die so mit mir sprechen würden, hätten mich zum Lachen gebracht, andererseits hätten die meisten Männer Antoine de Saint-Exupérys klassische Geschichte über den *Kleinen Prinzen* überhaupt nicht erst gelesen, geschweige denn versucht, sie zu verstehen.

Ich griff nach seiner Hand. „Der Fuchs erzählt dem kleinen Prinzen, dass er ein Fuchs wie hunderttausend andere Füchse auch ist. So wie die Blume nur eine von hunderttausend Blumen ist."

Dan strich mir eine Haarsträhne hinters Ohr. „Aber der Fuchs bittet den Prinzen, ihn zu zähmen. Weil sie dann einander brauchen. Weil sie dann füreinander einzig sind auf der Welt. Und er hat es getan."

„Aber dann ist der Prinz weggegangen, Dan, und hat den Fuchs allein gelassen." Ich sah auf unsere Hände.

„Wärst du traurig, wenn ich gehen würde?"

Ich wusste nicht, was ich sagen sollte, doch dann brach die Antwort aus mir heraus. „Ja, das wäre ich."

Er zog mich fest an sich. Ich legte den Kopf an seine Schulter, und das war das Einzige, was ich in diesem Moment brauchte oder wollte.

14. KAPITEL

Ich machte vor dem Nachmittagsmeeting im Pausenraum halt, um mir einen neuen Becher Kaffee zu holen, als das Thema Sex mir wieder mal auflauerte.

Nun, um fair zu bleiben, nicht direkt das Thema Sex, sondern Marcy, die mit den Augenbrauen wackelte. „Ich hab ihn!"

Sie winkte mich zu sich an den Tisch, an dem sie entweder kiloweise Kokain geschnupft oder mal wieder Doughnuts mit Puderzucker gegessen hatte. Ich suchte auf der Serviette nach verräterischen Hinweisen, doch sie war gut. Nur ein paar Krümel waren übrig geblieben.

„Was außer einem Zuckerhoch hast du noch nicht mit mir geteilt?"

„Ach was", sagte sie und warf einen bedeutungsvollen Blick auf den Boden. „Viel wichtiger: Ich habe *ihn!*"

Ich betrachtete die Tüte zu ihren Füßen. Nichtssagendes braunes Papier ohne Aufdruck. Die Art von Papiertüten, in denen Pornoartikel verschickt werden. Dann begriff ich, worum es sich handelte. Um den *Blackjack.* Man würde ja meinen, dass ich nach so vielen befremdlichen Eskapaden in meinem Leben nicht mehr in der Lage wäre, zu erröten, doch leider ist das nicht so. Meine Wangen wurden heiß. Marcy lachte.

„Er ist fantastisch", erklärte sie. „Und ich habe extra Batterien für dich gekauft."

„Danke. Die hätte ich auch auf dem Heimweg besorgen können."

„Vielleicht. Ich wollte aber sicher sein, dass du ihn gleich ausprobieren kannst." Ihre blauen Augen funkelten. „Du bist so niedlich, wenn du rot wirst."

„Das ist nicht niedlich." Ich legte die Akten auf den Tisch und nahm die Tüte entgegen, die schwerer war, als ich erwartet hatte. Plötzlich kam mir ein merkwürdiger Gedanke. „Du hast ihn ... doch nicht ausprobiert, oder?"

Ihr angeekelter Gesichtsausdruck brachte mich zum Lachen. „Nein, igitt, Elle! Iiiih!"

„War nur eine Frage."

„Willst du ihn nicht auspacken?"

Ich schüttelte den Kopf. „Nicht hier."

„Ach komm schon."

Marcy sollte als Naturgewalt eingestuft werden. Wenn sie sich etwas in den Kopf gesetzt hatte, konnte man ihr einfach nicht widerstehen. Sie musste mir nur einen bestimmten Blick zuwerfen, und schon gehorchten meine Finger. „Wie machst du das bloß? Ist das der Trick der Jedi-Ritter?", murrte ich.

Marcy johlte leise. „Ha, Obi-Wan würde ich auch mal ranlassen."

„Gott, du bist derart sexbesessen. Alec Guinness würde sich im Grab rumdrehen."

Marcy machte einen Schmollmund. „Besten Dank. Und jetzt hol ihn schon raus."

Ich blickte mich um, und als ich niemanden im Flur hörte, öffnete ich die Schachtel. Der *Blackjack* war in eine Luftpolsterfolie eingepackt und sah nicht sonderlich erotisch aus. Wenn ich nicht gewusst hätte, worum es sich handelte, hätte man ihn auch für eine große schwarze Kerze halten können.

„Nimm ihn raus!" Marcy schielte über meine Schulter. „Lass mal sehen!"

„Ich dachte, du hast ihn dir bereits angeschaut!" Und doch gehorchte ich schon wieder.

„Ooooh." Marcy schrie begeistert auf. „Er ist so elegant, Elle, genau wie du."

„Gute Güte, Marcy." Ich schlug mir eine Hand vor die Stirn. „Vibratoren sind nicht elegant!"

„Dieser schon."

Tatsächlich besaß er einen gewissen ästhetischen Charme, so schlank wie er war und in der Farbe von Ebenholz. Ziemlich schwer. Solide. Der kleine schwarze Plastikgriff passte wunderbar in meine Hand, ich dachte, das Ganze gäbe auch eine gute Waffe ab.

„Stell ihn an!"

„Marcy, nein!" Ich drückte den *Blackjack* schützend an die Brust. „Himmel!"

Lachend zupfte sie an meinem Ärmel. „Ach bitte, Elle! Probier mal aus, ob er auch funktioniert. Hier, die Batterien sind in der Tüte."

Mit ihren langen Fingernägeln öffnete sie das Päckchen und reichte mir eine Batterie nach der anderen. Sie glitten in den *Blackjack* wie Patronen in eine Pistole, und kurz darauf belohnte uns das Spielzeug mit einem leisen Surren. Es vibrierte in meiner Hand.

Marcy kicherte, und ich konnte auch nicht mehr ernst bleiben. Verschwörerisch beugten wir uns über ihn, Marcy flüsterte lüsterne Kommentare.

„Die Damen?"

Ich presste den noch immer angeschalteten Vibrator an die Brust und versuchte mit hastigen Fingern, den Knopf zu finden. Die Stimme hinter uns gehörte Lance Smith, einer von den *Smith, Smith, Smith and Brown*. Er war der jüngste Smith, der dritte, ein netter Kerl mit drei kleinen Kindern und einer molligen Frau. Sie mochte die teuren Schokoladentrüffel aus dem *Sweet Heaven*. Außerdem war er mein Chef.

„Lance", sagte Marcy. „Zeit für das Meeting?"

„So ist es. Elle, Sie haben die Unterlagen über die Benefizveranstaltung, richtig?"

„Natürlich, Lance", entgegnete ich aufgeräumt, ohne mich umzudrehen.

„Wunderbar. Oh, und wir treffen uns heute im großen Konferenzraum. Dad kommt. Wir sehen uns dann in fünf Minuten."

Dad war der älteste Smith. Er hatte sich vor zwei Jahren aus den Geschäften zurückgezogen, kümmerte sich aber nach wie vor um die Wohltätigkeitsarbeit der Firma. Auch er war ein netter Mann, aber er sollte mein Sexspielzeug genauso wenig zu sehen bekommen wie sein Sohn.

„Wir sollten besser gehen." Marcys Augen blitzten vor Belustigung. „Wir dürfen Walt doch nicht warten lassen."

Das wäre in der Tat keine gute Idee gewesen. Und weil mein Büro sich im anderen Trakt des Gebäudes befand, weit entfernt von dem Konferenzraum, musste ich einen sicheren Platz finden, wo ich meinen *Blackjack* verstecken konnte. Ich sah mich um, aber es war zu riskant, ihn einfach in einen Schrank zu legen. Bei meinem Glück würde ein Kollege auf der Suche nach Kondensmilch auf meinen Vibrator stoßen.

„Pack ihn wieder ein und nimm ihn einfach mit", schlug Marcy vor. „Schließlich weiß kein Mensch, was es ist."

Das war eine gute Idee. Als ich ihn wieder in das Luftpolster eingewickelt hatte, musste ich feststellen, dass er nicht mehr in die Schachtel passte. Stimmen im Flur deuteten darauf hin, dass meine Kollegen bereits auf dem Weg zum Konferenzraum waren. Mir blieb nicht mehr viel Zeit.

„Dann lass die Folie weg. Hier." Marcy warf sie in den Müll, während ich den *Blackjack,* bereits warm von meinen Händen, in die Schachtel packte. „In Ordnung." Dann griff ich nach meinen Akten.

Marcy und ich hatten beruflich nicht oft miteinander zu tun, da sie sich um Privat- und ich mich um Geschäftskunden kümmerte. Das einzige Projekt, bei dem wir zusammenarbeiteten, war unsere Teilnahme an der jährlichen Veranstaltung „Kinder sind unsere Zukunft", bei der Spenden für verschiedene Wohltätigkeitsvereine in Dauphin County gesammelt wurden. Seit Jahren schon war ich an der Planung beteiligt. Dieses Jahr wurden die Firmen gebeten, auch Geld von den Mitarbeitern zu sammeln.

Ich legte meine Unterlagen auf den Tisch und plauderte mit meinen Kollegen, während wir warteten. Lance fing meinen Blick quer über den Tisch auf, und ich schaute schnell weg. Ein paar Minuten später waren alle da, und wir begannen zu diskutieren.

Es gab nicht allzu viel zu planen. Wir hatten einen Standplatz im Strawberry-Square-Einkaufszentrum gemietet. Ich lauschte den Ausführungen des Mannes, der den Stand auf- und abbauen würde, und der Frau, die sich um Notizblöcke, Stifte und Magnete mit unserem Firmenlogo kümmerte. Für die Kinder gab es außerdem Luftballons und kleine Geschenktüten voller Bonbons, Popcorn und Plastikspielzeug. Marcy sollte die Popcornmaschine bedienen. Ich kümmerte mich um die Spenden der Mitarbeiter.

„Elle?" Walter Smith strahlte mich an. „Was haben Sie für uns?"

Ich schob die Schachtel mit dem *Blackjack* zur Seite, öffnete meinen Ordner und räusperte mich. Ich kannte alle Leute hier – mehr oder weniger gut –, und doch war es mir unangenehm, vor ihnen allen zu sprechen. Sie sahen mich an, als ob meine Worte wichtig wären.

„In den letzten vier Jahren haben wir eine gute Verbindung zu der Stiftung gegen Kindesmissbrauch aufgebaut", begann ich. „Da es sich dabei um kein staatliches Programm handelt, wird unsere Unterstützung weiterhin gebraucht. Letztes Jahr haben sie mit unseren Spenden Puppen gekauft, mit denen die Kinder ihre Erlebnisse, die sie nicht ausdrücken können, nachstellen." Ich machte eine Pause und räusperte mich erneut. „Außerdem wurden mit unserem Geld ehrenamtliche Mitarbeiter geschult. Dieses Jahr, so sagte mir Barry Leis, der Leiter, sollen für die Kinder Selbstverteidigungskurse angeboten werden."

„Sehr gut", murmelte Walter.

„Gibt es irgendwelche Einwände, dass wir diese Stiftung nicht weiter unterstützen sollten?" Ich blickte mich um, erwartete wie jedes Jahr Widerspruch, den es wie jedes Jahr nicht gab. Das erinnerte mich daran, dass ich meinen Kollegen mehr vertrauen sollte. Dass Menschen sich wirklich für andere Menschen interessierten.

Kurz besprachen wir die Idee, Gebäck an die Mitarbeiter zu verkaufen, um die Spenden zu sammeln, die *Triple Smith and Brown* dann verdoppeln würde. Ich konnte nicht backen. Marcy zog ebenfalls ein Gesicht. Wir beschlossen, stattdessen Süßigkeiten zu verkaufen.

Walter schenkte mir ein weiteres warmes Lächeln, das ich erwiderte, während ich meinen Ordner zuklappte. „Danke, Elle. Wir wissen Ihre Bemühungen wirklich zu schätzen."

Sein Lob freute mich. Nun war Lance an der Reihe. Das Surren begann, als er aufstand. Zuerst bemerkte es niemand, und ich würdigte die Schachtel mit dem *Blackjack* keines Blickes. Allerdings konnte ich auch nicht aufhören, Marcy anzustarren, die mir gegenübersaß. Nach ein paar Sekunden hörte das Surren auf. Ich entspannte mich. Lance fuhr mit seinen Ausführungen fort.

Das Surren begann aufs Neue. Diesmal lauter. Marcy gab ein unterdrücktes Kichern von sich, das zu einer Art schnaubendem Hüsteln wurde. Mein kompletter Körper wurde steif, ich biss mir so fest auf die Zunge, dass ich schon glaubte, Blut zu schmecken. Lance warf uns beiden einen Blick zu, seine klare Stirn runzelte sich ein wenig, aber er sprach weiter.

Marcy versuchte meine Aufmerksamkeit auf sich zu lenken, aber ich war damit beschäftigt, die Schachtel hin und her zu schieben, in der Hoffnung, dass der *Blackjack* von allein aufhören würde. Doch die Bewegung machte es nur noch schlimmer.

Marcy begann lauter zu kichern. Die Kollegen sahen uns neugierig an. Mit verkniffenen Lippen schloss ich meine Finger um die Schachtel. Das Surren wurde lauter. Es klang wie ein ganzer Schwarm Bienen. Der Lärm zog nun sehr viel Interesse auf sich. Vor nicht allzu langer Zeit hätte mich eine solche Situation panisch gemacht. Diesmal aber war ich nur bemüht, mein Gekicher zu unterdrücken.

Lance unterbrach seinen Vortrag. Ich schnappte mir die

Schachtel und schüttelte sie heftig, was nur dazu führte, dass der *Blackjack* immer lauter ratterte.

„Ein Geschenk", erklärte ich über den Lärm hinweg. „Für eine Freundin. Eines dieser automatischen Spielzeuge …"

Marcy brach in schallendes Gelächter aus und schlug auf die Tischplatte, was keine überraschende Reaktion von ihr war, niemand schien sich über sie zu wundern. Lachen ist aus irgendwelchen Gründen so ansteckend, dass sich kaum jemand dagegen wehren kann. Marcys Prusten mischte sich mit Brian Smiths' Gelächter und dem unterdrückten Schnauben von Walter Smith – bis alle in das Lachen einfielen, mich inbegriffen. Wieder schüttelte ich die Schachtel, und schließlich hörte das Surren auf. Ich musste noch heftiger lachen, weil keiner von den Kollegen wirklich wusste, was da aufgehört hatte. Nach weiteren fünf Minuten der allgemeinen Heiterkeit kümmerten wir uns wieder ums Geschäftliche. Lance beendete die Konferenz, alle standen auf, und ich nahm die Schachtel besonders vorsichtig in die Hand.

„Elle, kann ich Sie kurz sprechen?", fragte Lance, als der Raum sich leerte.

Ich zögerte. Wir hatten eine wortlose Übereinkunft getroffen, uns möglichst aus dem Weg zu gehen. Sehr selten brauchte ich seinen Rat, und bei den jährlichen Bewertungsgesprächen bekam ich immer die beste Einschätzung und eine überdurchschnittliche Gehaltserhöhung. Dass er mich also nach dieser Konferenz zurückhielt, konnte nur bedeuten, dass er etwas Berufliches mit mir zu besprechen hatte. Dachte ich zumindest.

„Klar." Ich lächelte ihm vorsichtig zu.

Er wartete, bis alle gegangen waren. „Ich habe Sie noch

nie zuvor so lachen sehen."

„Oh, das tut mir leid", antwortete ich nüchtern. „Das war unpassend. Entschuldigen Sie."

Lance schüttelte den Kopf. „Sie müssen sich nicht entschuldigen. Ich wollte Ihnen nur sagen, dass mir aufgefallen ist wie … Sie sich in den letzten Monaten verändert haben."

Ich zwang mich, nicht die Stirn zu runzeln. „Ach ja? Falls Sie mit meiner Arbeit nicht zufrieden sind …"

„Nein, Elle", unterbrach Lance mich sanft. „Sie machen Ihre Arbeit wunderbar. Die Klienten sind begeistert. Und wir sind vollkommen zufrieden mit Ihnen."

„Verstehe." Nickend gab ich vor, wirklich zu verstehen, obwohl ich keine Ahnung hatte, worauf er hinauswollte. Ich wurde nervös.

Lance lächelte mich an. „Ich meine nur, dass Sie irgendwie … glücklicher wirken in letzter Zeit. Das ist alles. Wir freuen uns über glückliche Mitarbeiter."

Ich schob meinen Ordner von rechts nach links, um meine Hände zu beschäftigen. „Ich war immer glücklich darüber, hier arbeiten zu dürfen, Lance. Das müssten Sie eigentlich wissen. *Triple Smith and Brown* ist eine großartige Firma."

Er strahlte. „Wir tun unser Bestes. Aber es nicht nur das, Elle."

Mehr sagte er nicht, und das musste er auch nicht. Wir wechselten einen Blick, er sah als Erster weg, und ich verstand, was er meinte. Dieses Verständnis ließ meine Stimme weich klingen, als ich sagte. „Danke, Lance. Ja, ich bin sehr glücklich."

Er nickte energisch. „Gut, gut. Ich bin ausgesprochen froh, das zu hören."

Und ich freute mich, dass es ihm aufgefallen war. Mehr sagten wir nicht, denn das war alles, was wir zu sagen hatten. Ich sah ihm nach, als er vor mir das Zimmer verließ. Es gab tatsächlich Menschen, die sich für ihre Mitmenschen interessierten.

Abends fiel mir auf, dass Mrs. Pease seit zwei Wochen ihre Mülltonne nicht an die Straße gestellt hatte. Das sah ihr überhaupt nicht ähnlich. Dass sie nicht verreist war, wusste ich, weil ich abends Licht in ihren Fenstern sah. Ich warf einen verstohlenen Blick in ihre Tonne und stellte fest, dass nur ein paar Blätter Papier auf dem Boden lagen. Grund genug, um an ihre Tür zu klopfen, was ich bisher höchstens ein- oder zweimal getan hatte, wenn ich ein bei ihr abgegebenes Päckchen abholen wollte.

Sie öffnete die Tür und zog den Morgenmantel zu, obwohl es eine beinahe unangenehm heiße Nacht war. Ihre sonst so elegante Lockenfrisur sah zerdrückt aus.

„Oh, hallo Miss Kavanagh." Sie blinzelte mich an, blass, aber lächelnd. „Was kann ich für Sie tun?"

„Mir ist aufgefallen, dass Sie Ihre Mülltonne nicht an die Straße stellen", sagte ich. „Daher wollte ich nachschauen, ob es Ihnen gut geht."

„Ach, Sie sind ein Schatz", sagte sie. „Ich leide in letzter Zeit ein wenig unter dem Wetter, das ist alles. Deswegen habe ich nicht die Kraft, den Müll hinauszubringen. Ich dachte, mein Sohn würde das für mich erledigen, aber …" Sie zuckte mit den Schultern.

„Wenn Sie mögen, helfe ich Ihnen sehr gerne."

„Ach Liebes, das müssen Sie wirklich nicht. Mark wird

bald vorbeikommen. Diese Woche schafft er es bestimmt."

„Sind Sie sicher?", fragte ich. „Es ist wirklich keine Mühe, Mrs. Pease. Morgen kommt die Müllabfuhr. Und es wäre doch wirklich schade, wenn Sie noch eine weitere Woche warten müssten."

Sie zögerte, dann nickte sie und trat zur Seite. „Wenn es Ihnen wirklich nichts ausmacht. Ich hoffe, dass Mark kommt, aber sicher weiß ich es eben doch nicht."

Ich hatte Mrs. Peases Haus noch nie betreten, aber es war geschnitten wie alle Häuser in diesem Block. Ich sah mich in ihrem kleinen, ordentlichen Wohnzimmer um, im Fernsehen lief eine alte Ratesendung. Spitzendeckchen lagen auf den Armlehnen des Sessels, und die gestrickte Decke auf der Couch erinnerte mich an meine Großmutter. Überhaupt erinnerte mich hier eine Menge an das Haus meiner Oma. Es war gemütlich und warm.

„Kommen Sie rein, kommen Sie rein", sagte sie. „Der Küchenabfall ist dort hinten. Ich lebe allein und habe nicht viel Müll."

Sie führte mich durch den engen Flur in die Küche, die aussah, als wäre sie seit den Fünfzigerjahren nicht renoviert worden. Sie deutete auf einen Eimer in der Ecke.

„Als die Kinder noch im Haus waren, mussten wir natürlich alle paar Tage den Müll rausbringen!" Sie kicherte. „Das ist allerdings schon ziemlich lange her."

„Wie viele Kinder haben Sie?" Ich nahm die Mülltüte aus dem Eimer und band sie zu.

„Jetzt noch zwei", sagte sie. „Wir haben unsere Tochter 1986 bei einem Autounfall verloren. Aber ihre Kinder sehe ich noch gelegentlich. Sie gehen bereits aufs College. Ihr Vater hat vor vielen Jahren wieder geheiratet."

Ich legte eine frische Mülltüte in den Eimer und wusch mir die Hände über dem Waschbecken mit einer Seife, die nach grünen Äpfeln roch. „Und Sie haben einen Sohn namens Mark."

„Oh ja. Mein Mark. Und Kevin."

„Leben die beiden in der Nähe?" Ich trocknete mir die Hände mit einem Küchentuch ab, und als ich mich umdrehte, sah mich Mrs. Pease so traurig an, dass ich auch traurig wurde.

„Kevin nicht", erklärte sie. „Und Mark lebt hier in der Stadt, aber … ich sehe ihn nicht so oft. Er ist sehr beschäftigt, mein Mark. Sehr, sehr beschäftigt."

Zu beschäftigt, um seine Mutter zu besuchen und sich darum zu kümmern, dass der Müll vor die Tür gebracht wird, dachte ich wütend. Doch in der nächsten Sekunde packte mich das schlechte Gewissen. Zumindest besuchte er sie gelegentlich. Dagegen war ich eine schreckliche Tochter.

„Ich danke Ihnen, Liebes. Sie sind so hilfsbereit."

„Mrs. Pease, ich wohne direkt nebenan. Sagen Sie doch bitte einfach Bescheid, wenn Sie Hilfe brauchen."

Sie schüttelte den Kopf, ihr weißes Haar wirkte wie Watte. „Ich möchte Ihnen keine Umstände bereiten, Miss Kavanagh."

„Es macht mir überhaupt nichts aus, wirklich."

Sie nahm eine kleine Dose mit Plätzchen aus einem Schrank. „Möchten Sie eines?"

„Danke schön." Sie waren gut, noch ganz weich. „Ich kann leider nicht backen."

Sie gab ein trillerndes Lachen von sich. „Ach meine Liebe!

Jedes Mädchen sollte backen können!"

Ich knabberte an dem Plätzchen. „Meine Mutter hat sich nicht besonders für Hausarbeit interessiert."

Mrs. Pease litt vielleicht unter dem Wetter, aber ihre schnelle Auffassungsgabe schien davon nicht beeinträchtigt. „Sie sehen sie wohl nicht sehr oft, oder?"

Ich verneinte und rechnete schon damit, dass sie mir Vorhaltungen deswegen machen würde, doch stattdessen seufzte sie nur leise. „Nehmen Sie noch einen Keks, Liebes. Und es ist nie zu spät, das Backen zu lernen." Sie packte die Dose weg, nahm ein paar Krümel mit dem Küchentuch auf und legte das Tuch zusammengefaltet auf die Spüle. Das zweite Plätzchen war genauso köstlich wie das erste, und als ich es gegessen hatte, nahm ich den Müllsack. „Ich bringe ihn nach draußen. Soll ich noch etwas anderes mitnehmen? Von oben vielleicht?"

„Nein. Aber vielleicht nächste Woche, falls Sie dann vorbeikommen. Ich werde neue Plätzchen backen, Miss Kavanagh. Wenn Sie Lust haben, können Sie zuschauen."

„Das würde ich sehr gerne, Mrs. Pease."

Ich stopfte die Mülltüte in ihre Tonne und schleppte sie auf die Straße neben meine. Gerade wollte ich wieder ins Haus gehen, als ein Streifenwagen neben mir hielt. Ich erschrak ein wenig. Hatte ich irgendein Gesetz gebrochen? Doch der Polizist, der ausstieg, nickte mir nur zu und öffnete dann die Hintertür.

Gavin stieg aus. Zwar trug er keine Handschellen, doch er sah sehr unglücklich aus. Kurz trafen sich unsere Blicke, dann sah er schnell zu Boden, während der Polizist ihn am Ellbogen zum Haus dirigierte.

Eigentlich ging mich das genauso wenig an wie alles andere, und doch blieb ich stehen und sah, wie sich die Tür öffnete und Gavin von seiner Mutter hineingezerrt wurde. Dann hörte ich ihre laute Stimme. Der Polizist blieb an der Türschwelle stehen und sprach ein paar Minuten mit Mrs. Ossley.

Als er schließlich zurück zum Auto lief, nickte er mir noch einmal zu. „Wiedersehen."

„Wiedersehen." Ich konnte ihn ja schlecht fragen, was mit Gavin los war. Zwar wollte ich einfach ins Haus gehen, doch stattdessen bewegte ich mich wie ferngesteuert auf das Nachbarhaus zu. Mrs. Ossley öffnete, und als sie mich erblickte, verzerrte sich ihr Gesicht zu einer wütenden Grimasse. „Was zum Teufel wollen Sie?"

Ich ließ mich von ihrer Feindseligkeit nicht einschüchtern. „Ich wollte fragen, ob mit Gavin alles in Ordnung ist."

Sie betrachtete mich von Kopf bis Fuß, verzog den Mund, als ob sie in einen Apfel gebissen und einen Wurm entdeckt hätte. Obwohl sie hochhackige Schuhe trug, überragte ich sie um einige Zentimeter, was sie noch wütender zu machen schien. Sie verschränkte die Arme vor der Brust. „Ihm geht es gut. Sie können wieder nach Hause gehen."

„Mrs. Ossely, ich weiß zwar nicht, womit ich Sie so verärgert habe, aber ich kann Ihnen versichern, dass ich mir einfach nur Sorgen um Gavin mache." Ich trat unter der Wucht ihres Blicks einen Schritt zurück.

Sie lachte bellend, steckte sich eine Zigarette in den Mund und blies mir den Rauch mitten ins Gesicht.

„Das kann ich mir denken. Das kann ich mir wirklich denken, dass Sie sich Sorgen machen."

Ihre offensichtliche Abneigung war wie ein Schlag in die Magengrube, aber die Erinnerung an seine präzisen, selbst zugefügten Wunden hielt mich davon ab, wegzulaufen.

„Darf ich reinkommen?"

„Dürfen Sie nicht!" Sie schien entsetzt von der Idee. „Kümmern Sie sich um Ihren eigenen Mist!"

Ich blickte über ihre Schulter auf einen Mann. Dennis. Dann bemerkte ich eine Bewegung auf der Treppe, und sie drehte den Kopf, um zu sehen, was ich gesehen hatte. „Gavin! Geh in dein Zimmer! Sofort!" Sie wandte sich wieder mir zu. „Wir kümmern uns um ihn, Miss Kavanagh. Spielen Sie doch mit dem Sohn von jemand anderem."

Sie wollte mir die Tür vor der Nase zuknallen, aber ich hob die Hand. Ihre Worte hatten einen hässlichen Nachhall in meinem Kopf hinterlassen. „Wie bitte?"

„Oh", rief sie und blies eine weitere Rauchwolke aus. „Er hat mir alles über Sie erzählt."

„Hat er?"

Wieder musterte sie mich von Kopf bis Fuß. Ich fragte mich, was sie wohl sah. Ich trug einen halblangen schwarzen Rock, eine schlichte weiße Bluse sowie Schuhe mit vernünftigen Absätzen. Verglichen mit ihrem smaragdgrünen tief ausgeschnittenen Paillettenoberteil, dem geblümten Rock und den passenden hochhackigen Sandalen hätte ich bei einer Modenschau keinen Blumentopf gewinnen können. Meine Kleidung war vielleicht seriös und bequem, verdiente ihren angeekelten Blick aber in keiner Weise.

„Oh ja, das hat er. Natürlich. Er hat erzählt, wie er Ihnen geholfen hat, das Esszimmer zu streichen." Sie malte mit den Fingern Anführungszeichen in die Luft.

„Er hat mir wirklich eine Menge Arbeit abgenommen."

Sie schnaubte. Aus dieser Nähe konnte ich verblasste Aknenarben auf ihren Wangen sehen, die sie mit Make-up abgedeckt hatte. Ich wusste nicht, wie alt sie war. Alt genug, um einen fünfzehnjährigen Sohn zu haben, aber vielleicht nicht viel älter als ich.

„Ja, er hat eine Menge Zeit bei Ihnen verbracht. Mit Ihnen." Mehr Rauch. Die lackierten Fingernägel passten zu ihrem Lippenstift, der knallrote Abdrücke auf dem Filter ihrer Zigarette hinterließ. „Ich kann ihn nicht dazu bringen, sein verdammtes Zimmer aufzuräumen, aber um bei Ihnen zu streichen, dafür hat er genug Zeit."

„Das tut mir leid, Mrs. Ossley. Ich habe Gavin immer gesagt, dass er seine Pflichten zu Hause nicht vernachlässigen darf."

„Nun, Miss Kavanagh." Sie betonte meinen Namen wie ein Schimpfwort. „Ich bin wahnsinnig froh zu hören, dass Sie sich um meinen Sohn sorgen, der für Sie die Drecksarbeit machen darf, aber ehrlich gesagt interessiert es mich nicht, ob Sie ihn bitten, ein braver Junge zu sein oder nicht."

Noch immer begriff ich nicht, warum sie so wütend war. Vielleicht weil ich gesehen hatte, wie sie Bücher nach ihm warf, was mir an ihrer Stelle auch peinlich gewesen wäre.

„Ich war Gavin für seine Hilfe immer dankbar. Und ich wollte ihm auch etwas Geld dafür geben, aber er hat es nicht angenommen. Aber ich verstehe es durchaus, wenn seine Hilfe Ihnen nicht recht ist …"

„Ach, Sie *verstehen!*", schrie sie. „Ich bin mir sicher, dass Sie ihn gerne bezahlt hätten. Klar. Ja, auch darüber hat er mir alles erzählt."

„Tatsächlich?" Ich blinzelte, ahnungslos, worauf sie hinauswollte, aber mit einem Mal sicher, dass dieses Gespräch nicht gut enden würde. „Mrs. Ossley, bitte glauben Sie mir, ich mache mir einfach nur Sorgen um Gavins Wohlergehen. Ich glaube, da gibt es ein paar Dinge, die Sie wissen sollten …"

Wieder würgte sie mich ab. „Sagen Sie mir nicht, was ich über meinen Sohn wissen sollte!"

Mrs. Ossely trat einen Schritt auf mich zu, und ich wich einen zurück. Inzwischen stand ich eine Stufe tiefer, und sie war größer als ich, was sie nur noch mehr anzufeuern schien.

„Mrs. Ossley", sagte ich bestimmt. „Ihr Sohn hat …"

Als ich Gavins blasses Gesicht erblickte, hielt ich inne. Das hier war vielleicht nicht meine Angelegenheit – aber war es nicht meine Verantwortung?

„Gavin verletzt sich selbst", rief ich und reckte das Kinn vor. „Ich dachte, das sollten Sie wissen."

„Ja, auch das hat er mir erzählt. Wie Sie ihn gebeten haben, sein T-Shirt auszuziehen. Wie kommen Sie darauf, einen Fünfzehnjährigen aufzufordern, sich auszuziehen? Können Sie mir das vielleicht mal erklären?"

Ihre unterschwellige Anschuldigung ließ mich weiter zurückweichen. Inzwischen war ich auf der untersten Treppenstufe angekommen.

„Ja, das würde ich gerne wissen", rief sie. „Womit haben Sie all die Abende, die er bei Ihnen gearbeitet hat, bezahlt, na? Macht es Sie an, Kinder zu verführen?"

„Nein." Mein Hals war wie zugeschnürt. „Nein, nicht im Geringsten. So war es nicht."

„Ach nein? Wie war es dann? Sie sind ein bisschen zu alt für Doktorspielchen, oder vielleicht nicht?"

„Mrs. Ossley, Sie missverstehen da etwas …"

Mrs. Ossley schien nie gelernt zu haben, dass es unhöflich war, andere zu unterbrechen. *„Mrs. Ossley, Sie missverstehen da etwas"*, äffte sie mich mit schriller Stimme nach. „Wollen Sie vielleicht behaupten, dass mein Sohn lügt?"

„Hat Gavin Ihnen gesagt, dass ich mich … nicht korrekt verhalten hätte?"

Nicht korrekt. Das beschrieb nicht mal im Ansatz, was es bedeutet hätte, wenn ich mich Gavin auf jene Weise genähert hätte, die sie andeutete. Ich versuchte, ihn anzusehen, doch er hatte sich nach oben verzogen.

Mrs. Ossley lachte grausam. „Er hat mir gesagt, dass Sie seine Hilfe für ein spezielles Projekt bräuchten. Dass Sie ihm etwas zu trinken angeboten hätten …"

Nun war es an mir, sie zu unterbrechen, Höflichkeit hin oder her. „Er hat gesagt, ich hätte ihm Alkohol angeboten?"

„Macht es Ihnen Spaß, Minderjährige zu verführen? Sie betrunken zu machen und sich dann vor ihnen auszuziehen? Jungs würden alles dafür tun, einen Blick auf nackte Titten zu werfen. Ich wette, Sie hatten eine Menge Spaß!"

Ihre Worte machten mich so fassungslos, dass ich nichts entgegnen konnte. Doch das hielt sie nicht davon ab, weiterzusprechen. Ihre Stimme wurde lauter und zerschnitt die warme Sommerluft.

„Bestimmt haben Sie gedacht, dass er einfach alles tun würde, wozu Sie ihn auffordern, hm? Bringen ihn dazu, sein T-Shirt auszuziehen. Machen ihn betrunken. Mein Sohn war ein guter Junge, bis Sie ihn in die Finger bekamen!" Ihre letzten Worte hallten laut durch die Nacht.

Am liebsten hätte ich sie angefleht, endlich den Mund zu

halten. Sie gebeten, aufzuhören. Mich nicht länger zu beleidigen. Und zu blamieren. Ich stellte mir vor, wie Vorhänge zur Seite geschoben wurden und die Nachbarn ihren Lügen lauschten.

„Sie können von Glück sagen, dass ich Sie nicht anzeige. Aber was würde das schon bringen? Er ist ein Teenager, natürlich wird er mit einer Frau vögeln, die …"

„Zwischen mir und Ihrem Sohn ist absolut nichts Unpassendes geschehen, Mrs. Ossley." Meine Stimme brachte die Luft zwischen uns zum Gefrieren. Aber sie war viel zu beschäftigt mit ihren selbstgerechten Anschuldigungen, um darauf zu achten. „Ich habe ihn gebeten, sein T-Shirt auszuziehen, weil ich mir Sorgen um die Schnitte an seinem Bauch machte. Und ja, wir haben viel Zeit miteinander verbracht, aber ich habe niemals … ich habe niemals …" Ich konnte nicht weitersprechen, und sie nutzte die Gelegenheit, um mir mit dem Finger zu drohen. Gavin sah ihr sehr ähnlich, dachte ich, auch wenn ihr Gesicht jetzt vor Wut ganz hässlich geworden war.

„Ich könnte Sie ins Gefängnis bringen, weil Sie einem Minderjährigen Alkohol gegeben haben! Und für alles andere auch." Sie verschränkte die Arme vor ihrer üppigen Brust. „Nur weil er sich nicht gewehrt hat, bedeutet das noch lange nicht, dass Sie das Recht hatten, ihn sexuell zu belästigen!"

„Dazu hat niemand das Recht", sagte ich.

Sie schien auf mehr zu warten, doch ich schwieg. Ich konnte nichts sagen. Ihre Worte machten mich krank. Ich wich noch ein paar Schritte zurück, dann stieg ich meine eigene Treppe hinauf. Sie folgte mir mit dem Blick, während sie sich eine weitere Zigarette anzündete. „Und Sie lassen künftig die Finger von meinem Sohn!", schrie sie. „Oder ich rufe die Polizei!"

Ich blieb stehen, die Hand auf dem Geländer. Die Vorhänge in der Nachbarschaft schienen sich nicht zu bewegen. Bis auf einen. Nämlich der im zweiten Stock ihres Hauses, und ich erhaschte einen Blick auf ein weißes Gesicht unter einer schwarzen Kapuze, das sofort wieder verschwand.

„Keine Sorge, Mrs. Ossley", erklärte ich. „Das werde ich."

15. KAPITEL

Ich war nicht aus dem Kokon meiner Vergangenheit geschlüpft und ein unbekümmerter, gesunder Schmetterling geworden. Es ist nie so einfach. Manchmal ist uns der Kummer sogar ein Trost, weil er einem weniger Angst macht als das Streben nach Glück. Niemand mag das zugeben. Wir alle behaupten, dass wir glücklich sein wollten, wenn wir es nur könnten. Warum aber klammern wir uns dann so an den Schmerz? Warum entscheiden wir uns, über Kränkungen und Enttäuschungen nachzugrübeln? Liegt es daran, dass das Glück nicht beständig ist, die Trauer aber schon?

Der Zusammenstoß mit Gavins Mutter hatte mich so erschüttert, dass ich beschloss, mich von jetzt ab tatsächlich nur noch um mein eigenes Leben zu kümmern. Statt ein weiteres Zimmer zu streichen, genoss ich es, von Mrs. Pease das Backen zu lernen, deren Sohn sie schließlich doch besuchte, wenn auch nicht so häufig, wie sie es sich wünschte. Und ich bemühte mich – bemühte mich wirklich –, was Dan betraf.

Dan hatte mich zu sich nach Hause zum Essen eingeladen. Ich klopfte mit einer guten Flasche Wein an seine Tür, und das Lächeln, das er mir schenkte, als er öffnete, ließ mich zurücklächeln. Er nahm mich in den Arm, kurz genug, um zwanglos und doch ernsthaft zu wirken.

Ich entdeckte eine neue Nervosität in seiner Gegenwart, eine eher erwartungsvolle als ängstliche allerdings. Ich folgte ihm in die Küche.

„Pasta à la Dan", erklärte er gut gelaunt. „Mein ganz spezielles Rezept."

Ich warf einen Blick auf das leere Glas einer teuren Spaghettisoße, das er gut sichtbar auf der Theke hatte stehen lassen. „Mhm."

Er hob eine Augenbraue. „Zweifelst du etwa an mir?"

Mit erhobenen Händen setzte ich mich an den Tisch. „Hey, ich bin mit allem zufrieden, was ich nicht selbst kochen muss."

Lachend schüttete er die Spaghetti ab und füllte dann zwei Teller mit Nudeln und Soße und fügte einen kleinen Stängel Petersilie hinzu. „Käse?"

„Eine elegante Apparatur", bemerkte ich, als er ein Stück Parmesan in eine Profikäsereibe steckte.

„Von *Pampered Chef.*"

Ich starrte ihn an. „Du kaufst wirklich bei *Pampered Chef* ein?"

„Himmel, ja!" Dan legte die Reibe hin und schenkte uns Wein ein. „Die haben fantastische Sachen."

„Da ich nicht koche, kenne ich mich in dieser Hinsicht nicht aus. Mein Hausfrauen-Gen ist beschädigt."

Er sah auf. „Ernsthaft?"

Ich lächelte. „Ernsthaft."

Er schob mir den Korb mit Knoblauchbrot hin. „Verdammt. Und ich dachte, ich hätte eine Frau gefunden, die für mich kochen und putzen kann."

Ich rollte mit den Augen. „Wie du meinst."

Dan drehte Spaghetti auf, blies ein wenig, steckte dann die Gabel in den Mund und seufzte zufrieden. Ich beobachtete ihn. Es war schön zu sehen, wie jemand so viel Freude an so etwas Einfachem haben konnte. Das war auch etwas an ihm, was mich beeindruckte. Er freute sich genauso sehr über selbst gekochte Spaghetti wie über ein Abendessen im

La Belle Fleur. Ich fand es erfrischend und zugleich verblüffend, dass der Mann, der mich an eine Mauer gedrückt genommen hatte, jetzt wegen ein paar Spaghettis aufstöhnte.

„Kein Hunger?"

Er hatte mich beim Starren erwischt, und schnell schaute ich auf meinen Teller. „Doch, natürlich … es sieht köstlich aus."

„Erzähl mir was, Elle."

„Was denn?"

„Egal was."

Ich trank einen Schluck Rotwein und musterte ihn. „In einem rechtwinkligen Dreieck ist die Fläche des großen Quadrats über der Hypotenuse gleich der Summe der Flächen der Quadrate über den beiden Katheten."

„Die Fläche von was ist gleich der was von was?"

„Satz des Pythagoras", erläuterte ich. „Du sagtest, egal was."

„Wie wäre es mit etwas Persönlichem?" Er schenkte Wein nach.

„Meine Handschuhgröße ist sieben."

„Wirklich?" Er betrachtete meine Hände. „Ich hätte auf acht getippt, mindestens."

„Ist es dein Hobby, die Handschuhgröße von Frauen zu schätzen?"

Er sah mich grinsend an. „In BH-Größen bin ich allerdings besser."

Bei jedem anderen Mann hätte ich jetzt finster geschaut, aber bei Dan … bei Dan begann ich zu kichern. Er sah erfreut aus.

„Ich habe dich zum Lachen gebracht. Das ist gut, oder?"

Ich fuhr mir mit einem Finger über die Lippen, biss sanft hinein, dann antwortete ich: „Das ist gut, ja."

Das Essen schmeckte, der Wein schmeckte besser. Unser Gespräch plätscherte schwerelos dahin, und ich entspannte mich vollkommen. Hilfreich war zudem, dass seine Teller mit vielen Punkten in verschiedenen Farben gemustert waren. Ich konnte mich damit beschäftigten, diese Punkte zwischen zwei Bissen zu zählen.

Außerdem sorgte der hinterhältige Mistkerl dafür, dass mein Glas nie leer war. Erst als ich aufstand und mich an der Stuhllehne festhalten musste, wurde mir klar, dass ich zu viel getrunken hatte.

„Hoppla", rief ich. „Der Wein."

„Lass mich mal." Er nahm mir Teller und Besteck aus der Hand und räumte alles in die Spülmaschine. „Und jetzt ins Wohnzimmer."

„Das machst du immer so", rief ich, folgte ihm aber bereitwillig.

„Was denn?", fragte er, stellte unsere Gläser auf den Couchtisch und schüttelte die Kissen auf.

„Mir sagen, was ich zu tun habe."

Wir setzten uns, und er beugte sich nah zu mir. „Das magst du doch."

„Und das machst du auch immer", holte ich weiter aus. „Mir sagen, was ich mag."

„Irre ich mich?"

Ich drehte meinen Kopf ein wenig. „Bis jetzt nicht."

Er knabberte an meinem Ohrläppchen. „Aber du würdest es mir sagen, da bin ich mir ganz sicher."

Ich drehte meinen Kopf noch ein wenig, diesmal aber

nicht, um ihn an einem Kuss zu hindern. Im Gegenteil. „Natürlich."

Er legte beide Hände auf die Sofalehne, links und rechts von mir, strich mit den Lippen über meinen Hals, rutschte tiefer und leckte sanft über mein Schlüsselbein. Ich erschauerte.

„Ich muss dir gar nicht sagen, was du magst, nicht wahr?"

„Nein."

„Weil du es bereits weißt."

Darüber musste ich lächeln. „Stimmt."

Er richtete sich auf und hob mein Kinn an. „Und du weißt auch genau, was du nicht magst."

Ich sah ihm in die Augen. „Das auch."

„Daran ist nichts auszusetzen, Elle. Überhaupt nichts."

Wieder küsste er mich auf den Hals, dann setzte er sich zurück und legte den Arm hinter mich auf die Sofalehne. Ich wollte gerne näher zu ihm rücken. Ich tat es nicht. Und dann tat ich es doch.

„Danke für das Essen", sagte ich nach einer Weile. „Es war köstlich."

Er polierte sich die Fingernägel an seinem Hemd. „Ach was, das war doch noch gar nichts!"

Ich trank einen Schluck Wein. In meinem Kopf drehte es sich zwar bereits ein wenig, aber im Gegensatz zu sonst, wenn ich nach Vergessen suchte, wollte ich diesmal den Geschmack auskosten und nicht betrunken werden. Schweigend starrten wir ziemlich lange vor uns hin. Es schien ein Spiel daraus zu werden, nach dem Motto, wer zuerst blinzelt. Er legte eine Hand auf meine Schulter und spielte mit einer Haarsträhne, was mir Schauer über den Rücken jagte.

„Elle."

„Dan." Ich mochte es, wie sein Name auf meiner Zunge schmeckte, wie Wein und Knoblauch.

„Ich möchte dich küssen."

Auf der Unterlippe zu kauen ist eine schlechte Angewohnheit, die ich nicht ablegen kann. Er starrte auf meinen Mund, verlegen fuhr ich mit der Zunge über die Stelle, an der ich genagt hatte, und zwang mich, aufzuhören. Er kam näher, legte die Hand an meinen Hals und beugte sich langsam und konzentriert vor. In der letzten Sekunde drehte ich das Gesicht weg. Sein Kuss landete auf meinem Mundwinkel, sein Atem streifte heiß meine Haut, seine Lippen waren so weich. „Nein?"

Ich hätte ihm gerne eine schlagfertige Antwort gegeben. Und noch lieber hätte ich ihm das Gesicht zugewandt und mich von ihm küssen lassen. Ich wünschte es mir so sehr, mich ihm öffnen zu können, aber … ich konnte es einfach nicht. Stattdessen schüttelte ich den Kopf. Er küsste mich aufs Kinn, dann auf den Hals, mein Herz begann zu hämmern, und ich bildete mir ein, er könnte das Rauschen meines Blutes unter seinen Lippen spüren.

Als er meine Brust berührte, seufzte ich auf, dann schrie ich leise, weil er mit dem Daumen über die Spitze strich, die sich sofort aufrichtete. Er massierte sie durch den Stoff meines Oberteils, dann legte er wieder die Hand darauf. Er zog mich enger zu sich, seine Hand wanderte von meiner Brust zu meinem Rock, zu meinen Knien. Ich zuckte zusammen.

„Kitzlig?"

„Ein bisschen."

Er wanderte ein wenig höher, malte Kreise auf meine

Haut und fragte: „Und hier?"

Ich kicherte leise. „Auch."

„Soll ich aufhören?" Er rutschte noch ein kleines Stückchen höher.

„Nein", wisperte ich.

Noch höher, er strich über meinen Slip. „Jetzt?"

„Nein …"

Als er mich endlich berührte, stöhnte ich auf. Er biss in meinen Hals, als er den Finger in mich schob.

„Sag mir, was ich tun soll, Elle. Ich möchte es von dir hören, ok?"

Hitze kroch meine Wangen hinauf, aber ich gab ihm, was er wollte. „Ich möchte, dass du mich anfasst."

„Wo?"

„Da, wo du bist."

Er bewegte seine Hand. „Hier?"

Ich schluckte schwer. „Ja."

„Fühlt sich das gut an?" Er wich ein wenig zurück, um mich anzusehen.

Ich war mir der Situation vollkommen bewusst, wie wir dasaßen, vollkommen bekleidet, mit seinem Finger in mir. Er nahm die Hand weg, aber langsam, sodass ich nicht das Gefühl hatte, er würde mich zurückweisen.

„Trägst du immer Röcke?"

Ich ließ mich zurück in die Kissen sinken, eine Hand auf seiner Schulter. „Nicht immer. Aber meistens."

„Das gefällt mir." Er schob den Rock höher und entblößte meine Schenkel. „Du rasierst dich hier nicht."

Ich blinzelte. „Ich … nein."

Dan bewegte sich so schnell, dass ich keine Zeit hatte, zu

reagieren, und küsste meinen Schenkel. „Wie kommt das?"

„Weil mein Haar blond und sehr fein ist. Rasieren ist ziemlich nervig." Ich antwortete ehrlich, was mir nicht leichtfiel, weil mich sein Mund auf meinem Schenkel ablenkte.

„Mir gefällt es."

Ich lachte und zog mich ein wenig zurück. Er machte mich nervös. „Wirklich?"

Er nickte und sah so jung aus mit dem zerzausten Haar. Er streichelte mit dem Daumen über mein Knie. „Was ist da passiert?"

„Ich bin gestürzt."

Er küsste die Narbe.

„Nicht, Dan."

Er sah mich an. „Wieso nicht?"

„Weil sie hässlich ist."

„Du findest die Narbe hässlich?" Er strich sanft mit der Fingerspitze darüber. „Ist sie nicht. Sie ist ein Teil von dir."

„Sie ruiniert mein ganzes Knie."

„Wie bist du gestürzt?"

„Ich bin gerannt und gestolpert. Auf einer Schotterstraße. Mein ganzes Knie war blutig. Als es fast verheilt war, rannte ich gegen einen Couchtisch und riss die Wunde wieder auf."

Er ließ mein Bein nicht los. „Wie alt warst du da?"

„Zwölf." Ich wollte nicht über diese Narbe nachdenken.

Er senkte den Kopf und küsste sie erneut. „Das muss wehgetan haben."

„Hat es."

Mit den Lippen wanderte er höher, noch etwas höher, mir stockte der Atem, ich wollte ihn wegstoßen, er küsste die Innenseite meiner Schenkel und schob meinen Rock weiter hinauf.

„Hör auf!" Ich legte meine Hand auf seinen Kopf, und er hielt inne, direkt über dem Muttermal, das noch nie jemand gesehen hatte. Er drückte einen Kuss darauf.

„Dan, ich sagte, du sollst aufhören." Ich zerrte meinen Rock nach unten und stieß seine Hände weg. Stieß ihn weg.

Er setzte sich wortlos auf. Sah mich an. Ich sah ihn an. Mein Herzschlag setzte einen Moment aus, ich verschränkte die Arme vor der Brust, damit meine Hände nicht zitterten.

„Was ist los?"

„Ich … ich mag das nicht."

„Du magst es nicht, wenn ich dein Muttermal küsse?" Er neigte den Kopf.

„Nein. Ich möchte das nicht."

„Weil es hässlich ist?"

Das war nicht der Grund dafür, aber ich log. „Ja."

Er studierte mein Gesicht. Ich wartete darauf, dass er mich auslachen oder die Augen verdrehen würde. Oder darauf bestand, dass ich tat, was er wollte. Männer hören nicht gerne ein Nein.

Er knöpfte sein Hemd auf, zog es aus und warf es auf einen Stuhl. Ich kannte seinen Körper bereits. Wusste, wie er roch und schmeckte und wie weich seine Haut war. Seine Brust war blasser als seine Arme, aber nicht sehr, die Schultern waren von Sommersprossen übersät wie seine Nase. Er konnte nicht gerade Sixpacks aufweisen, hatte aber einen festen, flachen Bauch. Er beugte den Arm und zeigte mir seinen Ellbogen. „Fußball, neunte Klasse." Diese Narbe war fast unsichtbar. „Ich fiel mit dem Arm auf einen Stein, als ich nach dem Ball trat." Dann wandte er mir die andere Seite zu und zeigte mir eine weitere kleine Narbe. „Dort wurde mir ein Muttermal entfernt, der Assistenzarzt hat gepfuscht. Es musste mit vier Stichen genäht werden."

„Warum zeigst du mir das?" Ich war fasziniert.

Er tippte an seinen Hals, wo plötzlich noch eine Narbe aufzutauchen schien, die natürlich schon die ganze Zeit da gewesen sein musste. „Kleiner Unfall am Lagerfeuer. Ich habe mich mit meinem Bruder duelliert. Mit den Grillgabeln. Er hat mich aufgespießt."

„Oh Gott." Allein bei der Vorstellung zuckte ich zusammen und legte schützend eine Hand auf meinen Hals.

„Hat verflucht wehgetan. Der kleine Mistkerl hat meine Halsschlagader knapp verpasst, sonst wäre ich verblutet."

Ich berührte die Narbe. „Du hattest Glück."

Er umfasste mein Handgelenk. „Ich sehe es so, Elle: Die Narben beweisen, dass wir in der Lage sind, zu überleben."

Ich sah ihn an, entzog ihm meine Hand und zog meine Bluse aus. Dann griff ich hinter mich und hakte den BH auf. Dan legte seine Hände auf meine Schultern und betrachtete meinen nackten Oberkörper Zentimeter für Zentimeter, bis er eine blasse Schramme direkt über meiner linken Brust berührte.

„Lockenstab", erklärte ich. „Ich habe nicht aufgepasst."

Liebevoll drückte er einen Kuss auf die dunkle Stelle. Ich schnappte nach Luft, wich aber nicht zurück. Mit dem Finger wanderte er zwischen meinen Brüsten hinunter zu meinem Bauch. „Blinddarm?", fragte er.

Ich nickte. Er lächelte. Dann küsste er diese Narbe auch, zog mir den Rock aus, faltete ihn ordentlich zusammen und legte ihn auf meine Bluse und meinen BH. Anschließend zog er seine Hose aus, gleichzeitig schlüpften wir aus unserer Unterwäsche, und ich atmete ein wenig schneller, obwohl wir beide schon so oft nackt gewesen waren. Er zeigte auf eine gebogene Narbe auf seinem Schenkel. „Dornenbusch."

„Autsch."

Er grinste. „Ich habe nackt im Teich unseres Nachbarn gebadet, und plötzlich stand er mit einem Gewehr vor mir. Erst am nächsten Tag fiel mir auf, dass ich auf der Flucht ein wenig Haut verloren hatte."

Ich berührte die Stelle, und sein Schwanz, halb erigiert, zuckte ein wenig. „Du warst sicher nicht allein beim Nacktbaden."

„Nein. Mit der Tochter des Nachbarn."

Darüber musste ich lachen. „Kein Wunder, dass er ein Gewehr dabeihatte."

„Genau. Und an Brennnesseln bin ich auch noch gekommen. Kein Scherz."

„Mit deinem …"

„So ist es."

Ich verzog das Gesicht. „Noch mal autsch."

„Wem sagst du das. Aber so lernte ich die cremige Wirkung von Wundsalben schätzen." Er machte eine Faust und bewegte sie auf und ab.

Wieder musste ich lachen. „Da bin ich mir sicher."

Er zeigte auf sein Bein. „Habe ich mir beim Fahrradfahren gebrochen."

„Du hattest es nicht leicht", murmelte ich zärtlich. „Und warst offenbar ziemlich aktiv, nicht wahr?"

„Habe meine Mutter in den Wahnsinn getrieben." Er

legte seine Hand wieder auf meinen Leberfleck. „Er ist wie ein Herz geformt. Wusstest du das?"

„Ja."

„Warum gefällt er dir nicht? Er ist hübsch."

Ich schüttelte den Kopf. „Ich … ich mag ihn eben einfach nicht. Das ist alles."

Er schien meine Antwort zu akzeptieren. Wieder ließ er den Blick über mich wandern, als wollte er sich jede Schramme und Unebenheit, die meinen Körper einzigartig machte, einprägen. Ich ließ es zu, versuchte nur, nicht zu erröten. Er hob mein rechtes Handgelenk und betrachtete die zwei parallel verlaufenden Narben. Manche nennen es Armband, als ob es sich um eine Verzierung handelte. Etwas, womit man prahlen konnte. Er berührte es.

„Und das?"

„Ein Fehler." Ich zog den Arm nicht weg, obwohl ich es am liebsten getan hätte. Ich wollte ihn an mich drücken, ihn verstecken. Ich wollte die Narben vergessen, aber es gelang mir sowieso nie.

„Wie alt warst du?"

„Achtzehn."

Er nickte, als ob meine Antwort einen bestimmten Sinn ergäbe. Er drehte mein anderes Handgelenk um. „Nur auf einer Seite?"

„Ich bin Linkshänderin. Und ich habe es mir mittendrin anders überlegt."

Nacheinander zog er meine Handgelenke an seine Lippen. „Darüber bin ich sehr froh", flüsterte er.

So oft bin ich weggelaufen, als es besser gewesen wäre, zu bleiben. Vielleicht handelte es sich um Feigheit oder um meinen Selbsterhaltungstrieb. Ich nenne es eine Gewohnheit. Und jede Gewohnheit kann man ablegen.

„Tatsächlich?"

Fest zog er mich an sich. „Ja."

Ich zitterte, Gänsehaut bildete sich auf meinen Armen. „Es hat ziemlich geblutet. Und sehr wehgetan. Ich hätte nicht gedacht, dass es so wehtut."

Er fragte mich nicht nach dem Grund, obwohl ich ihm vermutlich davon erzählt hätte. Stattdessen zog er mich auf seinen Schoß, wir legten die Stirn aneinander. Sein Schwanz richtete sich auf. „Jeder hat Narben, Elle."

Sein Mund war sehr nah an meinem. Ich roch den Wein in seinem Atem. Er rührte sich nicht. Er drängte mich nicht. Er tat nichts anderes, als zu atmen und mir in die Augen zu sehen.

Und da küsste ich ihn auf den Mund.

Keine Jubelchöre erklangen, kein Feuerwerk explodierte, keine Glocken läuteten. Ich küsste ihn, als hätte ich noch nie zuvor einen Mann geküsst, und irgendwie stimmte das auch, denn es war so lange her. Ich küsste ihn, weil ich mir in diesem Moment einfach nichts anderes vorstellen konnte. Ich küsste ihn, um zu beweisen, dass ich überleben konnte.

Er öffnete die Lippen, unsere Zungen trafen sich. Ich legte meine Hände an sein Gesicht und neigte den Kopf etwas mehr, gierig nach seinen Lippen. Ich wollte ihn schmecken und bis ins Innerste berühren, obwohl ich dabei zitterte. Er nahm, was ich ihm anbot, und gab mir, was ich brauchte. Keine Fragen. Keine Forderungen. Er überließ mir die Führung, und als ich mich schließlich atemlos von ihm löste, ruinierte er nicht alles mit irgendeinem klugen Kommentar. Er strich mir nur durchs Haar.

Seine Lippen waren noch feucht von meinem Kuss. Ich habe gesehen, wie die Sonne durch die Wolken bricht. Ich habe Regenbögen gesehen. Taubenetzte Blumen und so wunderschöne Sonnenuntergänge, dass ich hätte weinen mögen.

Und ich habe gesehen, wie Dan mich mit den noch feuchten Lippen anlächelte, und wenn ich wählen müsste, welcher Anblick mich am meisten berührt hat, dann wäre es dieser.

Ich hatte das Gefühl, etwas sagen zu müssen. Etwas, um diesen Moment zu markieren, doch er bewahrte mich davor, indem er mich wieder küsste, und die Zeit schien stillzustehen. Wir küssten uns zärtlich und leidenschaftlich, wir küssten uns, als wollten wir nie mehr wieder etwas anderes tun. Er atmete ein, ich atmete aus, wir tauschten Atem und Speichel aus und … Vertrauen.

Er strich über meinen Rücken, dann umklammerte er meine Hüften und presste mich an sich. Sein Penis zwischen uns pulsierte. Wir rieben uns aneinander, und meine Erregung machte uns beide feucht. Wir bewegten uns gemeinsam, unsere Bäuche umschlossen seinen Schwanz. Meine Brüste drückten sich an seine Brust. Die Lust ebbte auf und ab, er stieß die Zunge in meinen Mund, und ich wünschte mir, so von seinem Schwanz ausgefüllt zu werden. Er stöhnte, seine Hände hinterließen heiße Spuren auf meiner Haut, er schaukelte mich auf und ab, benutzte meinen Körper wie ein Werkzeug für seinen eigenen Genuss, und es erregte mich, dass ich ihn so heiß machen konnte, ohne mit ihm zu schlafen. Wir schaukelten nun heftiger, ich erschauerte. *Nur noch ein bisschen. Nur noch ein bisschen.* Ein bisschen mehr, ein bisschen fester, ein bisschen schneller, ein bisschen tiefer.

Mein Schoß brannte. Meine Lippen brannten. Meine Hüften brannten dort, wo er sie fest umklammert hielt. Er stammelte meinen Namen an meinen Lippen, dann warf er mit geschlossenen Augen den Kopf zurück. Sein Penis zuckte, sein Körper bebte. So wie meiner.

Als ich sah, welches Vergnügen er an meinem Körper fand, kam ich. Grelle Funken der Lust jagten durch meinen Körper. Meine Schenkel ruckten. Ich konnte ihn riechen, konnte mich riechen, und während mein Köper von Krämpfen geschüttelt wurde, schrie ich auf.

Er zog mich fester an sich, schloss mich in seine Arme. So hielt er mich, bis unser Atem sich beruhigt hatte. Mein Kopf passte perfekt in die Mulde seiner Schulter. Ich wollte mich nicht bewegen. Wollte ihn nicht ansehen. Wollte mich nicht von ihm lösen. Dieses wunderbar tröstliche Gefühl war zu neu und konnte sich zu schnell verflüchtigen. Ich wollte es keinesfalls verlieren. Oder verscheuchen.

Irgendwann mussten wir einander natürlich loslassen. Dan streichelte meinen Rücken, und ich stieg von seinem Schoß. Ich rechnete damit, mich verlegen zu fühlen, doch dazu ließ er mir gar keine Zeit. Sein Bauch glitzerte feucht, genauso wie meiner.

„Sollen wir duschen?"

Ich nickte und streckte ihm die Hand hin, und als er vor mir stand, gab er mir einen zarten Kuss, fast ein wenig zögerlich, als befürchtete er, dass ich wieder zurückweichen würde. Doch das tat ich nicht. Es gab nun kein Zurück mehr, ich hatte mit ihm eine Grenze überschritten. Selbst ich war nicht kaputt genug, um vorzugeben, es wäre anders.

„Danke dir", sagte er.

Zwei schlichte Worte, doch sie ließen mich zurückschrecken. Er konnte nicht wissen, was diese Worte mir bedeuteten, welche Gefühle sie in mir auslösten, woran sie mich erinnerten.

„Elle, was ist?"

Ich schüttelte den Kopf. Ich wollte nicht sprechen, Worte durften jetzt nicht alles ruinieren, was zwischen uns entstanden war. Ich fühlte mich so wohl mit ihm. Ich mochte das Gefühl, ihn so nahe an mich heranzulassen. Als ob ich normal wäre. Und das wollte ich nicht verderben.

„Dusche", sagte ich und schob ihn ins Badezimmer. Als ich das Wasser anstellte, beschlug der Spiegel, und das war gut, denn so musste ich mich nicht ansehen. Ich stieg in die Dusche, bevor er noch irgendetwas sagen konnte.

Danke dir. Es spielte keine Rolle, wofür er sich bedankt hatte, für den Sex, den Kuss oder dafür, dass ich ihm von der Couch hochgeholfen hatte. Er hatte einfach nur höflich sein wollen. Freundlich. Ich wusste das. Und doch reckte ich mein Gesicht unter den zu heißen Wasserstrahl und schloss die Augen. Die Worte hallten in meinem Kopf wider, gesprochen von einer anderen Stimme, von jemandem, der glaubte, sich hinterher zu bedanken machte es besser. Er folgte mir unter die Dusche und drehte das Wasser kühler.

„Dreh dich um."

Das tat ich, weil er mich dazu aufgefordert hatte und weil er wie so oft wusste, was ich wollte. Dan drückte Duschgel auf einen blauen Waschlappen. Und dann wusch er mich.

Ich weiß, dass meine Mutter in meiner Kindheit so etwas für mich getan hat, aber ich kann mich nicht daran erinnern. Er begann an meinem Hals, strich über meine Brüste bis zum

Bauch, über meine Schenkel, zwischen meine Beine. Er bewegte sich sanft und langsam, dann hob er einen Fuß nach dem anderen, seifte ihn ein und stellte ihn sorgsam wieder ab.

Er kniete vor mir, sein sandfarbenes Haar wurde unter dem Wasser dunkler.

„Wir alle haben Narben, Elle", wiederholte er und stand auf. Dann schob er mich unter den Wasserstrahl, um den letzten Rest der Seife abzuwaschen.

Um mich sauber zu machen.

16. KAPITEL

„Ich habe etwas für dich."

Dan schob mir über den Tisch einen Umschlag zu.

„Was ist das? Ein Geschenk?"

„Mach es auf." Sein Blick brannte sich in mich, ich öffnete den Umschlag und zog zwei Blätter Papier heraus. Zahlen. Messwerte. Testergebnisse. Cholesterin. Rotes Blutbild. HDL. Und dann, auf der zweiten Seite, weitere Ergebnisse. Ich schnappte überrascht nach Luft. „Oh."

Gonorrhö, Chlamydieninfektion, HIV. Alles negativ. Ich faltete die Seiten wieder zusammen, räusperte mich und nahm einen Schluck Eiswasser. Dan sah mich erwartungsvoll an.

„Nun", sagte ich schließlich, nachdem er offenbar auf eine Entgegnung wartete. „Du scheinst bei bester Gesundheit zu sein."

Nun wusste ich nicht nur, welche Blutgruppe er hatte, sondern auch, wie alt er war.

„Ich dachte, das würde dir vielleicht ein besseres Gefühl geben."

„In welcher Hinsicht?"

„Uns betreffend."

„Ich weiß nicht genau, was du meinst."

Dan lächelte. „Elle, ich habe dich nie gefragt, ob du die Pille nimmst oder …"

„Du möchtest keine Kondome mehr benutzen."

Er zuckte mit den Schultern und wurde ein wenig rot. Es war interessant, zur Abwechslung einmal ihn erröten zu sehen. „Nun … ja."

„Ich nehme tatsächlich die Pille."

Er strahlte. „Gut."

Ich lehnte mich mit verschränkten Armen zurück. Wir hatten uns vom Chinesen etwas zu essen geholt und wollten hinterher einen Film sehen, aber nun fragte ich mich, ob er mich nicht viel eher eingeladen hatte, um dieses Thema mit mir zu besprechen.

Ich ließ ihn einen Moment lang schwitzen, bevor ich beschloss, bei der Wahrheit zu bleiben. „Ich habe niemals absichtlich Sex ohne Kondom gehabt, Dan."

Er lachte. „Absichtlich? Hast du manchmal aus Versehen Sex?"

„Nicht aus Versehen", erklärte ich schnell. „Nur nicht absichtlich."

Ich hielt den Umschlag noch immer in der Hand und strich mit dem Daumen über das weiche Papier, fünf gleichmäßige Striche und dann ein Pause. Fünf. Pause. Fünf. Pause.

Sein Lächeln verblasste. Er sah erschrocken aus. „Elle?"

Ich legte den Umschlag weg. „Ich lasse mich jährlich auf alles testen, was überhaupt möglich ist. Ich kann dir auch meine Ergebnisse zeigen. Ich habe nichts."

„Elle …" Er griff nach meiner Hand. „Wenn es für dich wichtig ist, mir macht es nichts aus, Kondome zu benutzen."

Ich betrachtete unsere ineinanderverschränkten Finger. „Es würde bedeuten, dass wir einander vertrauen müssten."

Zärtlich drückte er meine Hand. „Wenn du wissen willst, ob ich mit anderen Frauen schlafe, dann ist die Antwort Nein."

Ich nickte. „Nun, ich schlafe im Moment auch mit keinem anderen Mann."

Ich weiß nicht, ob er vielleicht eine andere Antwort erwartet hatte, aber die Erleichterung in seinem Gesicht war nicht zu übersehen.

„Gut."

„Du solltest mich fragen, ob ich *vorhabe,* mit einem anderen zu schlafen, Dan." Ich sagte das sehr nüchtern, das Thema Safer Sex war so tief in mir verwurzelt, dass ich einfach nicht anders konnte.

„Hast du es vor, Elle?"

Ich schüttelte den Kopf.

„Ich auch nicht. Es sei denn, du hättest Lust auf eine weitere Nacht mit Jack."

Ich lachte auf. „Jack könnte dann ein Kondom benutzen. Aber nein, auch das habe ich nicht vor."

„Gut", sagte Dan wieder. „Ich glaube nämlich nicht, dass ich dich noch mal mit einem anderen sehen möchte."

Die Bedeutung dieser Aussage ließ mich zögern. „Nein?"

„Nein. Auf keinen Fall."

Er stand auf, umrundete den Tisch und zog mich auf die Beine. Seine Arme passten so selbstverständlich um meine Taille, dass ich es noch immer nicht fassen konnte. Wir gingen in sein Schlafzimmer, er drückte mich sanft auf das Bett, zog erst mich aus und dann sich und übersäte mein Gesicht mit Küssen. Die Stirn. Die Augen. Nasenspitze, Wangen, Kinn. Meinen Mund berührte er fast keusch und so schnell, als ob es nie geschehen wäre. Ich überließ mich seiner Zärtlichkeit, genoss seine Anbetung und Verehrung. Er streifte mit den Lippen über meinen Bauch, blies in meinen Bauchnabel, bis ich erbebte, biss zärtlich in meinen Schenkel und leckte zart drüber. Mir wurde heiß und kalt. Mit einer Hand strich er über mein Schamhaar, und plötzlich verspannte sich mein ganzer Körper, ich schloss die Beine.

„Elle." Dan bewegte sich wieder höher und bedeckte meinen Körper mit seinem. Ich war dankbar für die Wärme, denn ich hatte zu zittern begonnen. Er stützte sich auf seinen Ellbogen und sah in meine Augen.

„Lass mich dich küssen, bitte", murmelte er. „Nur küssen. Mehr nicht. Versprochen."

Ich schüttelte den Kopf. Er strich mit einem Finger über meine Augenbrauen, und bei dieser zärtlichen Geste öffneten sich meine Lippen. Ich wollte etwas sagen. Aber es gelang mir nicht.

„Vertraust du mir, Elle?"

Ich vertraute ihm genug, um mit ihm ohne Kondom schlafen zu wollen. Ich vertraute ihm genug, um zu glauben, dass ich die Einzige für ihn war. Ich vertraute ihm mehr als jedem anderen Menschen auf der Welt.

„Ja, Dan. Ich vertraue dir."

Er lächelte. „Dann lass mich dich küssen."

Ich fand es nicht gut, dass ich meiner Vergangenheit erlaubte, mich zu verschließen. Ich fand es nicht gut, dass ich dadurch nicht in der Lage war, eine normale Beziehung mit einem Mann zu leben, Freunde zu haben, glücklich zu sein. Ich fand es nicht gut, hatte bisher aber nicht die Kraft gehabt, mich dagegen zu wehren.

Ich wollte mich nicht länger machtlos fühlen.

„In Ordnung."

Meine Muskeln verspannten sich wieder, als er mit den Lippen über meinen Körper nach unten wanderte. So sehr, dass ich am nächsten Tag Muskelkater hatte. Sein warmer

Atem liebkoste mich. Ich wartete darauf, dass er mein Vertrauen missbrauchte, sein Versprechen brach, dass er mehr tun würde, als er versprochen hatte.

Dan küsste mich. Warm. Ich sog scharf die Luft ein, meine Brust schmerzte. Er küsste mich noch einmal, und das war es.

„Soll ich aufhören?"

„Nein." Ich hatte einen Arm über meine Augen gelegt, versuchte mich zu entspannen. Dass ich mein Gesicht bedeckte, machte es irgendwie leichter. Das war etwas anderes. Diesmal war es Dan. Es war in Ordnung, dass es sich gut anfühlte. Es sollte sich gut anfühlen. Es war in Ordnung, wenn er mich dort küsste, wenn er mir mit seinem Mund Vergnügen bereitete, denn es handelte sich um Dan. Und das war gut.

Noch ein Kuss. Und als er zum ersten Mal seine Zunge benutzte, schrie ich auf. Ich legte auch den anderen Arm über mein Gesicht. Ich wollte, dass er aufhörte. Ich wollte, dass er weitermachte. Er schob meine Schenkel noch ein wenig auseinander und leckte mich wieder. Diesmal schluckte ich den Schrei hinunter.

Es fühlte sich gut an. Besser als gut. Er war zärtlich und geschickt, seine Zunge bewegte sich so ähnlich wie meine Hände, wenn ich mich selbst streichelte. Sanfte und fließende Bewegungen.

Ich hörte ihn seufzen und verlor mich fast.

Wer jemals etwas getan hat, wovor er sich fürchtet, weil er weiß, dass es auf lange Sicht besser ist, der weiß, wie ich mich fühlte.

„Möchtest du … dass ich aufhöre?"

„Nein", keuchte ich. Ich nahm eine Hand vom Gesicht und berührte seinen Kopf. „Nein, Dan, bitte nicht."

Er brachte mich fast bis zum Höhepunkt und hielt mich dort. Es fühlte sich anders an diesmal, nicht als ob ich fallen, sondern als ob ich fliegen würde. Ich löste mich auf. Mein Herz pochte in meinen Ohren. Ich explodierte nicht, ich zerschmolz. Wurde flüssig, zu einer Lache des Genusses.

Als mir nach einem Moment klar wurde, dass ich wieder atmete, nahm mich Dan fest in die Arme. In seinen Augen glühte Bewunderung.

„Ich möchte mit dir schlafen", flüsterte er.

„Ja, Dan", antwortete ich. „Bitte."

Wir stöhnten beide auf, als er in mich glitt, zum ersten Mal ohne Kondom. Ich hätte nicht gedacht, dass es sich so anders anfühlen würde, aber das Gehirn ist ein völlig unterbewertetes Sexualorgan. Nur zu wissen, dass er sich ohne Kondom in mir bewegte, veränderte alles.

Vorsichtig hielt er inne und vergrub das Gesicht an meinem Hals. „Mein Gott …"

Ich strich ihm über den Rücken, und er stieß tiefer in mich und zog sich vorsichtig wieder zurück. Und dann wieder. Und wieder.

Er stützte sich auf und sah in meine Augen, während er sich schneller bewegte, mein Körper wölbte sich ihm gierig entgegen, um ihn noch tiefer aufzunehmen. Er schrie heiser auf, die Muskeln in seinen Armen und seiner Brust zuckten. Er schloss die Augen.

„Dan", drängte ich ihn. „Ich möchte, dass du kommst."

Er riss die Augen auf. Stöhnte. Sein Körper erbebte, und ich stellte mir vor, wie seine flüssige Hitze mich ganz und gar ausfüllte. Er brach auf mir zusammen, schwer, aber ich genoss sein Gewicht. Er küsste mich auf die Schulter.

Schweigend warteten wir, bis unser Atem sich beruhigte und unser Schweiß trocknete. Er streichelte über meine Hüfte.

„Er war älter als ich", sagte ich. „Und er sagte, dass er mich liebt. Er sagte, ich wäre das schönste Mädchen, das er je gesehen hätte, dass er niemals jemand anderes lieben würde. Dass er sterben würde, wenn er mich nicht bekäme."

„Hast du ihn geliebt?"

„Nicht so, wie er es sich gewünscht hat." Ich schloss die Augen. Vielleicht rechnete er mit Tränen, aber ich wusste genau, dass ich nicht weinen würde. Ich hatte mich in vielerlei Hinsicht von dieser Erinnerung abgetrennt, genauso wie sie mich in anderer Hinsicht nie verließ. „Aber ... ich ließ ihn tun, was er wollte. Er sagte hinterher immer ‚Ich danke dir', als ob es dadurch richtiger würde. Und manchmal wollte er nicht nur, dass ich bestimmte Dinge mit ihm tat, er wollte sie auch mit mir tun. Wie das, was du eben getan hast. Ich habe es später nie mehr zugelassen."

Er küsste mich wieder auf die Schulter. „Wie alt warst du?"

„Als es begann, war ich fünfzehn. Achtzehn am Ende."

Er hielt mich etwas fester. „Warum hat er aufgehört?"

Ich schob die Bettdecke weg und setzte mich auf. „Er hat es ernst gemeint, als er sagte, dass er ohne mich sterben würde."

Ich wartete auf eine Binsenweisheit, ein entsetztes Stöhnen oder einen schockierten Gesichtsausdruck. Doch Dan nahm mich wieder in die Arme. Ich wartete darauf, dass er mich fragte, wer es war, der Mann, der mich so sehr liebte, dass er lieber starb, als ohne mich zu sein. Dan fragte nicht, also sagte ich es ihm nicht.

Es war Sommer, es wurde spät dunkel, und ich war müde. Wir hatten den ganzen Tag unter der heißen Augustsonne auf einem Bauernmarkt verbracht, nun waren wir bei ihm, und ich war zu faul aufzustehen, um nach Hause zu gehen. Das geschah immer öfter – dass ich keine Lust hatte zu gehen. Ich hatte sogar inzwischen eine Zahnbürste bei ihm deponiert und ein paar Kleider.

„Zwei Wahrheiten und eine Lüge", sagte Dan neben mir.

„Du meinst so was wie *Wahrheit oder Pflicht?*" Der Deckenventilator wirbelte. Ich gähnte, zufrieden damit, halb angezogen und halb wach zu sein.

„So was in der Art. Du erzählst mir zwei Wahrheiten und eine Lüge, und ich versuche herauszufinden, welches die Lüge ist."

Er sah so verdammt frisch aus in Anbetracht der Tatsache, dass er den ganzen Tag in der Sonne verbracht hatte, die seine Sommersprossen und die kleinen Fältchen um die Augen verstärkte.

„Wozu?"

„Weil es lustig ist", antwortete er. „Ein nettes Gesellschaftsspiel."

„Wir sind in keiner Gesellschaft." Ich war noch immer zu faul und zufrieden hier auf dem Bett, um schon aufstehen zu wollen.

„Ich habe Höhenangst. Ich habe mal einen Wurm gegessen. Und mein zweiter Vorname ist Ernest."

„Ich hoffe, dass das Letzte eine Lüge ist." Ich rollte mich auf die Seite und legte eine Hand unter die Wange.

„Das kannst du hoffen, es stimmt aber."

„Ich glaube, dass du einen Wurm gegessen hast. Das bedeutet also, dass du keine Höhenangst hast."

„Sehr gut", lobte er mich. „Siehst du, wie es geht? Du bist dran."

„Ich habe einmal das Lied *This is the song that never ends* 157-mal hintereinander gesungen. Ich liebe die Farbe Rot. Und ich war nie in Mexiko."

„Leicht", rief er. „Du hasst Rot."

Ich betrachtete ihn neugierig. „Wieso war das so leicht?"

„Weil du nie Rot trägst."

„Du hast mich überhaupt nie viele Farben tragen sehen."

Dan lächelte. „Stimmt. Aber auf jeden Fall nicht Rot. Davon abgesehen glaube ich, dass du nie in Mexiko warst, wie viele andere Menschen auch. Und du gehörst zu den Menschen, die ganz genau wissen, wie oft sie etwas tun. Damit hast du dich verraten. Das Lied kenne ich allerdings nicht."

„Ich könnte es dir vorsingen", sagte ich. „Aber es hört niemals auf."

Ich drehte mich wieder auf den Rücken und starrte an die Decke. Die Flügel des Ventilators schnitten durch die Luft. Dan rührte sich nicht, er blieb auf seiner Seite und sah mich an. Ich konnte es spüren.

„Du hast das mit dem Zählen mitbekommen?", fragte ich betont beiläufig.

Er streckte die Hand aus und wickelte eine Haarsträhne um seinen Finger. „Ja."

„Ist das so ... offensichtlich?" Ich starrte weiter an die Decke. Sie hatte vierunddreißig Risse.

„Nein. Aber mir ist aufgefallen, dass du immer die Anzahl weißt. Wie oft wir um den Block fahren, um einen Parkplatz zu finden beispielsweise. Oder wie viele Murmeln in
einer Vase sind."

„An dem Tag, als ich sie fallen ließ."

„Genau."

Ich holte tief Luft und versuchte mich nicht darüber zu
ärgern, dass er meine heimliche Obsession herausgefunden
hatte. Diese merkwürdige, peinliche Obsession. Er hatte
mich in so ziemlich jeder sexuellen Stellung gesehen, und
doch kam ich mir auf einmal nackt vor.

„Es gefällt dir nicht, dass ich es weiß."

Ich drehte mich von ihm weg. „Nein, Dan. Wirklich
nicht."

Er drückte sich an meinen Rücken, Hüfte an Hüfte, Schenkel an Schenkel, wir passten zusammen wie Puzzleteilchen.
Als wären wir aus Wachs und dafür bestimmt, zu verschmelzen. Er seufzte.

„Warum, Elle? Wieso ist das wichtig?"

Wie sollte ich ihm erklären, was das Zählen mir bedeutete? Wie ich es dafür benutzte, nicht denken zu müssen an alles, was so wehtat … Ich konnte es ja nicht einmal mir selbst
erklären.

„Weil es mir peinlich ist."

Er schwieg einen Moment. Mir fiel auf, dass unser Kör-
perkontakt ihn nicht zu erregen schien, dass wir einen Punkt
erreicht hatten, wo es behaglich war, miteinander nackt zu
sein. Dass ich mich in seiner Gegenwart nicht länger ver-
wundbar fühlte.

Seine Hände konnten mich genauso sehr besänftigen wie erregen.

Ich schloss die Augen, weil Tränen in ihnen brannten. Dan streichelte mich endlos lange, wortlos, ich wollte von ihm wegrutschen und tat es nicht. Ich wollte aufstehen, mich anziehen und nach Hause zwischen meine sauberen Bettlaken fliehen und zu meinen weißen, nackten Wänden. In die Einsamkeit.

„Elle", meinte er nach einer Weile, „ich habe mir nie etwas gebrochen. Ich bin nie Schlittschuh gelaufen. Und ich bin nicht verliebt."

Ich hatte die Narbe von seinem Fahrradunfall ja gesehen, bei dem er sich ein Bein gebrochen hatte. Und ich kannte Fotos, auf denen er als Kind Schlittschuh lief. „Dan, nicht."

Er schmiegte sich enger an mich und drückte seine Lippen auf eine Stelle zwischen meinen Schultern, die er besonders mochte. „Du bist so schön, Elle. Warum lässt du mich nicht …"

Ich setzte mich auf und schwang die Beine aus dem Bett. „Nein, hör auf, tu das nicht, Dan, du machst damit nur alles kaputt."

Auch er setzte sich auf. „Wieso mache ich alles kaputt? Worum geht es hier sonst, kannst du mir das mal verraten?"

Ich stand auf, um meine Kleider zusammenzusuchen. Ich wollte nicht hören, was er zu sagen hatte. Ich würde einfach nicht hinhören.

„Elle, sieh mich an."

„Es geht um … Sex", antwortete ich. „Es geht um … eine Bekanntschaft, wir haben beide jemanden gefunden, mit dem wir im Bett gut harmonieren. Es ist eine Freundschaft."

„Das ist nicht alles", sagte er.

Hastig zog ich meine Bluse an, der BH war mir zu umständlich. Slip. Den langen Zigeunerrock, den ich auf dem Wochenmarkt getragen hatte. Einen Schuh fand ich, den anderen nicht.

Er beobachtete mich vom Bett aus. „Was machst du da?"

„Ich ziehe mich an."

Ich fing seinen Blick auf. Das Gesicht, das mir trotz meiner Bemühungen so vertraut geworden war, umwölkte sich. Er umschlang seine Knie mit den Armen.

„Ich gehe nach Hause", fügte ich hinzu.

„Warum? Nur weil ich etwas Unbequemes gesagt habe? Deshalb?"

„Ja!" Mit dem Schuh in der Hand starrte ich ihn an. „Ist das nicht Grund genug?"

„Nein, ist es nicht!", rief er aufgebracht.

Ich wich einen Schritt zurück und hielt den einen Schuh in die Höhe wie ein Schutzschild, was so lächerlich war, dass heiße Röte in meine Wangen stieg. Er wirkte beleidigt und wütend.

„Du benimmst dich, als ob ich dich jeden Moment schlagen würde."

„Nein, das glaube ich nicht." Ich sah weg.

„Aber du glaubst, dass ich dir wehtun werde, stimmt's?"

Er klang so verletzt und verärgert, dass ich mich wegdrehen musste. Endlich entdeckte ich auch den zweiten Schuh und schlüpfte hinein. *Eins plus eins ist zwei. Eins plus zwei ist drei.* Ich rechnete schon wieder, aber es war mir egal. Ich brauchte diese Zahlen, diese Aufgabe, diese Ablenkung, damit ich ihn nicht ansehen musste.

„Du tust es schon wieder!", warf er mir vor, sprang aus dem Bett und kam auf mich zu. „Du schließt mich aus."

„Ich muss los."

Ich war schon an der Tür, als er mich am Ärmel erwischte und zurückzerrte. Ich wehrte mich nicht. Er drehte mich zu sich herum. „Elle, warum glaubst du, dass ich dir wehtun werde?"

„Ich glaube nicht, dass du mir wehtun wirst", entgegnete ich schließlich, presste jedes einzelne Wort heraus wie Dornen aus der Haut, die dabei blutige Wunden hinterlassen. „Ich werde dir wehtun."

„Nein, das wirst du nicht." Er legte eine Hand an meine Wange. „Elle, das wirst du nicht."

„Doch." Ich sah ihm in die Augen. „Das werde ich, Dan, das werde ich, ich weiß es einfach …"

„Nein. Du willst mir nicht wehtun."

Ich riss meinen Arm los. „Ich habe ja auch nicht behauptet, dass ich es will. Ich sagte, dass ich es tun *werde!* Ich will nicht, aber es geht nicht anders, genau das wird passieren. Es ist einfach so."

„Es muss nicht passieren."

Wenn er mich angefleht hätte, hätte ich ohne Schwierigkeiten einfach gehen können. Doch er sprach mit mir so, wie er es von Anfang an getan hatte. Als ob er mich besser kennen würde als ich mich selbst. Aber das stimmte nicht.

„Ich muss gehen, Dan, bitte. Mach es mir doch nicht noch schwerer, als es sowieso schon ist."

„Es muss auch nicht schwer sein."

„Du hattest versprochen, dass du nicht …"

Er schüttelte leicht den Kopf und hob die Hände. Mea

culpa, verzeih mir. Ich weiß, aber …"

„Nein!", schrie ich, und dieser Schrei ließ ihn endlich zurückfahren. „Keine Entschuldigungen! Du sagtest, keine Bindung, Dan! Das hast du am Anfang gesagt! Ich habe dich nie im Unklaren darüber gelassen, was ich will, und du hast behauptet … du hast behauptet, du wolltest nicht mehr."

Der Hals war mir so eng geworden, dass ich nicht länger schreien konnte. Ich hatte die Bluse falsch zugeknöpft, vor Wut und Frustration zitterten meine Finger so sehr, dass ich nicht in der Lage war, etwas daran zu ändern. Ich biss die Zähne zusammen, um nicht noch mehr zu sagen. Ich wollte nicht, dass das hier geschah. Und doch würde es geschehen, egal was ich wollte, ich war machtlos dagegen.

„Du warst einverstanden." Ich atmete tief durch. „Du sagtest, du würdest dich nicht verlieben."

Er entgegnete nichts. Stand nur vor mir, ohne sich über seine Nacktheit Gedanken zu machen. Ich wollte diesen Körper nicht sehen, den ich in jeder erdenklichen Weise berührt hatte. Ich nahm eine Jacke von der Garderobe und warf sie ihm an die Brust, damit ich nicht länger mit einem nackten Mann streiten musste.

„Elle, wir haben alles getan, was ein Mann und eine Frau zusammen tun können. Fast alles. Dinge, von denen ich nicht einmal zu träumen gewagt hätte, und die ich nie mit einer anderen Frau tun wollte. Wenn ich aufwache und du nicht neben mir liegst, vermisse ich dich."

„Man vermisst auch eine Katze, wenn sie immer auf dem Kopfkissen schläft und plötzlich beschließt, sich auf einen Stuhl zu legen."

Er stemmte die Arme in die Hüften. „Ich vermisse dich,

wenn du nicht bei mir bist. Wenn ich etwas Lustiges sehe, will ich, dass du es auch siehst. Und wenn nicht, dann will ich dir zumindest davon erzählen, nur um dich lachen zu sehen. Du bist so schön, wenn du lachst, Elle."

„Hör auf! Hör auf, das zu sagen, du weißt, ich mag es nicht!"

Wieder wollte ich zur Tür, wieder stellte er sich mir in den Weg. „Warum kannst du mich nicht hineinlassen?"

„Du warst mindestens hundertmal in mir."

Ich wusste, wie grausam diese Worte waren. Mein Tonfall war sogar noch grausamer.

„Du lässt dich von mir vögeln", sagte er leise. „Aber du lässt mich nie in dich hinein. Nicht wirklich."

„Tut mir leid."

„Dann geh nicht. Bleib hier. Ich mache uns Popcorn."

„Ich werde es zählen", warnte ich ihn und ließ es zu, dass er mich in die Arme zog.

„Ich werde dir helfen", sagte Dan. „Bei jedem einzelnen Korn."

Ich drückte mich an ihn. „Es tut mir leid, Dan."

„Pssst. Das muss es nicht."

Ich hatte das Buch aus einer Laune heraus gekauft und Dan geschenkt. *Dreihundertfünfundsechzig Liebesstellungen* mit so kreativen Namen wie „Wiege der Lust" und „Wonnige Schaufel". Dan lachte, als er es sah, begann aber auch umgehend, darin herumzublättern. „Diese hier?"

Ich betrachtete die Zeichnung von einem Mann und einer Frau, die sich gleichzeitig mit dem Mund befriedigten. „War ja klar." Ich lachte.

„Sieht das nicht nach viel Spaß aus?"

„Nein." Ich nahm ihm das Buch aus der Hand und blätterte so lange, bis ich etwas Besseres fand. „Das hier."

„Dafür bräuchten wir einen Schaukelstuhl."

Ich warf einen betonten Blick in die Ecke seines Schlafzimmers, wo ein Rattanstuhl unter einem Berg von Kleidern und Zeitschriften fast ganz verschwand. Er brauchte eine Sekunde, um zu verstehen, eine halbe, um zu grinsen. Und nur eine Bewegung, um seinen Gürtel zu öffnen, den Reißverschluss aufzuziehen und die Hose abzustreifen.

Ich beobachtete ihn vom Bett aus, das Buch noch immer in den Händen. „Du bist ein derartiger Lüstling."

Er lachte ungerührt. „Genau deswegen liebst du mich doch."

Ich ignorierte diese Behauptung, warf das Buch zur Seite, stand auf und zog mein Hemd über den Kopf. Meine Brustwarzen hatten sich aufgerichtet, ich war schon ganz feucht. Seit fünf Monaten waren wir ein Liebespaar. Ich wollte ihn nicht lieben. Aber ich konnte nicht aufhören, mit ihm zu schlafen.

Dan setzte sich auf den Stuhl. Sein Penis ragte auf, er streichelte sich sanft, während er mir beim Ausziehen zusah. Es war nicht gerade ein perfekter Striptease, doch die Glut in seinen Augen bewies mir, dass es nicht darum ging, sich in hochhackigen Stiefeln um eine Stange zu winden.

„Warte."

Ich hatte gerade die Daumen unter den Bund meines Slips geschoben.

„Dreh dich um."

Das tat ich, und mein Herz setzte kurz aus, als er aner-

kennend durch die Zähne pfiff. Ich hatte mir einen Tanga gekauft, der viel bequemer zu tragen war, als ich mir hätte träumen lassen.

„Himmel", murmelte er. „Jetzt lass mich dich von vorne
sehen."

Ich gehorchte gern. Der Tanga war aus dünner hautfarbe-
ner Spitze, die so perfekt zu meinem Hautton passte, dass ich
fast nackt darin wirkte.

„Lass ihn an." Er streichelte sich schneller und lehnte sich
zurück.

Langsam ging ich auf ihn zu, setzte mich auf seinen Schoß
und schob die Beine durch die Armlehnen hindurch.

„So viele Stellungen, und ausgerechnet diese hast du dir
ausgesucht?" Er neigte den Kopf, um mich zu küssen.

„Das macht Spaß", entgegnete ich düster. „Sei nicht so
pessimistisch."

„Elle, mit dir macht alles Spaß."

Ich konnte ein erfreutes Lächeln nicht unterdrücken. Er
griff zwischen uns, um den dünnen Spitzenstoff meines Tangas zur Seite zu schieben, ich umfasste seinen Schwanz und
dirigierte ihn aufseufzend in mich hinein.

„Sehr schön", sagte er, als ich wieder auf ihm saß, er streichelte meine Brüste, schob den BH zur Seite und begann sie
zu küssen.

„Dann kannst du mir den BH auch gleich ganz ausziehen", sagte ich.

„Psst!", befahl Dan mit den Lippen an meiner Haut. „Be-
sorg's mir!"

Das war nicht besonders elegant ausgedrückt, doch ich
reagierte sofort auf seine Worte, ich presste die Muskeln in

meinem Schoß zusammen und lächelte erneut, als er leise auf-stöhnte. Ich tat es wieder und brachte den Stuhl mit den Fü-ßen zum Schaukeln.

Müheloser Sex. Die Bewegungen des Stuhls statt seiner Stöße. Und ich musste nichts anderes tun, als den Stuhl wei-ter anzuschubsen. Wir schaukelten, die Spitze des Tangas rieb auf eine Weise über meine Perle, dass ich erbebte und leise wimmerte, dann warf ich den Kopf zurück, während er an meiner Brustwarze saugte.

Ich war fast so weit, als mein Telefon klingelte. Dan sah mit gerötetem Gesicht von meinen Brüsten auf. Wir hörten nicht auf zu schaukeln. Das Telefon klingelte weiter.

„Mailbox", murmelte ich zu nahe am Höhepunkt, um auch nur einen einzigen Gedanken daran zu verschwenden, ranzugehen.

Er nickte und nahm meine Brustspitze wieder zwischen die Lippen. Der Stuhl schaukelte heftiger, drückte ihn tiefer in mich. Gerade wollte ich eine Hand zwischen uns schieben, um mich zu streicheln, als er schon seinen Daumen auf mich legte. Ich seufzte vor Lust.

Mein Telefon klingelte erneut. „Leck mich", murrte ich.

„Das tue ich gerne", sagte Dan, und wir mussten lachen.

Es war dieses Lachen, das mich kommen ließ, seine un-angestrengte, lockere Art. Ich kam mit einem Keuchen und krallte mich in seine Schultern. Mein Telefon klingelte wie-der, und dieses Mal war ich mehr als verärgert.

Dan kam einen Augenblick später und mit einem Stoß, der den Schaukelstuhl über den polierten Holzfußboden glei-ten ließ. Wir lehnten uns aneinander, atmeten im gleichen Rhythmus, und da klingelte es wieder.

„Ich sollte besser rangehen."

„Kommst du dran?" Dan umfasste meine Hüften. „Ich halte dich."

Natürlich wäre es leichter gewesen, aufzustehen, stattdessen bog ich mich zurück, erreichte den Griff meiner Tasche mit einem Finger und zog sie zu mir.

„Du bist ganz schön gelenkig", bemerkte Dan. „Ich glaube, in dem Buch gibt es ein paar Stellungen, die du gut hinbekommen könntest."

Ich lachte, obwohl die vielen Anrufe dafür gesorgt hatten, dass mein Magen sich zusammenkrampfte. Ein Anruf wäre nicht ungewöhnlich gewesen. Vier Anrufe hintereinander konnten nur von meiner Mutter kommen. Ich rief die Mailbox ab, lauschte den Nachrichten, löschte sie. Seelenruhig. Ohne irgendeine Reaktion zu zeigen. Dachte ich zumindest. Aber da sagte er: „Du bist gerade kreidebleich geworden." Er rieb meine Arme. „Was ist passiert?"

„Es geht um meinen Dad", sagte ich mit einer Stimme, die sich nicht nach meiner anhörte. „Er liegt im Sterben."

17. KAPITEL

Wenn ich die Wahl gehabt hätte, hätte ich mich von Dan nicht begleiten lassen. Aber er fragte mich erst gar nicht, und so saß ich frisch geduscht auf dem Beifahrersitz seines Wagens, bevor ich überhaupt richtig zum Nachdenken kam. Es war gut, dass er fuhr, ich hätte bestimmt einen Unfall gebaut. Ich schaffte es nicht einmal, mich anzuschnallen, so sehr zitterte ich. Er musste mir helfen.

Wir kamen gerade noch so rechtzeitig im Krankenhaus an, dass ich ihm Lebewohl sagen konnte. Obwohl ich nicht viel zu sagen hatte. Meine Mutter wachte an seinem Bett und wollte sich als künftige trauernde Witwe nicht von der verlorenen Tochter ausstechen lassen.

Ich tat, was ich konnte. Ich setzte mich an seine Seite und nahm seine Hände, die sich so trocken und spröde wie dürre Äste anfühlten. Das war der Mann, der mir das Lesen beigebracht hatte. Der mit mir Angeln gegangen war und mir gezeigt hatte, wie man einen Köder am Haken befestigte. Oder wie man durch zwei Finger pfiff wie ein Junge. Das war der Mann, der mich an meinem ersten Schultag zur Bushaltestelle gebracht und anstelle meiner Mutter geweint hatte.

Dieser Mann war mein Vater.

Er starb, ohne noch ein paar letzte weise Worte von sich zu geben. Ohne seine Augen zu öffnen. Ich wartete auf irgendeine Reaktion. Etwas. Ein Zeichen, dass er mich bemerkte. Dass es ihm wichtig war. Dass es ihm leid tat vielleicht oder auch nicht. Ich wartete auf ein Zugeständnis, aber er ging einfach, ohne mir etwas zurückzulassen. Und ich war wütend, enttäuscht und krank vor Trauer, aber ich war nicht überrascht.

Meine Mutter bemerkte erst, dass er gestorben war, als ich seine Hände losließ und aufstand. Sie betrachtete mich mit zusammengekniffenen Augen und einem kleinen, bösen Lächeln. „Feigling", sagte dieser Blick. „Du läufst schon wieder davon."

„Er ist tot, Mutter." Meine Worte klangen kälter, als ich beabsichtigt hatte.

Sie sah ihn an. Dann begann sie zu jammern. Sie fiel auf die Knie und heulte wie eine Todesfee, allerdings wie eine, die zu spät gekommen war und die Lebenden nicht mehr vor dem Tod warnen konnte.

Krankenschwestern kamen ins Zimmer gestürzt, ich wurde zur Seite gestoßen, aus dem Zimmer geschoben, niemand kümmerte sich um mich in dieser lärmenden Geschäftigkeit, was mir sehr recht war. Ich hatte in diesem Zimmer nichts mehr zu suchen. Ich hörte, wie meine Mutter gebeten wurde, sich zu beruhigen. Ich hörte, wie vorgeschlagen wurde, ihr „etwas zu verabreichen". Kurz darauf Stille, doch ich war bereits am Ende des Flurs angekommen, stieß die Tür zum Wartezimmer auf, wo Dan auf einem Sofa in der Farbe von Erbrochenem saß und Kaffee trank.

„Elle." Er sprang auf die Füße. „Wie geht es ihm?"

„Er ist tot", sagte ich hohl. „Und meine Mutter führt sich auf wie der Heilige Geist höchstpersönlich."

Er schnitt eine Grimasse, breitete die Arme aus, aber ich wich zurück. „Ich brauche was zu trinken."

Er hielt mir den Kaffee hin, doch ich schüttelte den Kopf. Unsere Blicke trafen sich. Ich weiß nicht, was er in meinen Augen sah, denn in diesem Moment hatte ich den Eindruck, überhaupt nichts zu fühlen. Wahrscheinlich war ich wütend, aber die Erinnerung ist unklar, als ob man unter Wasser etwas betrachtet.

„Gegenüber gibt es eine Kneipe", sagte er.

„Das ist irgendwie immer so, nicht wahr?", war meine ach so kluge Antwort, und ich ließ mich von ihm dorthin bringen wie bei unserem allerersten Treffen.

Ich fand es passend, einen Toast auf meinen Vater mit Gin Tonic auszubringen, schließlich handelte es sich dabei um sein Lieblingsgetränk. So unglaublich betrunken bin ich noch nie gewesen. Abgefüllt. Besoffen. Dicht. Oder, wie mein Vater so gern sagte, bevor der Alkohol ihm die Lust an Gesprächen genommen hatte, besonders gut durchfeuchtet.

Ich erinnere mich daran, wie ich die Kneipe betrat, einen hübschen kleinen Laden namens *The Clover Leaf.* Ich erinnere mich nicht daran, wie ich sie wieder verließ. Irgendwie bilde ich mir ein, dass ich singend durch dunkle Straße lief, aber womöglich war das nur ein Traum. Wie auch immer, das, woran ich mich als Nächstes erinnere, ist die Innenansicht einer Toilettenschüssel und das Rauschen von Blut in meinen Ohren, während ich würgte.

Dan, der mich einfach nach Hause hätte fahren und dort allein lassen können, blieb die ganze Zeit bei mir. Er brachte mir Gingerale und Salzstangen, woraufhin ich mich umgehend wieder übergab. Er hielt mir das Haar zurück, dann fand er in meiner Nachttischschublade ein Haargummi und band mir einen Pferdeschwanz. Er legte mir feuchte Handtücher in den Nacken, aber die meiste Zeit streichelte er mir einfach den Rücken, während ich heulte oder mich erbrach oder manchmal beides gleichzeitig.

Für Redewendungen gibt es immer einen guten Grund. Meistens sind sie wahr. Dass es vor Tagesanbruch immer am dunkelsten ist, erfuhr ich in dieser Nacht, als ich mir die Seele aus dem Leib kotzte. Als ich jegliche Kontrolle verlor.

Er legte mir ein Handtuch unter den Kopf und breitete eine Decke über mir aus. Ich schlief in meinen Klamotten, wachte mit Muskelkater und hämmerndem Schädel auf, mein Magen rumorte, drehte sich aber nicht um. Dan schlief neben mir auf der Toilette sitzend, eingeklemmt zwischen der Badewanne und dem Schrank. Sein Kopf war nach vorn gefallen. Er schnarchte.

Als ich mich bewegte, öffnete er die Augen. „Hey."

Ich schwieg, aus Angst, den Mund zu öffnen. Aus Angst, mich zu sehr zu bewegen. Ich hatte das Gefühl, mein Kopf müsse explodieren, was vielleicht ein Segen gewesen wäre, so wie er schmerzte.

Dan beugte sich vor. „Wie geht es dir?"

Ich schluckte und schnitt eine Grimasse. „Ich fühle mich wie ein Stück Scheiße."

Er betrachtete mich mitfühlend. „Du hast ziemlich viel getrunken."

„Allerdings."

Ich rieb mir die Augen, zog die Knie an und ließ meine Stirn darauf sinken. Der Kachelboden war kalt, aber ich konnte mich nicht überwinden, aufzustehen. Ich war noch immer todmüde.

Und mein Vater war noch immer tot.

Ich wartete darauf, dass Trauer mich übermannte, aber dafür hatte ich mich Stunden zuvor viel zu sehr betäubt. Dan legte eine Hand auf meinen Rücken.

„Warum gehst du nicht unter die Dusche? Vielleicht fühlst du dich dann besser."

Ich hob den Kopf. „Du warst die ganze Nacht bei mir."

Lächelnd strich er mir eine Haarsträhne aus den Augen. Bei der Vorstellung, wie ich wohl aussah, krümmte ich mich zusammen. Schweißnasses Haar, Augenringe, fahle Haut. Doch ihm schien es nicht aufzufallen.

„Natürlich. Ich konnte dich doch nicht allein lassen. Ich habe mir Sorgen um dich gemacht."

Als ich die Zärtlichkeit in seinem Blick sah, rührte sich mein Magen wieder, aber ich hatte nicht das Gefühl, mich übergeben zu müssen. Er drückte kurz meine Schulter und stand auf.

„Komm schon. Ich stell sie dir an."

Er drehte das Wasser genau auf die richtige Temperatur, nicht zu heiß und nicht zu kalt. Wie eine alte Frau hielt ich mich am Waschbecken fest. Der Raum drehte sich, schnell schloss ich die Augen, biss die Zähne zusammen und versuchte, ein neuerliches Würgen zu unterdrücken. Zentimeter für Zentimeter schlurfte ich über die Fliesen zur Dusche. Er half mir hinein.

Sofort sank ich auf die Knie, die Stirn legte ich auf meine Hände auf dem Boden. Das war meine Lieblingsposition, beinahe fötal, ich konnte mich ausruhen, während das Wasser auf mich prasselte. Wenn ich gewollt hätte, hätte ich mich auch mit angezogenen Beinen flach auf den Rücken legen können, denn bei der Renovierung hatte ich eine übergroße Duschwanne einbauen lassen. Manchmal habe ich sogar schon so geschlafen, während heißes Wasser die Welt um mich herum aussperrte. So mochte es sich vielleicht einmal in der Gebärmutter angefühlt haben.

So erschöpft wie ich war, hätte ich auch jetzt einschlafen können, doch dann hörte ich den Vorhang rascheln. Dan kam in die Dusche. Ich rutschte nicht zur Seite, um ihm Platz zu machen.

„Elle, alles in Ordnung?"

„Ja, mir geht's gut."

„Das sieht aber nicht so aus."

Ich hielt den Kopf in den Wasserstrahl. „Mein Vater ist gerade gestorben, Dan, und ich habe ein Besäufnis hinter mir. Wie gut sollte es mir deiner Meinung nach gehen?"

„Okay, kapiert. Das war eine dumme Frage …"

„Ganz genau."

Er griff nach Duschgel und Waschlappen und fuhr über meinen Rücken. Es fühlte sich zu gut an, um ihn abzuwehren. Kurz darauf wusch er mir das Haar, was bestimmt nicht einfach war, da ich ihm überhaupt nicht half. Danach massierte er mit kräftigen Fingern eine Spülung ein. Er massierte auch meine Schultern und meinen Rücken. Als das Wasser kalt wurde, war ich so schlaff wie eine Ragdoll-Katze. Er trocknete mich mit solcher Zärtlichkeit ab, dass ich am liebsten wieder geweint hätte. Ich tat es nicht, ich wollte es nur.

Dann wickelte er mich in meinen Bademantel und führte mich ins Schlafzimmer. Gemeinsam legten wir uns in das frisch bezogene, duftende Bett. Ich schloss die Augen, hörte seinen Atem und schlief sofort ein.

Natürlich gab es eine Beerdigung und hinterher eine Zusammenkunft in meinem Elternhaus. Die perfekte Bühne für meine hysterische Mutter, um ihren Schmerz vor Publikum auszuleben. Aber das war schon in Ordnung. Sie mochte vielleicht keine perfekte Mutter oder Ehefrau gewesen sein, aber immerhin war sie mit diesem Mann verheiratet gewesen. Sie war bei ihm geblieben. Sie hatte sich ihre Märtyrerinnenkrone redlich verdient.

Obwohl die Leiche meines Vaters vermutlich genug Alkohol in sich hatte, um für mindestens ein Jahr lang haltbar zu sein, verlor sie keine Zeit. Ich konnte ihr nicht vorwerfen, dass sie es nicht erwarten konnte, ihn unter die Erde zu bringen. Ich verstand diese Eile, dieses Bedürfnis, das Schlimmste so schnell wie möglich hinter sich zu bringen, um weitermachen zu können. Das hatte ich von ihr gelernt.

„Wann kommst du nach Hause?" Ihre Stimme erdolchte mich durchs Telefon.

„Ich habe es dir bereits gesagt, Mutter. Morgen früh."

„Bringst du diesen Mann mit?"

Ich seufzte. Buttergelbes Licht strömte durch mein Küchenfenster. Ich fuhr das Muster, das es auf dem Tisch machte, mit dem Ende meines Stifts nach.

„Ich weiß noch nicht. Vielleicht."

Daraufhin schwieg sie tatsächlich mindestens dreißig Sekunden lang. „Erwarte bloß nicht, dass du mit ihm in einem Zimmer schlafen kannst. Nur weil Daddy nicht mehr da ist, bedeutet das noch lange nicht, dass ich dich in meinem Haus schmutzige Dinge treiben lasse."

„Mutter, ich sagte doch, dass ich nicht über Nacht bleibe."

Ich hörte, wie ihr Feuerzeug aufschnappte und sie dann tief inhalierte. Ich stellte mir vor, wie sie den Rauch in die Lungen sog, ihn dort hielt und dann durch die Nase wieder ausstieß. Dann schlürfte sie etwas, vermutlich Kaffee, und ich schloss die Augen gegen die plötzlich aufsteigende Trauer, dass jemand, den ich so gut kannte, mir immer und immer wieder so viel Schmerz zufügte.

„Die Beerdigung ist um zehn Uhr morgens. Danach kommen die Leute direkt hierher. Es wird spät werden, und du wirst dich betrinken."

„Dann ist es umso besser, dass ich einen Fahrer dabeihabe, nicht wahr?" Ich versuchte ihre Beleidigung zu übergehen, aber sie hatte mich getroffen. Sie wusste nur zu gut, wo meine wunden Stellen waren.

„Ach, dein *Freund* trinkt also nicht?" Sie sprach das Wort „Freund" wie eine Beleidigung aus.

„Doch. Mach dir keine Gedanken um uns, Mutter."

Sie schnaubte leise, ich hörte, wie ihre langen Fingernägel gegen etwas Hartes klackten. Vermutlich gegen ihren Kaffeebecher mit einen Bild von Andrew drauf. Ihre Lieblingstasse.

„Ich brauche dich aber", flehte sie nach einem Moment. „Du musst mit mir am Sonntag in die Messe gehen."

„Ich gehe nicht in die Messe. Das weißt du."

„Sie werden dich schon nicht verjagen, Elspeth", entgegnete sie scharf. „Es würde dir sicher nicht schaden, mal zu beichten, weißt du. Dich selbst reinzuwaschen."

Ich umklammerte den Hörer. „Ich brauche keine Sünden zu beichten, die nicht meine sind."

Sie lachte. Als ich jünger war, dachte ich immer, das Lachen meiner Mutter klänge wie ein Glockenspiel. Ich dachte, sie wäre eine Märchenprinzessin, wunderschön und perfekt, ihr Liebe unerreichbar. Ihr Lachen hatte sich nicht verändert, aber meine Empfindung. Für mich klang es jetzt wie ein rostiges Eisentor, das sich nicht mehr ganz öffnen lässt. So ein Tor, an dem man sich die Kleider zerreißt, wenn man durchzuschlüpfen versucht.

„Ich komme morgen früh", sagte ich. „Wir treffen uns vor der Kirche."

„Wenigstens weiß ich, dass du ein schwarzes Kleid besitzt", versetzte sie. „Und leg um Himmels willen etwas Make-up auf. Versprich mir, dass du mich nicht in Verlegenheit bringst."

„Nicht mehr als du dich selbst", erwiderte ich und hörte zugleich schuldbewusst und befriedigt, wie sie schnüffelte, und dann, ohne sich zu verabschieden, auflegte. Das störte mich nicht. Ich hatte noch einen weiteren Anruf vor mir, einen, vor dem ich mich fast genauso sehr fürchtete. Ich lauschte dem Anrufbeantworter und musste bei Chads fröhlicher Stimme lächeln. „Hey, hier spricht Chad. Hör auf, dir zu wünschen, ich zu sein, und hinterlass mir einfach eine Nachricht."

„Chaddie, hier ist Elle. Dad ist tot. Die Beerdigung ist am Samstag. Also morgen. Es gibt eine Totenwache. Ich finde, du solltest kommen, Chad."

Ich fand es angenehmer, auf seinen Anrufbeantworter zu sprechen, als ihn persönlich zu bitten. Was die Neuigkeit über unseren Vater betraf, so ging sie mir so leicht über die Lippen wie die Todesnachricht eines Haustiers oder eines Fremden.

„Natürlich erwartet sie, dass ich mit zum Friedhof komme, und ich schätze, das werde ich wohl müssen. Ich könnte dich jetzt wirklich brauchen, kleiner Bruder." Der Hals wurde mir eng, und ich musste mich ein paarmal räuspern, bevor ich weitersprechen konnte. „Sie will, dass ich nach Hause komme, und das werde ich auch. Ich finde, ich sollte hingehen, ich meine, ich denke, ich muss, es ist wohl das Richtige. Ich weiß, dass du lieber nicht kommen möchtest, Chad, aber das ist unsere letzte Möglichkeit, uns von ihm zu verabschieden. Vielleicht wäre das auch für dich gut."

Ich wusste nicht, ob sein Anrufbeantworter eine zeitliche Begrenzung hatte, doch bisher hatte ich noch kein Piepsen gehört. „Ich bringe Dan mit", fuhr ich fort. „Wenn du kommst, wirst du ihn kennenlernen. Okay, bitte ruf mich auf dem Handy an, ich werde morgen früh zu Mom fahren. Die Beerdigung ist bei St. Mary's, die Trauergesellschaft dann zu Hause. Ich hab dich lieb. Melde dich."

Ich legte auf, und obwohl mein Telefon ein paarmal klingelte, war es nicht mein Bruder.

„Ich bin nicht katholisch. Ist das schlimm?" Dan beäugte die Kirche besorgt.

„Für mich nicht." Ich holte tief Luft und richtete noch einmal den Kragen meines schwarzen Anzugs. Ich hatte mir nicht extra etwas Neues kaufen müssen, mein Schrank war noch immer voll mit schwarzer und weißer Garderobe. Aber diesen Anzug hatte ich schon eine Weile nicht mehr getragen, und er war mir ein wenig zu weit geworden. Es ging nicht um meine eigene Eitelkeit, sondern darum, dass meine Mutter mit Adleraugen nach fehlenden Knöpfen, lockeren Fäden und abgelaufenen Absätzen Ausschau halten würde. Es hätte mich nicht verwundert, wenn sie eine Farbpalette vor mein Gesicht gehalten und verkündet hätte, dass mein Lippenstift nicht zu meinem Teint passte.

„Du siehst gut aus." Dan drückte meine Schulter. „Bist du bereit?"

„Du solltest gehen." Ich sah ihn an. In meinen Händen zerdrückte ich ein Taschentuch zu einem Ball. „Geh. Du musst das nicht mitmachen. Es wird lange dauern und wirklich langweilig sein."

Dan runzelte die Stirn. „Elle, das macht mir nichts aus. Ich möchte für dich da sein."

Meine Finger öffneten und schlossen sich schneller. „Dan, ich weiß das wirklich zu schätzen, wirklich, aber vielleicht sollte ich besser allein gehen. Meine Mutter …"

„Deine Mutter braucht dich jetzt", unterbrach er mich sanft. Er nahm meine Hand mit dem Taschentuch in seine. „Aber du brauchst auch jemanden, der für dich da ist. Du möchtest, dass ich bleibe."

Das konnte ich genauso wenig abstreiten wie alles andere, was er mir bisher gezeigt hatte. Ich ließ die Schultern sinken, und er nahm mich in den Arm.

„Komm", sagte er nach einem Moment mit seinen Lippen in meinem Haar. „Inzwischen scheinen alle schon drin zu sein."

Ich nickte. Er trug heute eine schlichte schwarze Krawatte. Ich vermisste die Forellen oder die Hula-Tänzerinnen. „Gut, ich bin bereit."

Er hob mein Kinn an. „Elle, ich bin für dich da, okay? Wenn du irgendetwas brauchst, dann lass es mich wissen."

Dan lächelte, und wie meistens lächelte ich zurück. St. Mary's ist keine große, aber wunderschöne Kirche. In dieser Kirche hatte meine Kommunion stattgefunden. Dort ging ich zur ersten Beichte und zu allen weiteren. Ich hatte meine

Kindheit unter dem Blick der Heiligen Jungfrau verbracht, und als ich die schwere Holztür aufdrückte und den Duft nach Weihrauch einatmete, fühlte ich mich sofort zurückversetzt.

Dans Hand passte gut unter meinen Ellbogen. Ich tauchte die Finger in das Weihwasser, dessen ölige Konsistenz mir bestätigte, dass es sich nicht einfach nur um Wasser handelte, sondern um mehr, um etwas Göttliches, dann drückte ich sie an meine Stirn, an den Hals und an beide Schultern.

Vater McMahon hatte bereits angefangen, und mehrere Köpfe drehten sich um, als Dan und ich den Gang entlanggingen bis zur ersten Reihe, wo meine Mutter wartete. Vielleicht war es ein Sakrileg, dass ich mich mit Dan fühlte wie Hänsel und Gretel, die durch den Wald zum Hexenhaus liefen. Aber nachdem das Weihwasser nicht zu kochen begonnen hatte, als ich es mit meinen Fingern berührte, würde Gott diese harmlose kleine Einbildung sicher auch verzeihen. Außerdem, überlegte ich, als ich niederkniete und wieder das Kreuz schlug, war der Vergleich fehlerhaft. Hänsel und Gretel hatten von dem drohenden Unheil schließlich nichts gewusst. Ich hingegen hatte eine ziemlich klare Vorstellung davon, was mich erwartete.

Dan hinter mir zögerte, dann rutschte er, ohne vorher diese schnelle, kniende Verbeugung zu machen, die die Katholiken perfektioniert haben, neben mich auf die Bank. Ich hörte, wie die Nachbarin meiner Mutter, Mrs. Cooper, ihrem Mann etwas zuflüsterte, aber ich drehte mich nicht zu ihr um. Mrs. Cooper hatte früher Kekse für mich gebacken und mir das Häkeln beigebracht. Ich hatte sie seit zehn Jahren nicht mehr gesehen.

Meine Mutter packte meinen Arm in der Sekunde, in der ich mich gesetzt hatte, und hing an mir wie an einem Rettungsseil über dem Abgrund. Dan ignorierte sie vollkommen, aber eine Totenmesse war wohl auch nicht der richtige Zeitpunkt, um die beiden einander vorzustellen. Wieder fühlte ich mich in die Vergangenheit zurückversetzt. Ich hatte ganz vergessen, wie die vertrauten Worte mich früher immer besänftigt hatten oder wie die bunten Lichtstrahlen durch die Kirchenfenster sich zu Zahlen mit perfekten Quadratwurzeln summierten. Ich hatte vergessen, wie man sich in einer Religion verlieren konnte, wie die Gedanken stillstanden. Vielleicht hatte mein Verstand vergessen, wie man betete, aber mein Herz nicht. Ich murmelte die Worte, zählte die Perlen an meinem Rosenkranz.

Ich spürte Dans Anwesenheit, obwohl er kaum einen Ton von sich hab. Er hielt auch nicht meine Hand und griff nicht zum Gebetbuch. Er beobachtete das Geschehen mit Interesse, als ob er nie zuvor eine Messe besucht hätte, seine Augen folgten den Bewegungen des Pfarrers, der vor dem Altar hin und her schritt, wie bei einem Tennismatch. Als das Weihrauchgefäß geschwenkt wurde, nieste er leise.

Ich sah ihn an. Wir lächelten beide. Ich reichte ihm mein Taschentuch. Danach hielt er meine Hand, obwohl meine Mutter neben mir vorwurfsvoll schnüffelte und noch lauter heulte.

Mein Vater war eines von sieben Kindern und das erste, das starb, daher wurden viele Reden gehalten, bevor die Totenmesse vorbei war, und es hieß: „Gehet hin in Frieden." Ich konnte es nicht verhindern, dass die Besucher an mir vorbeiliefen und ihr Beileid aussprachen. Dan ließ ebenfalls Umarmungen und Händeschütteln über sich ergehen, von Leuten, die davon ausgingen, dass er einen guten Grund hatte, hier zu sein. Ich war froh, dass er an meiner Seite war wie eine Boje, die mich über Wasser hielt. Als schließlich der letzte Trauergast die Kirche verlassen hatte, taten mir Füße und Rücken weh, genauso wie mein Gesicht, von dem Versuch, zugleich traurig und freundlich zu wirken. Ich hatte Kopfschmerzen und einen steifen Nacken.

„Ich habe uns einen Wagen gemietet", sagte meine Mutter steif, „weil ich wusste, dass du wohl kaum fahren würdest."

„Ich hätte Sie gerne gefahren, Mrs. Kavanagh." Das waren die ersten Worte, die Dan an meine Mutter richtete, und ich versteifte mich in der Erwartung, dass sie ihm den Kopf abreißen würde.

Das tat sie nicht, aber sie war eine Meisterin, sie konnte ihre Feinde locker in falscher Sicherheit wiegen. „Ich danke Ihnen, Mr. …?"

„Stewart."

„Mr. Stewart", sagte sie mit gebieterisch erhobenem Kinn, um ihrer Empörung darüber Ausdruck zu verleihen, dass sie überhaupt fragen musste. Das Auto, das sie gemietet hatte, war groß, schwarz und auffällig, doch heute war ich über ihre Großspurigkeit froh, denn somit gab es genug Raum für uns alle drei. Es hätten auch noch zwei weitere Personen in den Wagen gepasst … aber die beiden waren nicht da.

„Also, Mr. Stewart", sagte meine Mutter ohne Umschweife. „Wie fanden Sie die Totenmesse?"

„Sie war sehr schön", entgegnete Dan diplomatisch.

„Wie ich bemerkte, haben Sie nicht mitgebetet", fuhr meine Mutter fort.

Ich stöhnte. „Mutter, um Himmels willen …"

„Ich wäre dir dankbar", rief sie und rieb mir mit den Fingerknöcheln hart übers Knie, „wenn du auf deine Wortwahl achten würdest."

Wertvoller Ratschlag von einer Frau, die einmal in meinem Kinderzimmer gestanden und gebrüllt hatte, ich sei eine nichtsnutzige Hure, die in der Hölle verrotten würde. Ich starrte sie an, aber Dan schien unbeeindruckt.

„Nun, nein, ich bin nicht katholisch. Ich fand es nicht angebracht, zu beten. Ich bin hier, um Elle zu unterstützen."

Schniefend lehnte sie sich im teuren Ledersitz zurück. „Was sind Sie? Lutheraner? Methodist?"

„Nein." Dan schüttelte lächelnd den Kopf. „Ich bin Jude."

Zum ersten Mal in ihrem Leben schien meine Mutter nichts zu sagen zu haben. Mein Mund klappte auf. Er betrachtete uns beide mit Belustigung in den Augen.

„Verstehe", sagte meine Mutter, die bestimmt überhaupt nichts verstand. Und die bestimmt noch nie in ihrem Leben einen Juden getroffen hatte. Es überrascht mich, dass sie nicht begann, auf seinem Kopf nach Hörnern zu suchen.

Dans Eröffnung ließ meine Mutter schweigen, bis wir den Friedhof erreicht hatten. Hier waren nicht mehr so viele Leute wie in der Kirche. Das war gut, umso weniger Hände musste ich schütteln. Und umso weniger Umarmungen aushalten.

Wir stiegen aus dem teuren Wagen, und in meinem Magen tat sich ein großes Loch auf. Jetzt war ich es, die über einem Abgrund hing, und Dan war mein Rettungsseil. Während meine Mutter gefasst den kleinen Kiesweg auf das offene Grab zumarschierte, umklammerte ich Dans Hand so fest, dass meine Nägel sich in seine Haut gruben. Ich musste mich von dem Anblick abwenden.

„Rosen", sagte ich durch zusammengepresste Zähne hindurch.

Er blickte den kleinen Hügel hinab, dann stellte er sich zwischen mich und den Anblick. „Weiß sie nicht, dass du dagegen allergisch bist?"

Diese Lüge hatte ich ganz vergessen, sie war ja nur eine von vielen.

„Doch, das weiß sie."

Er legte eine Hand auf meinen Oberarm. „Dann gehen wir eben nicht zum Grab."

„Das muss ich aber, es ist die Beerdigung meines Vaters, sie erwartet, dass ich …"

Ich wusste, dass ich plapperte, aber irgendwie konnte ich nicht aufhören. Dan schüttelte mich leicht. „Du musst überhaupt nichts tun, was du nicht willst, Elle."

Zitternd holte ich Luft. Die Sonne schien auf sein Gesicht, ich sah die Sommersprossen und die Fältchen um seine Augen. In den blaugrünen Augen tanzten goldene Punkte.

„Wir können auch von hier oben zuhören", erklärte er. „Du musst nicht zum Grab, wenn du nicht willst."

Er hatte recht, und vor allem rührte er sich nicht von der Stelle. Ich redete weiter etwas von Pflicht und Respekt und Ehre und Erwartungen vor mich hin. Er hörte sich alles an, trat aber trotzdem nicht zur Seite, um mich vorbeizulassen.

„Du musst das nicht tun", sagte er erneut. Er strich mir übers Haar. „Es ist schon in Ordnung."

Es war nicht in Ordnung. Überhaupt nichts war in Ordnung. Alles war falsch, alles, und ich wusste, dass ich den

Preis für meine Feigheit noch zu zahlen hatte, wenn nicht sofort, dann später. So war es immer.

Ich habe eine große und laute Familie. Die meisten sind sehr fröhlich und Alkoholiker. Alkohol ist das Band, das sie alle zusammenhält, die munteren irischen Tanten und Onkel väterlicherseits und die sentimentalen italienischen Verwandten meiner Mutter. Meine Großeltern leben alle noch, ich habe eine Menge Cousins und Cousinen, von denen viele inzwischen verheiratet sind und eigene Familien gegründet haben. Sie alle hatte ich seit Jahren nicht mehr gesehen. Sie hatten meine Eltern bestimmt öfter besucht als ich, waren oft in dem Haus, in dem die Einrichtung niemals verändert worden war.

Und nun waren wir alle zusammen im Haus meiner Eltern versammelt.

Der Stuhl meines Vaters war nun leer und verlassen, und obwohl es mehr Hintern als Stühle gab, wagte keiner, sich auf ihn zu setzen.

„Wie ein Schrein", murmelte ich vor mich hin. Ich hatte tatsächlich getrunken, aber nur ein Glas Wein. „Das ganze Haus ist ein verdammter Schrein."

Dan war von allen mit offenen Armen empfangen worden, außer von meiner Mutter, die viel zu sehr in ihrer Rolle als trauernde Witwe aufging. Er schüttelte die vielen Hände mit einer Gelassenheit, die ich bewunderte. Er brachte den älteren Damen Getränke und Essen und flirtete so heftig mit ihnen, dass sie zu kichern begannen.

Er lehnte sich neben mich an die Wand. „Deine Familie scheint nett zu sein."

Ich antwortete nicht sofort, nippte an meinem Wein und schluckte. „Das scheinen die meisten Familien zu sein, oder nicht?"

Darauf wusste er nichts zu entgegnen. Ich sah mich um. Es hatte sich hier tatsächlich nicht viel verändert. Der große Fernseher musste die Idee meines Vaters gewesen sein.

Meine Cousine Janet tauchte vor uns auf, sie war runder als früher, doch das Baby auf ihrem Arm war eine einleuchtende Erklärung. Sie legte einen Arm um mich. „Ella", sagte sie mit warmer Stimme. „Es ist so schön, dich zu sehen. Wie … wie geht es dir denn?"

„Gut. Du siehst gut aus, gratuliere." Ich betrachtete das schlafende Kind. „Ich habe die Geburtsanzeige bekommen."

„Und wir dein Geschenk", antwortete sie. „Es war wunderschön. Hast du es selbst gemacht?"

Ich warf Dan einen Blick zu, meine Wangen wurden ganz heiß. „Ja."

Sie wandte sich an Dan. „Sie hat uns eine wunderschöne Babydecke gestrickt. Hallo, ich heiße Janet."

Ich stellte die beiden schnell vor. „Es hat mir großen Spaß gemacht."

„Wir hatten ja gehofft, dass du zur Taufe kommst. Aber deine Mutter sagte, dass du nicht in der Stadt wärst."

„Oh … ja. Ich reise viel." Eine weitere Lüge.

Sie nickte verständnisvoll. „Nun, du weißt ja, wo wir wohnen. Komm doch einfach mal vorbei." Sie warf ihrem Mann Sean, mit dem ich in eine Klasse gegangen war, durch das Zimmer einen Blick zu. „Es wäre schön, wenn du uns besuchst. Und Dan mitbringst. Freunde von Ella sind auch unsere Freunde."

Das Schöne an Janets Worten war, dass sie sie ernst meinte. Sie umarmte mich noch einmal, diesmal aber wachte ihr schlafender Engel auf, sie murmelte etwas von Stillen und Windeln wechseln und verschwand.

Weitere Verwandte kamen bei uns vorbei, die meisten sagten, wie schön es wäre, mich zu sehen. Ich lächelte sie alle an, denn es war ja nicht ihr Fehler, dass ich weggelaufen war, ohne auch nur einmal zurückzuschauen.

„Warum", fragte Dan schließlich, „nennt dich jeder Ella?"

Inzwischen hatte ich das dritte Glas Wein getrunken und einen angenehmen Schwips. „Weil ich so heiße."

Eine weitere Cousine unterbrach uns. Als sie schließlich mit der Behauptung ging, dass ich ihr einen Anruf schuldete, war meine Blase fast am Platzen. Die kleine Toilette neben der Küche war ständig besetzt, gerade sah ich, dass Onkel Larry darauf zustürzte. Ich konnte nicht auf Onkel Larry warten. Also blieb nur das Badezimmer oben übrig.

„Ich komme mit", verkündete Dan. „Ich muss auch mal."

Wir quetschten uns zwischen den Leuten hindurch, die sich inzwischen schon ganz hübsch mit dem Gin meines Vaters betrunken hatten. Ich blickte die Treppe hinauf. Seit ich weggelaufen war, hatte ich das obere Stockwerk nicht mehr betreten, doch meine Hand fand den Lichtschalter wie von allein, ein weiterer Beweis dafür, dass der Körper sich an alles erinnert, wogegen der Verstand sich wehrt.

Sechzehn Stufen. Ich hatte sie zu oft gezählt, um das zu vergessen.

„Alles in Ordnung?", fragte Dan hinter mir.

„Klar." Ich nahm eine Stufe.

Blicke folgten uns die Treppe hinauf. Meine Mutter hatte Fotos in Holzrahmen aufgehängt, jedes einzelne in exaktem Abstand zum nächsten. Eines hing schief, und ich streckte den Finger danach aus.

„Bist das du?"

Diese Zahnlücke und der Pferdeschwanz gehörten tatsächlich mir. „Ja."

„Du warst ja süß."

Ich sah ihn mit erhobenen Augenbrauen an. „Klar. Wenn man Kinder mag, die wie Affen aussehen."

Dan lachte. „Du hast nicht wie ein Affe ausgesehen, Elle."

Ich wäre nur zu gerne an den Bildern vorbeigelaufen, aber Dan studierte jedes einzelne von ihnen. Fotos aus der Grundschule. Fotos von meinen Eltern mit schrecklichen Siebzigerjahre-Frisuren und Polyesterhosen. Meine Mutter hatte so viele Bilder aufgehängt, dass es unwahrscheinlich schien, dass welche fehlten, aber es war so, das wusste ich. Sie hatte sie abgenommen, um auch noch den kleinsten Hinweis darauf zu vernichten, dass sie zwei Söhne hatte. Es war, als ob Chad nie existiert hätte.

Dan war ein kluger Kopf. Er brauchte nur ein paar Sekunden, um zu erkennen, dass es nur wenige Fotos von mir und sehr viele von ihm gab. Konzentriert betrachtete er dasselbe Lächeln von mir auf jedem Bild, das Lächeln, das nicht mir gehörte. Dann betrachtete er ein Triptychon. Auf dem ersten Foto war Andrew mit einem breiten Grinsen zu sehen, gebräunt und mit blitzenden Augen. Dann ich mit langem dunklen Haar, Pausbacken und Pickeln, ohne Lächeln. Der dritte Rahmen war leer.

„Elle." Dan sah mich an. „Das bist du auch?"

„Ja", antwortete ich und lief weiter.

Er holte mich schnell ein und hielt mich sanft auf. „Was ist passiert?"

„Ich habe aufgehört zu lächeln", war meine Antwort. „Und niemand fragte mich, warum."

Wir schienen eine Ewigkeit lang nur dazustehen. Ein Schatten huschte über sein Gesicht. Ich legte die Hand auf den Türknauf hinter mir, drückte die Tür auf und trat ein. „Willst du mein Kinderzimmer sehen?" Meine Worte klangen mehr nach einer Herausforderung als nach einer Einladung.

„Gern."

Er folgte mir hinein. Verschiedene Gefühle spiegelten sich auf seinem Gesicht wider, während er sich in dem Zimmer umsah, das seit zehn Jahren unberührt geblieben war. Ich sah Interesse, dann Erkennen und Unbehagen. Aber es lag am Mitleid, dass mein Herz hart wurde.

„Rosen", sagte Dan.

„Ja, Rosen."

Ich hatte in einem Zimmer voller Rosen gelebt. Rosen auf den Vorhängen, auf der Tapete, auf dem Bettüberwurf, auf den Kissen. Große rote Rosen wie aus einem Märchen, nur hatten die Dornen nicht gereicht, um die Monster aus diesem Zimmer fernzuhalten.

„Es gab auch einen Teppich", sagte ich kühl. „Aber der bekam Flecken. Vermutlich hat sie ihn weggeworfen."

„Elle …"

„Du kannst mich Ella nennen." Meine Stimme klang wie Steine, die gegen eine Fensterscheibe geschleudert werden. „Das tun sie alle. Oder Elspeth, wenn du magst. Das ist mein eigentlicher Name."

„Der ist hübsch", sagte er und trat auf mich zu, als ob er mich in den Arm nehmen wollte. Doch ich wich ihm aus. „Ich nenne dich so, wie du es gerne hättest."

Er musterte meine Puppensammlung und die Holzpferdchen auf den Regalen. Meinen Schreibtisch. Meinen Schrank, in dem er vielleicht meine zertanzten Ballettschuhe hätte finden können.

„Was ist mit ihm geschehen? Mit dem Jungen auf den Fotos, meine ich?"

Ich glaube, er wusste es bereits, aber er wollte meine Antwort hören. Vielleicht hoffte er, dass sie anders lautete. Vielleicht hoffte er, dass ich lügen würde. Und vielleicht hätte ich das tun sollen, nur war ich es so leid, zu lügen, so leid, mich ständig hinter einer Mauer zu verbergen.

„Ich habe dir bereits erzählt, was mit ihm geschehen ist", sagte ich tonlos. „Er schnitt sich die Pulsadern auf und verblutete, während ich von der Türschwelle aus zusah. Er ist tot."

18. KAPITEL

Ich wartete gar nicht erst auf seine Reaktion. Denn inzwischen hatte ich das Gefühl, dass meine Blase jeden Moment explodieren würde, außerdem glaubte ich, mich übergeben zu müssen. Ich drängte mich an ihm vorbei und schloss mich im Badezimmer ein. Ich schaffte es, nicht zu brechen, indem ich wieder und wieder Zahlen multiplizierte. Das Badezimmer war einmal weiß gewesen, aber offenbar ist es nicht möglich, Blut aus Handtüchern und Vorhängen zu entfernen. Meine Mutter hatte sich inzwischen für die Farbe Dunkelblau entschieden. Auf der Tapete prangten Segelschiffe statt der Stiefmütterchen. Ich berührte die hübschen kleinen Schiffe und zählte sie. Wenn ich die Tapete ablöste, würde ich dann noch Blutspuren darunter finden? Oder hatte sie die Wände vorher getüncht?

„Elle?" Es wurde am Türknauf gerüttelt. „Lass mich rein. Bitte!"

Ich holte tief Luft. „Dan, bitte geh weg."

Stille. Ich wusch meine Hände, schrubbte jeden einzelnen Finger mit der Bürste, wieder und wieder. Dann ging ich zur Tür. „Dan?" Ich wusste, dass er noch da war, aber ich rief ihn trotzdem. Ich stellte mir vor, dass er an der gegenüberliegenden Wand lehnte, und ich legte die Hand flach auf das Holz, als ob ich ihn dadurch berühren könnte. Dann presste ich mit geschlossenen Augen die Stirn dagegen.

„Ich bin noch da."

Ich schluckte schwer. „Bitte, ich möchte, dass du weggehst."

„Ach Elle." Er fragte nicht, warum.

Ich wollte es ihm nicht sagen. Was hätte ich auch sagen können? Dass es leichter war, die Scham allein zu ertragen? Dass es im Moment nicht möglich war, ihm ins Gesicht zu sehen und zu wissen, dass er wusste, was geschehen war?

„Du willst nicht, dass ich dich allein lasse." Die Festigkeit in seiner Stimme war tröstlich und würde mich zum Einknicken bringen, wenn ich es zuließe.

„Das funktioniert diesmal nicht. Ich möchte, dass du gehst. Du musst einfach gehen, Dan."

Er seufzte laut. Dann hörte ich das Klimpern von Schlüsseln. „Ich will nicht gehen, Elle. Warum lässt du mich nicht einfach rein? Wir müssen nicht darüber sprechen, wenn du nicht magst …"

„Nein!" Mein Schrei hallte von den Wänden wider, und ich zuckte zusammen. „Nein, ich meine es ernst. Ich will, dass du gehst! Ich muss jetzt allein sein."

„Aber du brauchst nicht allein zu sein", sagte er leise.

„Ich will es aber."

Darauf antwortete er nicht. Ich wartete, und als ich Schritte hörte, die sich entfernten, kam ich heraus. Inzwischen waren fast alle Leute gegangen und hatten Kuchenreste und schmutzige Auflaufformen hinterlassen, die ich wohl hätte wegräumen sollen.

Mrs. Cooper war noch da. Ich entdeckte sie in der Küche, als sie gerade Wasser aufsetzte und sich eine Schürze umband. Sie drehte sich zu mir um, ihr Lächeln sollte wohl warm sein, aber es traf auf das eiskalte Loch mitten in meiner Brust.

„Ich habe deine Mutter ins Bett gebracht, die Arme. Sie ruht sich aus. Ich werde schnell das Geschirr abspülen."

„Das brauchen Sie nicht zu tun, Mrs. Cooper."

„Oh, aber meine Liebe, das macht mir wirklich nichts aus. Wofür sind Nachbarn schließlich da?" Sie langte nach dem Spülmittel. Dann deutete sie auf den Tisch voller Schüsseln mit Kartoffelsalat und Hackbraten, Piroggen in Buttersoße und Karottenkuchen. „Die Leute waren so großzügig. Sieh dir nur all das Essen an."

„Sie sollten etwas davon mit nach Hause nehmen", sagte ich. „Vielleicht würde Mr. Cooper sich freuen."

„Danke, Schätzchen." Mrs. Cooper begann zu spülen, während ich das Essen verpackte.

„Wo ist denn Ihr junger Freund hin?"

„Er musste gehen." Dan war weg. Er hatte getan, was ich wollte, wie immer.

„Er scheint nett zu sein." Sie warf mir einen schelmischen Blick zu. „Deine Mutter mag ihn offenbar."

Ich sah sie überrascht an. „Wirklich?"

„Oh ja. Deine Mutter ist ja so stolz auf dich, sie spricht ständig von dir. Wie erfolgreich du bist, und dass du immerzu Gehaltserhöhungen bekommst. Wie du dein Haus ganz allein renoviert hast. Ja, und sie schien von deinem Freund ganz schön beeindruckt zu sein. Sie sagte, er hätte einen guten Job und wäre sehr höflich."

Das klang überhaupt nicht nach meiner Mutter, aber ich wollte mit Mrs. Cooper nicht diskutieren. Stattdessen konzentrierte ich mich darauf, das Essen in Dosen zu füllen und in die Tiefkühltruhe zu packen.

„Es ist so schön, dich mal wieder zu sehen. Schade, dass der Anlass so traurig ist. Wir haben dich vermisst, Fred und ich."

Der Stapel vor mir verschwamm, ich blinzelte die Tränen

weg. „Das ist schön zu hören, Mrs. Cooper."

„Ella", sagte sie sanft, ohne sich umzudrehen. „Es hat uns alle sehr traurig gemacht, was geschehen ist."

„Mein Vater hat sich sein eigenes Grab geschaufelt. Ich möchte nicht unhöflich sein, aber das wissen Sie genauso gut wie ich."

„Ich spreche nicht von deinem Vater", sagte die Frau, die mir meine erste Ausgabe von *Der kleine Prinz* geschenkt hatte. „Ich spreche von Andrew."

Manche Dinge, die kaputtgehen, kann man eine Zeit lang mit Klebeband oder einer Schnur zusammenhalten. Manchmal aber geht das nicht, und die Teile fliegen durch die ganze Gegend, und auch wenn man hofft, alle zu finden, bleiben ein oder zwei immer verschwunden.

Ich ging kaputt. Ich zerbrach. Zerschellte wie eine Kristallvase auf Asphalt, und Teile von mir flogen überall herum. Manche davon sah ich nur zu gern verschwinden. Manche wollte ich niemals wiedersehen.

Ich schluchzte los, und Mrs. Cooper strich mir sanft über den Rücken.

Es ist so geheimnisvoll, das Land der Tränen. Das sagt der Erzähler von *Der kleine Prinz*. Und er hat recht. Mein Land der Tränen war sehr, sehr lange geheimnisvoll gewesen.

„Es war nicht deine Schuld", sagte Mrs. Cooper und strich mir übers Haar wie damals, als ich in ihre Küche rannte, stolperte und mir das Knie aufschlug. „Nichts von alldem war deine Schuld. Hör auf, dir selbst Vorwürfe zu machen."

„Was nützt es, damit aufzuhören", weinte ich, „wenn sie mir nach wie vor Vorwürfe macht?"

Und darauf wusste Mrs. Cooper nichts zu antworten.

338

Dan hatte zehn Nachrichten hinterlassen, bevor ich ihn zurückrief. Ich weiß genau, wie oft ich den Hörer in der Hand hatte, aber es ist mir zu peinlich, es zu verraten. Ich brachte es einfach nicht über mich, ihn anzurufen. Schön, Mrs. Cooper hatte gesagt, ich solle mir keine Vorwürfe mehr machen, aber das gelang mir genauso wenig, wie ich in der Lage war, mich Dan zu stellen. Ich wollte in seinen Augen nicht plötzlich einen neuen Ausdruck entdecken, wenn er mich ansah.

„Wir können uns nicht mehr treffen", sagte ich schließlich, als ich seine Nummer tatsächlich gewählt hatte. „Tut mir leid. Ich kann es einfach nicht. Das mit uns. Ich kann es nicht, Dan."

Ich hörte ihn atmen. „Ich weiß nicht, was ich deiner Meinung nach sagen soll."

„Sag, dass es in Ordnung ist."

Seine Stimme wurde hart. „Das werde ich nicht sagen, weil es nicht stimmt. Wenn du mit mir Schluss machen willst, Elle, dann tu es. Aber ich werde es dir nicht auch noch leicht machen."

„Darum habe ich dich auch nicht gebeten!", rief ich aus.

„Doch, genau das hast du getan."

„Na gut, dann sag es!", schrie ich.

„Nein", murmelte er nach einer Ewigkeit. „Das kann ich nicht, Elle. Ich wünschte, ich könnte es. Aber es geht nicht."

Ich sank auf den Boden, weil der Stuhl zu weit entfernt war. „Es tut mir leid, Dan."

„Klar", sagte er, als ob er mir kein Wort glaubte. „Mir auch."

Ich hätte am liebsten aufgelegt, konnte es aber nicht. „Leb wohl, Dan."

„Du musst da nicht allein durch", war seine Antwort. „Ich weiß, dass du dir das einredest, aber es ist nicht so. Wenn du es dir anders überlegst, ruf mich an."

„Ich werde es mir nicht anders überlegen."

„Das möchtest du aber, Elle."

Nachdem ich es nicht abstreiten konnte, legte ich doch auf. Ich ließ ihn gehen und überzeugte mich selbst davon, dass es so besser war … etwas zu lassen, bevor es so richtig begonnen hatte. In meinem Schmerz hatte ich keine Kraft für mehr.

Die Tage vergingen, wie Tage eben vergehen. Ich ging zur Arbeit, weil es mir half, nicht so viel an meinen Vater zu denken, an Dan, meine Mutter, meine Brüder. Der eine tot und der andere so weit entfernt. Ich hatte noch immer nichts von Chad gehört, und ich unterließ es, ihn weiterhin anzurufen.

Es schien keine besonders gute Zeit für mich zu sein, doch im Nachhinein ist mir klar, dass der Rückzug und die Innenschau das Beste war, was ich tun konnte. Ich versuchte nicht länger zu vergessen, was in meinem Elternhaus geschehen war. Stattdessen bemühte ich mich, es loszulassen. Es gelang mir allerdings nicht besonders gut. Ich hatte mich so lange in all diese Geheimnisse gehüllt, sie waren zu einer Gewohnheit geworden, eine Gewohnheit, die ich am Ende aber ablegen konnte.

Der Sommer war vorbei, der Herbst begann. Es war Apfelsaison, und ich ging zum Broad-Street-Markt, um Äpfel zu kaufen. Als ich mich über die Früchte beugte, hörte ich hinter mir eine vertraute Stimme.

„Elle?"

Mein Lächeln wollte schon verblassen, aber ich zwang mich dazu, es zu behalten. „Matthew."

Er war noch immer groß. Noch immer attraktiv. Seine Schläfen waren grau geworden, und um seine Augen und auf der Stirn zeigten sich kleine Linien.

„Hallo", sagte ich in einem Ton, als ob wir uns gestern zum letzten Mal gesehen hätten. Unglaublicherweise kam er auf mich zu, um mich zu … was? Umarmen?

Ich wich zurück. Etwas blitzte in seinen Augen auf, sein Lächeln wirkte auf einmal ein wenig angestrengt. Er steckte die Hände in die Hosentaschen.

„Elle." Er seufzte. „Es ist schön, dich zu sehen."

Ich reckte das Kinn vor. „Danke."

„Du siehst … fantastisch aus."

Wir hatten uns vor über acht Jahren zum letzten Mal gesehen. „Du weißt ja, was man sagt: Die beste Rache ist, gut auszusehen. Nicht wahr?"

Er blickte missbilligend drein, meinen Sinn für Humor hatte er noch nie verstanden. „Elle."

Kopfschüttelnd legte ich die Äpfel zurück, auf die ich nun keine Lust mehr hatte. „Entschuldige, Matthew. Es ist ziemlich lange her. Du siehst selbst sehr gut aus."

Wir starrten uns lange an. „Lass uns einen Kaffee trinken gehen", schlug er vor. Wie hätte ich da Nein sagen können?

Ich ließ mich also zu einem Kaffee einladen, der meine Hände wärmte, und saß ihm an einem winzigen Tisch bei *The Green Bean* gegenüber. Wir sprachen über unserer Arbeit und gemeinsame Bekannte, mit denen er noch immer Kontakt hatte und ich nicht. Er erzählte mir von seiner Frau, seinen Kindern, seinem Leben, und ich konnte nicht anders, als ihn zu beneiden, auch wenn mir alles ein wenig spießig erschien.

„Und du? Wie geht es dir?" Er griff nach meiner Hand, und ich blickte in seine Augen, die ich einmal so sehr geliebt hatte, dass ich dachte, ich müsste sterben, wenn sie mich nicht jeden Tag ansahen. „Bist du glücklich?"

„Fragst du das, weil du dich dann endlich besser fühlen würdest?"

„Ja. Aber auch, weil ich gerne wissen möchte, wie es dir geht."

Ich lächelte. Er starrte mich an. Dann zuckte ich mit den Schultern.

„Du behauptest nicht einmal, glücklich zu sein", sagte er resigniert und zog die Hand wieder weg. „Hör zu, es tut mir leid, okay? Ich entschuldige mich für alles, was ich getan und gesagt habe. Ich war jung. Und jeder in meinem Alter hätte sich genauso verhalten. Du hast mich angelogen. Du warst nicht ehrlich zu mir. Was hätte ich denn über dich denken sollen?"

Wieder lächelte ich.

„Elle, es tut mir leid. Es tut mir wirklich sehr leid."

„Das muss es nicht", entgegnete ich. „Es ist lange her, und es spielt keine Rolle mehr."

„Du bist so schön", sagte er leise. „Ich wünschte …"

„Was wünschst du?" Meine Worte klangen brüsk, nicht neugierig.

„Sollen wir irgendwo hingehen?"

Ich fand nicht sofort die richtigen Worte. „Du meinst irgendwohin im Sinne von Hotel?"

Matthew sah unglücklich aus, schuldbewusst, errötete

aber auch vor Aufregung so wie früher. Er drehte an seinem Ehering. „Ja."

Vor wenigen Monaten noch hätte ich vielleicht Ja gesagt, aber jetzt stand ich auf. „Nein."

Er erhob sich ebenfalls. „Entschuldige."

Ich ballte die Fäuste. „Du hast mich bezichtigt, dich zu betrügen. Du sagtest, Betrug wäre das Schlimmste auf der Welt, und ein Mensch, der betrügt, sei nichts wert. Was würdest du wohl deiner Frau erzählen?"

Wütend lief ich aus dem Café. Auf der Straße erwischte er mich am Ellbogen und drehte mich so heftig zu sich um, dass ich am nächsten Tag einen Bluterguss hatte.

„Ich versuche dir doch zu sagen, dass ich mich falsch verhalten habe!"

„Du hast behauptet, mich zu lieben, aber stell dir vor, Matthew, ich habe bessere Sprüche von blöderen Männern gehört. Wenn du mich geliebt hättest, hättest du mich niemals auf diese Weise verlassen."

Er verzog den Mund, den ich einmal so gern geküsst hatte. „Du hättest mir die Wahrheit sagen müssen."

Ich lachte bitter. „Die habe ich dir gesagt, und dann bist du gegangen."

Ich konnte mich noch gut an seinen Gesichtsausdruck erinnern. An den Ekel. Wie er einen Schritt zurück machte, wie er mich nie wieder küsste.

„Es war nicht meine Schuld", sagte ich. „Ich wollte das nicht, aber er hat es einfach getan, Matthew. Ich wollte auch nicht, dass er mir diese Briefe schrieb, aber er tat es."

Matthew sagte nichts.

Ich riss mich los. „Ich wollte nicht, was mein Bruder mit

mir gemacht hat. Und ich habe darauf gebaut, dass du mich trotzdem lieben würdest. Das hast du nicht. Darum habe ich eine Frage an dich, Matthew: Wer von euch beiden hat mich letztlich am meisten verletzt?"

Dann lief ich davon, so schlecht war mir, und als er meinen Namen rief, drehte ich mich nicht um.

„Guter Standort, Bob." Ich sah mich in dem Einkaufszentrum um, in dem es von Familien wimmelte.

Bob lächelte mir zu. „Ja, hier ist eine Menge los."

Triple Smith and Brown hätte so etwas gar nicht machen müssen. Die Firma hatte genug Kunden und musste längst nicht mehr akquirieren. Es ist ein gutes Gefühl, für Leute zu arbeiten, die sich nicht nur um ihre Angestellten kümmern, sondern auch um Bedürftige.

Ich habe nie viel mit Kindern zu tun gehabt. Ich habe keine Nichten und Neffen, und die Kinder meiner Cousinen und Cousins kenne ich nur aus der Ferne. Ich weiß nie so genau, wie man mit Kindern sprechen soll. Ich kann die blöden Gesichter nicht leiden, die Erwachsene aufsetzen, als ob Kinder dumm wären.

„Hi", begrüßte ich das kleine Mädchen, das seinen jüngeren Bruder an der Hand hielt. „Hättest du gern ein Geschenk?"

Nichts. Kein Lächeln, kein Nicken, kein Wort. Das Mädchen schwieg wie ein Grab.

„Kara", sagte die Frau, die vermutlich die Mutter war. „Die Dame hat dir eine Frage gestellt." Sie schob die Kleine nach vorn, und ich hielt ihr aufmunternd eine kleine Tüte hin. Dabei kam ich mir wie Dian Fossey vor, die einen scheuen

Affen anzulocken versucht. Die Kleine starrte. Ihr Bruder bohrte in der Nase. Ich gab auf und reichte der Mutter zwei Tüten.

„Die können Sie Ihren Kindern geben", erklärte ich. „Es ist auch ein Päckchen Taschentücher drin."

Sie kapierte es nicht. Vielleicht war Nasebohren für sie so selbstverständlich, dass sie darüber nicht mehr schockiert war. Sie nahm die Tüten, bedankte sich und verschwand in der Menge.

„Hi", sagte ich zum nächsten Besucher. „Hättest du gerne ein Geschenk?"

Der Junge vor dem Tisch war ein wenig zu alt für Buntstifte und Block, aber die Taschentücher konnte er wohl brauchen. Gavin trat von einem Fuß auf den anderen, die Hände tief in den Taschen seines viel zu großen Sweatshirts vergraben. Sein Haar war länger und hing ihm in die Augen, aber vermutlich sah er mich sowieso nicht an.

„Hallo Miss Kavanagh."

Ich warf über die Schulter einen Blick zu Bob, der gerade eine Kiste mit weiteren Geschenktütchen öffnete. Marcy hatte ihre Stellung an der Popcornmaschine kurz verlassen, um uns etwas zu essen zu besorgen.

„Hallo Gavin."

„Ich hab Sie gesehen, und ich wollte nur sagen, ich wollte sagen …"

Ich half ihm nicht, fixierte nur einen Punkt oberhalb seiner Schultern. Die Anschuldigungen seiner Mutter hatten mich zu tief getroffen, um ihm ein Lächeln zu schenken.

„Meine Mom, sie hat irgendwie die Kontrolle verloren."

Ich nickte. Auf seinem Sweatshirt war ein grinsendes Skelett mit einem Dolch durch den Schädel zu sehen.

„Meine Mom, sie … sie war einfach ziemlich sauer, weil ich zu viel Zeit bei Ihnen verbracht habe. Und sie wollte wissen, was wir eigentlich machen."

„Verstehe." Nun sah ich ihn doch an. „Und das hast du ihr gesagt, wie ich vermute."

Er kaute auf der Unterlippe. „Ja."

Ich ordnete die Blöcke und Stifte vor mir auf dem Tisch. „Dann ist es interessant, dass sie sich etwas anderes vorstellt."

Er zögerte, dann rief er: „Mann, Sie sind eine hübsche Frau, und ich bin noch ein Kind …"

Ich warf ihm einen Blick zu, der ihn umgehend zum Schweigen brachte. „Ich glaube, du verstehst nicht, Gavin, wie viel Ärger du mir damit bereitet hast." Ich zwang mich, ruhig zu sprechen, und verteilte ein paar weitere Geschenktütchen an eineiige Zwillinge mit schokoladenverschmierten Mündern. „Oder?"

Er zuckte mit den Schultern. „Mom sagte, ich wäre nur ein geiler Teenager, und wenn ich die Chance hätte, was Schmutziges zu tun, würde ich es tun."

Schmutzig. Schon wieder dieses Wort. Ich verschränkte die Arme vor der Brust, und Bob verkündete, er müsse mal eben auf die Toilette. Er ließ uns allein, und ich war sehr froh darüber.

„Ich habe nie irgendetwas Schmutziges mit dir angestellt." Meine Worte klirrten wie Eiswürfel.

Gavin sah auf seine Schuhe. „So habe ich sie mir wenigstens vom Hals gehalten. Und sie fragte nicht wegen … der anderen Sache."

„Ich dachte, wir wären Freunde", erklärte ich ohne Mitgefühl. „Freunde hintergehen einander nicht, nur um ihren eigenen Hintern zu retten."

Er zuckte erneut mit den Schultern. „Tut mir leid."

„Ich muss arbeiten. Geh jetzt bitte."

Er ging und warf mir über die Schulter einen traurigen Blick zu, den ich ignorierte.

„Entschuldige meine Direktheit, Liebes, aber du siehst aus wie ausgekotzt."

„Ach Marcy. Ich danke dir vielmals." Ich streute Zucker und Milchpulver in meinen Kaffeebecher und nahm einen Schluck. Schrecklich. Ich trank trotzdem.

„Im Ernst, Schätzchen." Sie schüttelte den Kopf. „Sag mir sofort, was los ist, oder ich erzähle dir Geschichten von meinem Urlaub in Aruba."

Marcy hatte mich dazu überredet, mit ihr Mittagessen zu gehen. Wir nutzten einen der letzten schönen Tage, um im Freien zu sitzen. Nun konnte ich ihr nicht länger ausweichen, und nicht einmal die vier Schichten Wimperntusche, die sie auf beiden Augen trug, hielten sie davon ab, direkt in meine Seele zu blicken.

„Wann warst du denn in Aruba?"

„Bisher noch gar nicht, aber ich werde dort meine Flitterwochen verbringen."

Ich trank noch einen Schluck, und erst da ging mir auf, was sie gerade gesagt hatte. Ich betrachtete ihre linke Hand und entdeckte einen neuen Diamantring. Klirrend stellte ich die Kaffeetasse ab.

„Marcy! Du bist verlobt?"

Sie strahlte. „Jawohl!“

Dann erzählte sie mir, wie Wayne sich vor ihr hingekniet und um ihre Hand angehalten hatte. Unser Essen kam, sie sprach weiter, wedelte dabei mit der Gabel durch die Luft, und ich lauschte und nickte. Ihre Heiterkeit war ansteckend.

Als wir schließlich beim Käsekuchen angekommen waren, holte sie scheinbar zum ersten Mal Luft. „Das wird mein letzter Käsekuchen bis zu meiner Hochzeit sein. Ich muss mindestens fünf Kilo abnehmen. Aber Elle, wie geht es dir, Liebes?“

Ich studierte mein Dessert. „Ganz gut. Danke für die Karte und die Pflanze.“

Sie lächelte. „Wayne dachte, du würdest eine Pflanze lieber mögen als Blumen.“

„Stimmt. Das kannst du ihm gerne ausrichten.“ Ich machte ein Loch in meinen Kuchen. „Das war von euch beiden sehr nett, vielen Dank.“

„Gerne.“ Sie kaute, schluckte, trank Kaffee.

Dabei fühlte ich das Gewicht ihres Blicks auf mir, aber ich sah nicht hoch. Wovon Marcy sich natürlich nicht abschrecken ließ.

„Du weißt, dass du immer mit mir sprechen kannst, wenn du magst. Über alles.“

Ich nickte. „Danke, Marcy, aber mein Dad war schon lange krank. Es kam nicht überraschend.“

Sie seufzte laut. „Ich rede nicht von deinem Dad.“

„Nicht?“

„Nein.“ Sie schob sich das letzte Stückchen Käsekuchen in den Mund. „Ich habe letztes Wochenende Dan gesehen.“ Sie wischte sich die Finger an der Serviette ab.

Ich gab ein unverbindliches Geräusch von mir. Marcy spießte mich mit ihren blauen Augen auf, ihr Lidschatten glitzerte. Sie trug heute eine neue Lippenstiftfarbe. Ich machte mich auf einen Vortrag gefasst.

„Er sagte, ihr beide hättet euch getrennt. Und dass du ihn nicht zurückrufst."

Ich wollte lachen, wirklich, aber der Ton, der herauskam, klang eher wie ein Würgen. „Getrennt …"

„Nicht?"

„Wir waren nicht …"

„Elle." Marcy legte ihre Hand auf meine, und ich ließ die Gabel sinken. „Was ist passiert?"

„Ich möchte nicht darüber sprechen."

Sie drückte meine Finger. „Gut."

„Ich meine, es gibt einfach nichts darüber zu sagen." Es kam nicht oft vor, dass meine Worte schneller als meine Gedanken waren. Aber je mehr ich sagte, desto mehr hatte ich das Bedürfnis, weiterzusprechen. Zu erklären. Zu leugnen, zu rechfertigen.

„Er war nicht mein Freund. Wir hatten einfach nur eine schöne Zeit zusammen. Nichts Ernstes. Ich will nichts Ernstes, das habe ich ihm von Anfang an gesagt. Und er war einverstanden. Ich kann nichts dafür, dass er das missverstanden hat, ich war immer ehrlich zu ihm, von der ersten Sekunde an. Er wusste es. Ich wusste es. Wir beide wussten es. Und jetzt ist es vorbei, aber mal im Ernst, kann etwas vorbei sein, das nie wirklich angefangen hat?"

„Sag du es mir." Marcy lehnte sich zurück und betrachtete mich so ruhig, als ob sie *täglich* mit so einem wirren Wortschwall zu tun hätte.

„Ja", sagte ich fest. „Ich meine, nein."

„Elle, Schatz, Süße. Was ist so schlimm daran, glücklich zu sein?"

Darauf wusste ich keine Antwort. Der Kuchen lag mir schwer wie ein Stein im Magen. Ich trank den Kaffee aus, obwohl er bereits kalt war.

„Ich habe Angst", flüsterte ich schließlich.

„Wir alle haben Angst, Süße."

Ich seufzte schwer. „Sogar du?"

Sie nickte. „Sogar ich."

Da fühlte ich mich ein wenig besser, und ich musste lächeln. Sie griff wieder nach meiner Hand.

„Hör mal, ich bin bestimmt nicht die beste Ratgeberin. Ich habe mehr Freunde gehabt, als ich zählen kann, und ich weiß nicht, ob das besser ist, als gar keinen Freund zu haben. Aber eines weiß ich: Wenn man jemanden gefunden hat, der einen zum Lachen bringt und bei dem man sich aufgehoben fühlt … dann sollte man ihn nicht einfach gehen lassen, nur weil man Angst hat."

„Ist Wayne dieser jemand für dich?"

Sie nickte. „Ja."

„Und du hast keine Angst davor, dass es irgendwann vorbei sein könnte?"

„Natürlich. Aber lieber habe ich so etwas Schönes für eine bestimmte Zeit als gar nichts für immer."

Ich aß den Kuchen auf und wischte mir den Mund ab. „Danke für den Rat, aber ich glaube, es ist vorbei. Das mit Dan, meine ich."

„Er ist ein guter Mann, Elle. Warum gibst du ihm nicht noch eine Chance?"

Dass sie davon ausging, ich hätte das Recht, ihm irgendetwas zu geben, überraschte mich. „Darum geht es nicht. Er hat nichts falsch gemacht. Er ist nicht derjenige, der … er hat nicht …"

Während ich kurz zuvor nicht hatte aufhören können zu reden, bewegten sich jetzt nur noch meine Lippen, ohne dass etwas herauskam. Ich war sprachlos. Hatte keine Vorstellung, was ich hätte sagen können.

Das brauchte ich aber auch gar nicht. „Du könntest ihn einfach anrufen, weißt du. Mit ihm sprechen. Alles klären."

Ganz kurz hob diese Vorstellung meine Laune, aber der Moment verging rasch. „Nein, das denke ich nicht."

„Ach Elle." Ich schien sie enttäuscht zu haben, und das verletzte mich mehr, als ich erwartet hätte. „Wieso nicht?"

„Weil", entgegnete ich, „ich einem anderen Menschen nicht viel zu geben habe. Und Dan verdient etwas Besseres als mich."

Sie nickte langsam, ohne den Blick von mir zu nehmen. „Hast du jemanden umgebracht?"

„Wie bitte?" Ich wurde knallrot und begann zu husten. „Himmel, Marcy!"

„Hast du?", fragte sie ruhig. „Denn ansonsten fällt mir wirklich nichts ein, was so schlimm sein könnte, dass du es dir selbst nicht verzeihst."

Ich starrte sie an. „Und wenn ich Ja sagen würde?"

„Hast du?"

„Vielleicht habe ich das", rief ich. „Ja."

„Hast du?", fragte sie erneut und beängstigend scharf. „Jemanden erschossen? Oder erstochen? Vergiftet?"

Meine Stimme klang tonlos. „Nein. Ich habe bloß den

Notarzt nicht gerufen, obwohl ich es hätte tun sollen."

„Das ist etwas anderes, als jemanden umzubringen", schoss sie zurück. „Du hast jemanden sterben lassen. Das ist ein Unterschied."

Ich sehnte mich nach einem Drink, um den Geschmack von Zucker und Kaffee und Wut hinunterzuspülen. „Aber trotzdem habe ich Blut an meinen Händen."

Ihr stählerner Blick ließ mich nicht los. „Niemand mag Märtyrer besonders gern, Elle."

Mein Körper reagierte schneller als mein Verstand. Ich sprang so schnell auf, dass der Kaffeebecher umkippte. Er zerbrach mit einem lauten Knall auf dem Steinboden. Wir starrten uns über den Tisch hinweg an, Marcy wirkte so kühl wie Quellwasser. Dann trank sie betont langsam einen Schluck Kaffee. Ich ballte meine feuchten Hände zu Fäusten.

„Warum stellst du dich auf seine Seite?", fragte ich sie schließlich mit zitternder Stimme. „Du bist schließlich meine Freundin!"

„Ich wäre keine gute Freundin, wenn ich nicht versuchen würde, dir zu helfen. Oder?"

„Du glaubst, dass du mir so hilfst?"

Sie nickte. „Ja, Elle, das glaube ich."

„Du weißt doch überhaupt nichts über mich", verkündete ich. „Gar nichts!"

„Und wessen Fehler ist das?", zischte sie.

Irgendwie konnte ich mich nicht zwischen Wut und Verzweiflung entscheiden. Mit erhobenen Händen, als wollte ich sie von mir schieben, trat ich einen Schritt zurück. Marcy rührte sich nicht.

„Nur weil man sich verliebt, verschwindet nicht wie durch

Magie alles Vergangene. Das mit dem Ritter in glänzender Rüstung ist nur ein Märchen, Marcy. Es ändert überhaupt nichts, man macht sich nur etwas vor. Du kannst ja gerne weiter in deinen Regenbogen- und Gummibärchenfantasien leben. Freut mich für dich. Ich finde es schön, dass du Wayne gefunden hast und er alles in dir ausfüllt, was ausgefüllt werden muss. Schön für dich. Ich hoffe, ihr lebt glücklich bis an euer Lebensende. Aber es ist nur ein Traum, nicht die Realität. Liebe macht nicht alles auf einen Schlag besser wie ein beschissener Zauberstab, Marcy, es macht nicht einfach ‚Puff‘, und alles ist anders. Nach dem Motto, hey, ich liebe dich, also lass uns ab jetzt Hand in Hand über eine verdammte Blumenwiese laufen!"

Mein gehässiger Ton verbrannte mir fast die Kehle. Marcy zuckte zusammen, und zum ersten Mal sah ich, wie sie rot wurde. Sie blinzelte heftig, und ich hätte mich dafür schämen sollen, dass ihr Tränen in die Augen traten.

„Und wenn doch? Wenn Liebe doch alles besser macht? Ist das vielleicht ein Verbrechen? Ist es eine Sünde, wenn man sich von einem anderen Menschen ein bisschen helfen lässt, ab und zu? Aber nein, du musst ja weiterhin die verdammte Märtyrerin spielen und die ganze Last der Welt allein auf deinen Schultern tragen! Bitte schön, dann hasse dich doch immer weiter, damit auch alle anderen dich hassen. Schön, fühl dich weiter mies, nur weil du Angst davor hast, es zu lassen! Himmelherrgott", schrie sie, „möchtest du denn nicht glücklich sein?"

„Doch! Ich will glücklich sein! Aber tu nicht so, als ob Dan der magische Schlüssel wäre, okay? Er oder irgendein anderer Mann. So funktioniert das nicht. Dieses Liebesgebrabbel macht keinen neuen Menschen aus mir, Marcy. Nicht jeder ist so wie du."

„Ich versuche doch nur, dir zu helfen", sagte sie.

„Das weiß ich." Ich atmete tief durch. „Und ich weiß es auch zu schätzen. Aber das hier ist meine Sache, okay? Es hat nichts mit Dan zu tun. Es geht nicht darum, was er getan oder nicht getan hat. Es geht nicht um ihn. Sondern um etwas, das ich selbst auf die Reihe bekommen muss."

„Du musst es aber nicht allein tun. Du hast Freunde. Menschen, die dich mögen. Egal worum es geht, Elle."

Ich wusste, dass sie recht hatte. Ich wusste, dass sie mir zuhören, meine Hand halten und ihren Rat anbieten würde. Ich wusste, sie würde tun, was in ihrer Macht stand, aber letztlich musste ich diese Entzündung in mir selbst heilen und wenn es sein musste, sie herausschneiden. Den Schorf abkratzen, Luft an die Wunde lassen.

„Wir sehen uns später im Büro."

Sie nickte. „Gut."

Ich hätte einiges sagen können, um es besser zu machen, brachte es aber nicht über mich. Ich war talentierter darin, zu zerstören, als aufzubauen. Ich ließ sie in dem Café zurück, und etwas später sah ich, wie sie sich im Kopierraum mit Lisa Lewis kichernd über ihren Verlobungsring beugte. Als ich hereinkam, blickten beide auf, und Marcy lächelte mich an, als ob wir uns nur flüchtig kennen würden.

19. KAPITEL

Marcy irrte sich. Ich war keine Märtyrerin. Ich wollte meinen Schmerz nicht zur Schau stellen, Mitleid erregen, mir jammernd gegen die Brust schlagen. Das ist die Art meiner Mutter, nicht meine.

Ich sprach nur deswegen mit niemandem darüber, was in meinem Leben zwischen fünfzehn und achtzehn geschehen war, weil ich nicht wollte, dass mir wegen meiner Vergangenheit Zugeständnisse gemacht wurden. Immerzu passieren schlimme Dinge. Schlimmere als die, die ich erlebt hatte. Alles in meiner Vergangenheit war ein Teil meines ganz persönlichen Puzzles, ohne das ich nicht die Frau geworden wäre, die ich heute bin. Ich wäre eine andere. Jemand, den ich wohl gar nicht erkennen würde.

Was das Wegstoßen von Menschen anging, hatte sie allerdings recht. Das tat ich seit Langem. Daher dachte ich darüber nach, mir „Hilfe" zu suchen wie mein Bruder, beschloss aber stattdessen, in die Kirche zu gehen. Gott hielt mir nicht die Hand entgegen. Nicht umsonst hatte ich ja die Religion aus meinem Leben verbannt. Ich glaubte also nicht etwa, dass der Glaube meine Probleme besser lösen konnte als eine Therapie oder Drogen oder Alkohol. Oder Sex. Es war nur so, dass ich eine Menge mit mir herumschleppte, das ich endlich loswerden musste.

St. Paul's war eine größere und modernere Kirche als St. Mary's. Zwar habe ich nie geglaubt, dass ein einzelner Mann zu entscheiden hat, ob ich Vergebung verdiente oder nicht, aber ich hatte so sehr das Bedürfnis, endlich darüber zu sprechen, dass ich beschloss, zur Beichte zu gehen.

Pater Hennessy hatte eine angenehme Stimme, ein bisschen heiser und ruhig. Er klang nett und gar nicht gelangweilt, obwohl ich den Beichtstuhl erst betrat, nachdem die Kirche sich geleert hatte und er zu diesem Zeitpunkt des Zuhörens bereits müde sein musste.

„Vergib mir, Pater, denn ich habe gesündigt. Es ist lange her, dass ich das letzte Mal gebeichtet habe."

Und dann redete ich sehr, sehr lange.

„Bist du in der Lage, dir selbst zu vergeben?", fragte er schließlich. „Denn natürlich kann ich dir vergeben und auch der liebe Gott, aber wenn du dir nicht selbst vergibst, nützt es nichts."

Ich nickte, meine Finger schmerzten, so sehr hatte ich sie die ganze Zeit verkrampft. „Ja, Pater, ich weiß."

„Hast du dir professionelle Hilfe gesucht?"

„In letzter Zeit nicht, Pater."

„Aber du hast eine Therapie gemacht."

Ich lachte leise. „Damals, als es passierte, ja."

„Und es hat dir nicht geholfen?"

„Man hat mir Medikamente gegeben, Pater, aber ..." Ich brach ab.

„Ah." Er schien zu verstehen. „Du weißt, dass es nicht deine Schuld ist, oder?"

„Ich weiß. Ja, ich weiß."

„Und trotzdem kannst du die Schuld nicht loslassen?"

„Offenbar nicht, nein."

Wir schwiegen einen Moment, dann sprach er erneut: „Wie unser Herr wurdest du von Dornen und Nägeln durchbohrt. Du kannst sie herausziehen, aber sie hinterlassen Wunden. Und du, mein Kind, hast so viele Wunden, dass du befürchtest, ohne sie nichts mehr zu sein. Habe ich recht?"

Ich stützte die Stirn in die Hände und wisperte: „Ja."

„Als unser Herr Jesus vom Kreuz genommen wurde, hatte auch er Wunden. Aber er erhob sich wieder durch die Liebe seines Vaters, und das kannst du auch."

Heiße Tränen tropften auf meine Hände, ich lachte erstickt auf. „Sie vergleichen mich mit dem Sohn Gottes?"

„Wir alle sind Kinder des Herrn", entgegneter der Pater. „Jeder Einzelne von uns. Der Herr Jesus starb für unsere Sünden, damit wir es nicht tun müssen. Verstehst du?"

Ich beneidete alle, die diese Antwort akzeptieren konnten, die daran glaubten, dass das Blut des Erretters alles wegwaschen konnte. Mir kam das wie ein weiteres Märchen vor, doch das sagte ich dem Pater nicht. Er glaubte schließlich fest daran.

„Ich bin es leid, so zu fühlen, Pater."

„Dann lass zu, dass der Herr dir das Leid abnimmt."

Er klang so ernsthaft. So ehrlich. Ich wünschte so sehr, zu tun, was er mir sagte, mein Herz zu öffnen. An etwas zu glauben, das einen alles ertragen lässt.

„Tut mir leid, Pater. Ich kann einfach nicht."

Er seufzte. „Verstehe."

Er klang mutlos, und ich dachte, dass es heutzutage sicher nicht mehr so befriedigend ist, Priester zu sein wie früher, als die Menschen nicht hinterfragten, sondern einfach nur ständig beteten.

„Entschuldigen Sie, Pater. Ich möchte Ihnen ja glauben."

Er lachte. „Natürlich, deswegen bist du ja hier. Und wenn du nicht glauben kannst, mach dir keine Sorgen. Gott glaubt an dich. Er wird dich nicht einfach fallen lassen."

Noch nie zuvor hatte ich einen Pater im Beichtstuhl lachen hören. „Es geht nicht darum, dass ich nicht wüsste, wer wirklich die Schuld trägt. Ich weiß, dass es nicht mein Fehler war. Das weiß ich."

„Aber du bist voller Wunden."

„Ja."

„Und du suchst etwas, das diese Wunden heilen kann."

Ich wischte mit einer Hand über mein nasses Gesicht. „Ja, ich denke schon."

„Es ist meine Aufgabe, dir zu sagen, dass du die Antwort in der Kirche findest. Ich hoffe, dass du zumindest einmal darüber nachdenkst."

Pater Hennessy war mir sympathisch, er schien Sinn für Humor zu besitzen. „Wenn mich überhaupt jemand überzeugen könnte, Pater, dann vermutlich Sie."

„Ach, jetzt fühle ich mich schon besser. Bist du bereit, die Beichte zu beenden?"

„Ja." Ich zögerte. „Seien Sie nachsichtig mit mir, Pater, ich bin etwas aus der Übung."

Wieder lachte er. „Sprich das Reuegebet, mein Kind."

„Es ist so lange her. Ich bin nicht sicher, ob ich mich an die Worte erinnere."

„Dann bete ich mit dir", sagte er.

So konnte ich nicht mehr weitermachen. Es gefiel mir nicht, ich wollte nicht mehr, ich konnte es nicht mehr ertragen. Also tat ich Folgendes:

Ich besuchte meine Mutter.

Nach dem Tod meines Vaters hatte sie das Wohnzimmer umgeräumt. Der große Fernseher stand noch immer in der

Ecke, doch ansonsten waren alle Hinweise auf meinen Vater verschwunden. Seinen Stuhl hatte sie durch einen großen Sessel ersetzt, die gestreifte Tapete war weg, die Wände strahlten in einem fröhlichen Gelb.

Sie zeigte mir das Zimmer, bat mich dann aber in die Küche, wo sie Kaffee kochte und einen Apfelkuchen aus der Gefriertruhe nahm. Es handelte sich um den, der nach der Beerdigung übrig geblieben war. Ich verzichtete.

„Ich habe einige Kisten für dich." Sie steckte sich eine Zigarette an und hielt sie zwischen ihren perfekt manikürten Fingern. „Wenn du sie nicht willst, gebe ich sie weg."

„Was ist denn in den Kisten?"

Sie zuckte mit den Schultern. „Altes Zeug."

Ich rührte Süßstoff in meinen Kaffee, da es hier keinen Zucker gab. „Wie kommst du darauf, dass ich altes Zeug mitnehmen will?"

„Weil es dein altes Zeug ist", sagte sie.

Falls mein Besuch sie überraschte oder freute, so zeigte sie es nicht. Sie inhalierte tief und kniff die Augen zusammen.

„Gut. Dann werfe ich mal einen Blick drauf, bevor ich gehe."

Schweigend tranken wir unseren Kaffee. Noch nie hatte ich mit ihr so an diesem Tisch gesessen, zwei Erwachsene, die miteinander Kaffee tranken. Ich wartete darauf, dass es sich merkwürdig anfühlte, und so war es dann auch.

Falls es meiner Mutter ähnlich erging, behielt sie es für sich. „Also, Ella. Wo ist dein Freund?" Ich warf ihr einen Blick zu, woraufhin sie die Hände hob. „Was ist denn? Was? Darf ich nicht mal fragen?"

„Interessiert es dich wirklich?"

Sie nahm noch einen Zug. „Es wäre gut für dich, einen Mann zu haben."

„Das wirkte aber gar nicht so, als wir zusammen hier waren, finde ich."

„Wovon redest du? Er schien sehr nett für einen Juden."

Ich ließ seufzend den Kopf sinken. „Guter Gott."

„Nicht in diesem Haus", warnte sie mich. „Führe nicht aus Spaß den Namen unseres Herrn im Mund."

„Entschuldige." Der Kaffee war zu stark.

„Ich bin der Meinung, dass du schon längst verheiratet sein und Kinder haben solltest. Ein richtiges Leben eben."

Diese Phrasen waren mir nur zu bekannt, aber zum ersten Mal erlaubte ich es mir, nicht nur ihre Worte zu hören, sondern auch die Bedeutung dahinter.

„Ich habe ein Leben. Ein richtiges Leben. Das muss ich nicht durch einen Ehemann oder Kinder definieren."

Meine Mutter zischte: „Du brauchst noch etwas anderes als diese verdammten Zahlen, Ella."

„Ja, du warst für mich ja auch immer das beste Vorbild", versetzte ich.

Sie drückte ihre Zigarette aus und kreuzte die Arme vor ihrer üppigen Brust. Das gekonnt aufgetragene Make-up konnte die Falten unter ihren Augen nicht verschwinden lassen. „Ich wünschte, du würdest nicht immer so klug daherreden. Und mehr auf dich achten. Aber vor allem solltest du endlich begreifen, dass ich immer nur dein Bestes wollte, statt mich ständig anzugreifen."

Ich hielt die Tasse in beiden Händen, doch jetzt stellte ich sie ab und presste die Hände flach auf die Tischplatte. Ich betrachtete sie angestrengt, versuchte mich selbst in diesem Gesicht zu erkennen, in der Farbe ihrer Augen und ihrer Haare. Ich versuchte mich selbst in meiner Mutter zu entdecken, irgendeine Verbindung, die bewies, dass ich tatsächlich einmal in ihrer Gebärmutter war. Dass sie mich vor langer Zeit vielleicht einmal mit etwas anderem als Enttäuschung betrachtet hatte.

„Ich wünschte, ich wäre wieder fünfzehn und hätte Nein gesagt, als Andrew mich fragte, ob ich ihn liebe. Und ich wünschte, er hätte mir besser zugehört, anstatt in mein Bett zu kommen."

Jegliche Farbe wich aus ihrem Gesicht und hinterließ nur zwei knallrote Flecken von Rouge. Einen Moment lang dachte ich, sie würde ihn Ohnmacht fallen. Oder losbrüllen.

Stattdessen verpasste sie mir eine derart schallende Ohrfeige, dass ich in meinen Stuhl zurückgeschleudert wurde. Ich legte eine Hand auf meine Wange und sah ihr direkt in die Augen. „Und ich wünschte, du würdest endlich aufhören, mir die Schuld daran zu geben."

Ich rechnete schon mit dem nächsten Schlag oder Kaffee im Gesicht oder Kreischen und Schreien. Aber gegen das, was sie als Nächstes tat, war ich nicht gewappnet. Sie begann zu weinen. Echte, dicke Tränen liefen aus ihren Augen und hinterließen dunkle Spuren in ihrem Make-up. Sie tropften von ihrem Kinn auf die dunkelblaue Samtbluse. Ihren bebenden Lippen entrang sich ein Schluchzen.

„Wem sonst sollte ich die Schuld geben?", fragte sie, und ihre Worte schmerzten mehr als die Ohrfeige. „Er ist tot."

Ich wollte aufstehen, hatte aber nicht die Kraft. „Du wusstest es, nicht wahr?"

„Ich wusste es." Sie putzte sich mit einer Serviette die

Nase und tupfte sich die Augen. Die Wimperntusche hinterließ schwarze Halbkreise auf dem weißen Papier.

„Du hast mich Lügnerin und Hure geschimpft." Ich zwang mich, die Worte auszusprechen, sie fühlten sich scharf an, als ob sie Kratzer hinterlassen würden.

Nie zuvor hatte ich sie so trostlos erlebt. Und so gleichgültig gegenüber der Tatsache, dass die Tränen ihr Make-up ruinierten und ihre Nase rot werden ließen. Wieder wischte sie sich über die Augen, entfernte noch mehr Eyeliner, Lidschatten und Mascara. Ohne die Schminke sah sie nackt aus. Verletzlich.

„Glaubst du, dass ich eine Lügnerin und Hure war?" Meine Worte sollten streng klingen. Doch sie klangen nur flehend.

„Nein, Ella. Das glaube ich nicht."

„Warum hast du es dann gesagt?" Nun weinte ich auch, wischte mir die Tränen aber nicht weg. Meine Hände lagen nach wie vor flach auf dem Tisch. „Wieso?"

„Weil ich dachte, wenn ich es sagte, würde es vielleicht wahr!", schrie sie. „Weil ich nicht glauben wollte, dass er dir so etwas antat! Ich wollte es nicht glauben, Ella, dass mein Sohn so böse sein konnte! Wenn du eine Lügnerin wärst, wäre alles nicht wahr. Denn lieber hätte ich eine Lügnerin und Hure zur Tochter gehabt als einen Sohn, der seine Schwester vergewaltigt."

„Auch lieber als einen schwulen Sohn, nicht wahr?", frage ich sanfter, als ich es selbst je für möglich gehalten hätte. „Du hast lieber einen toten Sohn und eine Tochter ohne richtiges Leben als einen lebendigen und wunderbaren Sohn, der Männer liebt?"

Es war kein gutes Gefühl, sie in sich zusammenfallen zu sehen, dabei hatte ich mir eingebildet, Triumph zu verspüren, wenn ich sie endlich auf all das ansprach. Nun machte es mich nur traurig.

„Du verstehst nicht, wie es ist, Kinder zu haben. Wie sehr sie einen enttäuschen können. Du weißt nicht, wie es ist, einem anderen Menschen das Leben zu schenken und zuzusehen, wie er es einfach wegwirft. Du weißt nicht, Ella, wie es ist, ich zu sein."

Ich studierte ihr Gesicht für einen langen, langen Augenblick. Schließlich stand ich auf, nicht voller Triumph, sondern mit einem anderen Gefühl, nach dem ich mich lange gesehnt hatte. Akzeptanz.

„Nein, Mutter", sagte ich ruhig. „Das weiß ich nicht. Und ich schätze, das werde ich nie wissen."

Sie nickte, richtete dann ihre Aufmerksamkeit wieder auf ihren Kaffee und ihre Zigarette, und zum ersten Mal konnte ich sehen, dass sie nicht die Märchenprinzessin war, die ich mir als Kind vorgestellt hatte, und nicht die Hexe, die sie später für mich geworden war. Sie war eine Frau. Doch nur eine Frau.

Ich umarmte sie, der Rauch ihrer Zigarette brannte in meinen Augen. Zuerst rührte sie sich nicht, aber dann tätschelte sie mir den Rücken. Wir sagten nichts mehr, und ich ließ sie an dem Tisch zurück. Ich dachte, dass ich vielleicht wiederkommen könnte und wir uns weiter unterhalten würden. Aber für diesen Moment hatten wir genug getan.

Ich wurde nicht fromm, obwohl ich gelegentlich die Messe besuchte. Ich hörte auch nicht auf, meine Mutter „nicht zu hassen", und wenn sie mich anrief, nahm ich tatsächlich gleich ab, um mir ihr zu reden. Die Gespräche waren angespannt, distanziert und höflich. Sie fragte nicht mehr nach Dan, erzählte dafür mehr aus ihrem eigenen Leben. Dass sie jetzt Mitglied in einem Fitnessklub und in einem Lesezirkel war. Ich fand es merkwürdig, mit ihr über solche Unwichtigkeiten zu sprechen, und sie hielt es sicher für nicht weniger sonderbar, mich nicht ständig mit Kritik zu überfallen. Wir beide bemühten uns also, und ich akzeptierte, dass es vielleicht nie mehr für uns geben würde als das.

Ich verbrachte die Nächte so, wie ich es die letzten Jahre meistens getan hatte. Allein. Ich las viel. Ich strickte. Ich strich meine Küche und reinigte meine Teppiche. Ich hatte auf einmal wieder viel Zeit. Ich hätte ihn anrufen können. Ich hätte ihn anrufen sollen. Doch Stolz hielt mich davon ab, gemischt mit Angst. Was, wenn er mich nicht zurückrufen würde? Oder noch schlimmer, wenn er einfach auflegte?

Ich hatte lange ohne Dan gelebt, und es gab keinen triftigen Grund dafür, warum ich jetzt nicht auch ohne ihn auskommen sollte. Keinen triftigen Grund, außer dass ich ihn vermisste. Er hatte mich zum Lachen gebracht. Er hatte mich dazu gebracht, mich selbst zu vergessen.

Als es eines Abends an meiner Tür klingelte, lief ich mit einem Kloß im Hals die Treppe hinunter und wünschte, ich wäre geschminkt und einigermaßen frisiert. Doch den Mann vor der Tür hätte das kaum weniger interessieren können. Er riss mich in die Arme und drückte mich, dann begann er mich zu kitzeln, bis ich keine Luft mehr bekam.

„Chad!" Ich machte mich von ihm los, holte ein paarmal tief Luft, dann drückte ich ihn noch mal und betrachtete ihn von Kopf bis Fuß. „Was machst du denn hier?"

„Luke hat mich überredet, endlich mal meine große Schwester zu besuchen." Er grinste.

Und er sah gut aus, mein kleiner Bruder, der seit der Pubertät größer war als ich. Er hatte blonde Haare und ich braune, seine Augen waren braun, meine blau, seine Haut gebräunt und meine blass – wir hatten nicht viel Ähnlichkeit, von unserem Lächeln einmal abgesehen. Ich suchte nach Zeichen der Zeit in seinem Gesicht und fand ein paar.

„Ich kann nicht glauben, dass es so lange her ist", sagte er.

„Ich schon." Ich zog ihn hinein. „Ich kann vielmehr nicht glauben, dass du hier bist."

Selbst als er an meinem Küchentisch saß und seine letzten Abenteuer herunterratterte, konnte ich kaum fassen, dass es wirklich mein Bruder war. Er unterbrach seine Erzählung, sah mich lange an und nahm meine Hand.

„Wieso schaust du mich so an, Schätzchen?"

„Ich bin einfach nur froh, dass du hier bist, Chaddie." Ich hielt seine Hand sehr fest.

Wir waren Überlebende.

Natürlich ließ ich nicht zu, dass er in einem Hotel übernachtete. Es war schön, ihn bei mir zu haben. Mit jemandem morgens Kaffee zu trinken und ihm Spiegeleier zu braten. Jemanden, der mich so gut kannte, dass ich nichts erklären musste. Abends gingen wir essen, ins Kino oder tanzen. Und stundenlang saßen wir auf meiner Couch und unterhielten uns. Sahen uns Folgen von *Ein Duke kommt selten allein* an und stritten darüber, welcher Cousin der hübschere war, Bo oder Luke. Chad war der Meinung, es würde ihre Attraktivität bedeutend erhöhen, wenn sie sich endlich mal einen Zungenkuss gäben, und ich musste so heftig lachen, dass ich das ganze Popcorn verschüttete.

„Ich habe dich so vermisst", erklärte ich ihm bei einer Tasse heißer Schokolade mit Sahne. „Ich wünschte, du würdest wieder hierher ziehen."

Er verdrehte die Augen. „Du weißt, dass ich das nicht kann."

Ich seufzte. „Ja, ich weiß. Luke."

„Es geht nicht nur um Luke. Ich habe einen Job. Und ein Haus. Ein ganzes Leben."

„Ich weiß, ich weiß." Ich winkte ab. „Aber du bist so weit weg, ich sehe dich viel zu selten."

„Du könntest mich auch besuchen. Luke findet dich toll, mein Püppchen. Wir könnten zusammen Klamotten kaufen gehen."

Ich hob eine Augenbraue. „Das klingt, als ob ich eine neue Garderobe bräuchte!"

Chad lachte. „Das hast du gesagt, nicht ich. Aber wir würden dir bestimmt eine andere Farbe als Schwarz oder Weiß aussuchen." Mein Bruder sah sich im Wohnzimmer um. „Das Zimmer hier könnte auch etwas Farbe vertragen. Das Esszimmer ist fantastisch geworden. So ähnlich sollte der Rest auch sein."

„Ich mag Schwarz und Weiß, Chad."

„Das weiß ich doch, Spätzchen." Er küsste meine Hand. „Ich weiß. Wirst du Mom erzählen, dass ich hier bin?" Er stellte seine Tasse auf den Couchtisch.

Ich antwortete nicht sofort. „Hättest du das gerne?"

Er zuckte mit den Schultern. Es war selten der Fall, dass Chad mal nicht lächelte oder einen Witz erzählte. „Ich weiß es nicht."

Ich verstand. „Wenn du es nicht möchtest, sage ich nichts."

Er rieb sich seufzend übers Gesicht. „Luke sagt, ich sollte mit ihr sprechen. Und mein Therapeut auch."

„Chad, ich weiß besser als jeder andere auf der Welt, warum du es nicht willst. Aber vielleicht ist es an der Zeit."

„Und du? Hast du der Vergangenheit einen Tritt in den Hintern verpasst?"

Ich kicherte ein wenig. „Einen Tritt in den Hintern? Nein. Ich habe ihr vielleicht auf den großen Zeh getreten."

„Elle, was ist aus deinem Freund geworden?"

„Er war bei Dads Beerdigung dabei und hat Mom getroffen. Sie war nicht sehr nett."

„Er ist mitgekommen? Er war in dem Haus?"

Ich nickte. Chad lehnte sich entweder beeindruckt oder entsetzt zurück, ich wusste es nicht. „Du bist tatsächlich in das Haus gegangen."

„Es ist nur ein Haus, Chaddie. Vier Wände und eine Tür."

Wir wechselten einen Blick, und dann beugte er sich vor und nahm mich in die Arme. Ich wollte nicht weinen, konnte aber nichts dagegen tun, seine Schulter wurde ganz nass. Aber das war in Ordnung. Er weinte nämlich auch.

„Ich wollte dich nicht allein lassen, Ella", flüsterte er. „Das weißt du. Ich wollte dich nicht mit ihm allein lassen. Aber ich musste da raus."

„Ich weiß, ich weiß."

Ich reichte ihm ein Taschentuch, und wir redeten so viel, bis wir heiser waren und so lange, bis unsere Mägen zu knurren begannen. Wir weinten. Wir schrien. Wir warfen Dinge durchs Zimmer. Wir weinten noch etwas mehr und hielten einander fest, und manchmal lachten wir sogar.

„Wir sollten zumindest etwas finden, eine Kleinigkeit", sagte Chad, „die wir an ihm mochten, Elle. Etwas Positives. Dann sind wir vielleicht in der Lage, ihn gehen zu lassen."

Schließlich lagen wir Fußsohlen an Fußsohlen unter einer Strickdecke auf der Couch. Taschentücher häuften sich auf dem Boden, und die Kissen hatten unsere Wutattacken über sich ergehen lassen müssen. Die Reste von belegten Broten vertrockneten auf dem Tischchen.

„Er war ein guter Sportler", schlug ich vor. „Der All-American-Boy."

„Er sorgte dafür, dass die größeren Kinder mich in Ruhe ließen."

„Das sind schon zwei gute Dinge, Chad. Zwei gute Dinge!"

Er lächelte. „Mein Therapeut würde sagen, dass wir große Fortschritte machen."

„Und er hätte recht."

„Es ist leichter, sich an die schlimmen Dinge zu erinnern, die er getan hat. An die Drogen. Die Klauerei. Und das andere."

„Du kannst es ruhig aussprechen", sagte ich. „Vielleicht ist es sogar besser, wenn du es aussprichst."

Die Augen meines Bruders füllten sich wieder mit Tränen. „Ich habe versucht, ihn aufzuhalten. Und dann hat er Mom erzählt, dass ich schwul bin."

„Ich kann mich erinnern."

„Und selbst als du dich umbringen wolltest, hat sie nicht zugehört. Sie hat einfach so getan, als ob alles in Ordnung wäre." Er ballte die Fäuste, und mein Herz schwoll vor lauter Liebe für ihn an.

„Du kannst nichts dafür, Chad. Bitte mach dir keine Vorwürfe. Wir waren nur Kinder. Du warst erst sechzehn."

„Und du warst erst achtzehn, Elle."

„Jetzt sind wir beide älter. Und er ist tot."

„Aber ich habe noch immer Schuldgefühle, weil ich froh war, als ich von seinem Tod hörte. Als Dad mich bei Onkel John anrief, um mir zu sagen, dass Andrew sich umgebracht hatte, lachte ich."

Das hatte ich nicht gewusst. „Ach Chad."

„Ich hätte damals nach Hause kommen sollen."

„Du hättest nichts ändern können. Und sie hätte dir nur auch noch das Leben zur Hölle gemacht." Ich schüttelte den Kopf. „Aber sieh mal, wir beide haben es geschafft, wir haben tolle Berufe und unsere eigenen Häuser. Ein eigenes Leben. Du hast Luke. Uns geht es gut."

„Tatsächlich?", fragte er. „Geht es dir gut?"

„Ich tue mein Bestes", entgegnete ich. „Ich tue, was ich kann."

„Ich auch."

Von einem Menschen verstanden zu werden, der damals dabei gewesen war, half mir mehr als jede Therapie. Beide hatten wir dieses Elternhaus überlebt und das, was darin vor sich gegangen war.

„Er brachte Mom zum Lachen", sagte ich nach kurzem Schweigen. „Und wenn sie lachte, dann liebte sie uns genauso sehr wie ihn."

„Ja", murmelte Chad. „Ich schätze, das ist ein guter Grund, um ihm zu vergeben, oder?"

Und zum ersten Mal dachte ich, es könnte so sein.

Ich brachte Blumen zum Friedhof. Lilien für meinen Vater und Sonnenblumen für meinen Bruder. Meine Mutter hatte sie nebeneinander beerdigen lassen. Auf den Grabsteinen waren ihre Namen, Geburts- und Todestage eingraviert. Auf dem meines Vaters stand „geliebter Ehemann und Vater". Ich kniete mich auf die Erde, erschauerte unter einer plötzlichen kühlen Windbö, und versuchte zu beten.

Es funktionierte nicht sonderlich gut. Meine Gedanken schweiften ab, während die Perlen des Rosenkranzes durch meine Finger glitten, und schließlich steckte ich ihn wieder in die Tasche. Dann saß ich ruhig in dem weichen Gras und weinte stille, mühelose Tränen.

Irgendwie schien es mir nicht richtig. Unvollständig. Bei beiden Beerdigungen war ich nicht gebeten worden, eine Rede zu halten. Jetzt musste ich die Worte finden, die ich so lange in mir vergraben hatte. Ich sagte meinem Vater, dass ich ihn liebte und ihm vergab, dass er den Alkohol seiner Tochter vorgezogen hatte. Und ich meinte jedes einzelne Wort so, wie ich es sagte.

Es fiel mir genauso schwer, wie mir alles andere schwerfiel, und als ich geendet hatte, wusste ich, dass es noch nicht vorbei war. Eine Weile saß ich schweigend da, machte im Geiste eine Liste der guten Dinge, an die ich mich erinnern konnte, um mich daran festzuhalten und das Böse zu ersetzen.

Und dann tat ich es.

„Du hast mir gezeigt, wie man den Großen Wagen findet, Andrew", sagte ich laut. „Damals war ich sechs. Es war das erste Mal, dass ich in den Nachthimmel blickte und etwas anderes sah als Sterne, die man zählen konnte. Du hast mir beigebracht, dass es dort auch Schönheit zu entdecken gab."

Die Blätter der Bäume färbten sich bereits gelb und rot, Wind rauschte in ihnen. Ich stellte mir nicht vor, dass es sich um eine Berührung der Engel oder eine Antwort meines Bruders handelte. Ich sah, wie die Blätter sich kräuselten in ihren lebhaften Farben, die doch schon den Tod ankündigten. Aber ich fand den Gedanken, dass sie im Frühling wieder zum Leben erweckt würden, tröstlich.

Das wollte ich auch. Zum Leben erweckt werden. Und wie ich da vor den Gräbern der beiden Männer saß, die mein Leben mehr geformt hatten als jeder andere, dachte ich, dass es mir vielleicht gelingen könnte. Dass ich wieder lebendig werden könnte. Meinen eigenen Frühling erleben.

Ich wartete darauf, dass etwas geschah. Sich vielleicht die Himmelspforte öffnete und ein Regenbogen auf die Erde geschickt wurde oder dass Hände aus der Erde stießen und mich packten. Aber da war nur der Wind, und ich begann mit den Zähnen zu klappern.

Doch ich fühlte mich besser. Ich hatte mich einem weiteren Dämonen gestellt und hatte es unversehrt überstanden. Wie viele gab es wohl noch?

Ich stand auf, fegte Erde und Gras von meinem langen Rock, dann bückte ich mich, um die Blumen zu arrangieren. Ich zupfte etwas Unkraut weg, fuhr dann mit der Fingerspitze ihre Namen auf den Grabsteinen nach und dachte, wie ungenügend die Aufschrift war, um das Leben dieser Männer zu beschreiben.

„Er liebte englische Komödien", sagte ich laut, die Hand auf dem Grabstein meines Vaters. „Und er liebte irische Musik. Er benutzte Old-Spice-Rasierwasser, er ging gerne fischen und aß alles, was er fing. Er wurde in New York City geboren, zog aber mit drei Jahren weg und kehrte niemals zurück."

Es gab noch mehr Erinnerungen an meinen Dad. Was Andrew betraf, würde es schon schwieriger werden. „Er hat mit uns gespielt, selbst als er schon zu alt dafür war. Er hat mir gezeigt, wie man freihändig Fahrrad fährt. Und er war der Erste, der uns eine Geschichte über Prinzessin Pennywhistle erzählte." Ich sprach weiter, auch wenn ich womöglich wie eine Irre klang. Und wieder weinte ich, diesmal nicht ganz so mühelos. Die Tränen machten meinen Rollkragen nass, und mir wurde kalt. „Er war mein Bruder, und ich habe ihn geliebt. Selbst als ich das hasste, was er tat."

Und dann geschah dieses Etwas, worauf ich gewartet hatte, wenn es auch nach wie vor nicht so dramatisch war wie ein Engelschor oder eine billige Horrorvision. Ich ließ los. Nicht alles, nicht alles auf einmal, aber ich atmete die kühle Herbstluft tief ein und spürte, dass eine Last von mir genommen war. Ich wischte mir übers Gesicht. Atmete noch einmal tief ein.

Dann konnte ich den Friedhof verlassen.

Wenn man sich entschuldigen will, ist es immer besser, ein Friedensangebot mitzubringen. In meinem Fall handelte es sich um eine Schachtel mit Schokoladen-Éclairs und zwei Tassen Kaffee mit Haselnussgeschmack. Ich klopfte an Marcys Tür.

Sie sah mit einem gequälten Lächeln auf. „Elle, hallo, komm rein."

Sie war früher immer in mein Büro gestürmt und hatte sich einfach auf den Stuhl vor meinem Tisch geworfen. Ich war nicht ganz so unbeschwert, schob ihr aber die knallrosa

Schachtel hin. „Ich habe dir etwas mitgebracht."

Sie beugte sich vor, um an der Schachtel zu riechen, dann schlitzte sie das Klebeband mit ihrem langen Fingernagel auf. „Mein Gott, du Miststück. Ich bin verdammt noch mal auf Diät …"

In der Sekunde, in der sie mich Miststück nannte, wusste ich, dass zwischen uns wieder alles in Ordnung war. Aus Marcys Mund war das beinahe ein Kosename. Ich hob die beiden Kaffeebecher in die Höhe. „Guten Kaffee habe ich auch dabei."

„Ach mein Gott, ich liebe dich. Koffein soll ja die Fettverbrennung verlangsamen, aber ich kapier zum Teufel nicht, wie das gehen soll."

Wir hoben unsere Becher, dann biss sie in ein Éclair und stöhnte so laut, dass ich lachen musste. Als ich dann selbst probierte, gelange es mir, ihre Begeisterung zu imitieren. Gemeinsam schwelgten wir in Zucker und starkem Kaffee.

„Marcy", sagte ich dann. „Es tut mir leid."

Sie winkte ab. „Kein Ding, Schätzchen. Ich bin auch ein neugieriges Miststück, ich geb's ja zu."

„Nein. Du wolltest eine gute Freundin sein, und ich war keine. Entschuldige."

„Jetzt mach nicht so ein Theater", rief sie.

„Marcy, verdammt! Ich versuche mich zu entschuldigen, würdest du bitte zuhören? Bitte?"

Sie nickte lachend. „Gut, in Ordnung. Ich war ein neugieriges Miststück und du ein verschlossenes Weibsbild. Sind wir quitt?"

„Quitt." Ich lehnte mich zurück. „Ich habe den Bürotratsch vermisst!"

Sie klatschte in die Hände. „Ooooh, da hätte ich was für dich."

Eine volle halbe Stunde Arbeitszeit verbrachten wir damit, über den neuen Mitarbeiter in der Poststelle zu kichern. Marcy war davon überzeugt, dass er nebenbei als Stripper arbeitete. Mir war er bisher noch gar nicht aufgefallen.

„Wie meinst du das, er ist dir nicht aufgefallen?", krähte sie. „Bist du blind? Oder tot? Sind deine Beine zusammengeklebt?"

„Ich dachte, du willst heiraten."

„Ich werde heiraten, aber nicht sterben. Es ist doch in Ordnung, sich ein wenig umzuschauen, Elle." Sie machte eine Pause. „Ich würde Wayne davon natürlich nichts erzählen."

„Natürlich nicht."

Sie kratzte etwas Schokolade von dem nächsten Éclair und leckte es von den Fingern. „Und … was machst du so? Davon abgesehen, dass du mich mit ekelhaftem Gebäck verführst und dafür sorgst, dass ich dick und fett werde?"

„Mir geht es gut." Ich nahm noch ein Éclair. Gelbe Creme tropfte auf meine Finger, und ich leckte sie ab.

„Schön."

Ich gab vor, nicht zu bemerken, wie sehr sie sich bemühte, kein neugieriges Miststück zu sein. „Mir geht es wirklich gut, Marcy. Und nein, ich habe ihn nicht angerufen."

Sie warf mir eine Serviette zu. „Warum denn nicht? Ruf ihn an!"

„Es ist zu spät", erklärte ich. „Manche Dinge funktionieren einfach nicht. Das ist alles."

„Woher willst du das wissen, wenn du es gar nicht versuchst, meine Liebe?"

Ich betrachtete ihr ernstes Gesicht. „Was genau hat Dan denn gesagt, als du ihn getroffen hast?"

„Nur dass ihr euch getrennt habt."

„Aha. War er allein?"

Erst antwortete sie nicht, dann zuckte sie zu unbekümmert mit den Schultern. „Nein. Aber das hat nichts zu sagen."

„Marcy, so leid es mir tut, hat es doch."

„Nein, Elle. Er war unglücklich mit diesem Mädchen, das habe ich gesehen."

Ich wischte mir die Finger an der Serviette ab. „Du musst mir nichts vormachen, Marcy. Dan und ich haben uns getrennt. Er hat das Recht zu tun, was immer er will."

„Aber niemand kann ihn so unglücklich machen wie du", verkündete Marcy mit einem Blitzen in den Augen. „Elle, ruf ihn an."

„Marcy", antwortete ich. „Das kann ich nicht."

Seufzend warf sie die Hände in die Luft. „Okay, okay. Ich hör ja schon auf. Ich würde es ungern noch mal ertragen, nicht mehr mit dir zu sprechen."

Ich räumte den Abfall zusammen und warf ihn dann in den Eimer.

„Ich mag dich", sagte sie mit ernster Stimme. „Das ist doch was."

Ich beugte mich über den Tisch und drückte ihre Schulter. „Ich mag dich auch, Marcy. Und ja, das ist ziemlich viel."

Wir lächelten einander an, und ich schob ihr die Schachtel hin. „Nimm du die restlichen Éclairs", sagte ich zu ihr und ging schnell aus dem Büro, verfolgt von Marcys wüsten Beschimpfungen.

20. KAPITEL

Die Straße, in der ich wohnte, wirkte wie der Tatort in einem Fernsehkrimi mit den sich drehenden roten und blauen Lichtern einer Polizeistreife und eines Rettungswagens. Ich beeilte mich, warf einen Blick auf die Fenster von Mrs. Pease, doch sie waren erleuchtet wie immer um diese Zeit.

Ich sprang ihre Stufen hinauf und klopfte an die Tür, die umgehend geöffnet wurde. Ihr besorgtes Gesicht glättete sich ein wenig, als sie mich erkannte, und sie streckte die Arme nach mir aus. Ich ließ mich umarmen, erleichtert darüber, dass es ihr gut ging.

„Oh Elle, Sie sind es also nicht."

„Nein, Mrs. Pease. Ich dachte, Ihnen wäre etwas passiert." Ich betrachtete sie von Kopf bis Fuß. „Der Rettungswagen parkt direkt vor Ihrem Haus, ich habe mir Sorgen gemacht."

„Nein. Die sind hier vor etwa vierzig Minuten eingetroffen und haben an Ihre Tür geklopft", erklärte sie.

„An meine Tür?" Ich drehte mich um und sah auf die Straße, konnte aber keine Polizisten oder Sanitäter entdecken. „Sind Sie sicher?"

Sie nickte. „Sie haben geklopft und geklopft. Wahrscheinlich sind sie jetzt nach nebenan zu den Ossleys gegangen."

Mein Magen krampfte sich zusammen. „Gavin."

„Oh, ich hoffe nicht", flüsterte Mrs. Pease.

Da öffnete sich die Tür der Ossleys und die Sanitäter kamen mit einer Trage heraus. Das bleiche Gesicht gehörte Gavin. Mrs. Pease schluchzte leise auf und umklammerte meine Hand. „Ach, der arme Junge. Ich hoffe, es geht ihm gut."

Mrs. Ossley erschien auf der Türschwelle mit dem allgegenwärtigen Dennis an ihrer Seite. Sie presste eine Handvoll Taschentücher an sich, ihre Wangen waren tränenüberströmt. Dennis tätschelte ihr immer wieder den Rücken. Kurz darauf kam ein Polizeioffizier heraus und sah dabei zu, wie Gavin in den Rettungswagen geschoben wurde.

Ich konnte nicht verstehen, was gesprochen wurde. Mrs. Ossley schüttelte den Kopf. Dennis sagte etwas zu dem Polizisten, der die Schultern zuckte und Notizblock und Stift wegsteckte. Nachdem Mrs. Ossley in den Rettungswagen gestiegen war, brauste er davon.

„Ich hoffe, mit ihm kommt alles in Ordnung", sagte Mrs. Pease.

„Ich auch, Mrs. Pease."

Gemeinsam sahen wir dem Rettungswagen hinterher, dann lud sie mich auf eine Tasse Tee und Kekse ein. Doch obwohl wir uns über Backrezepte und die kommenden Feiertage unterhielten, konnte ich den Anblick von Gavin auf der Trage nicht vergessen.

Mehrere Tage vergingen, bevor ich den Mut aufbrachte, an Mrs. Ossleys Tür zu klopfen. Falls sie die letzten Tage voller Trauer und Angst verbracht hatte, so sah man es ihr nicht an. Frisur und Make-up waren perfekt, sie trug einen gepflegten weißen Leinenanzug und schicke Pumps. Mir fiel wieder ein, dass ich gar nicht wusste, wo sie arbeitete.

„Was wollen Sie?", fragte sie, und ich konnte nur hoffen, dass sie in ihrem Job nichts mit Kunden zu tun hatte.

„Ich wollte fragen, ob es Gavin gut geht."

Sie hob das Kinn. „Meinem Sohn geht es ausgezeichnet, besten Dank."

„Aber bitte sehr."

Das verwirrte sie ein wenig. „Ich vermute, Sie würden gerne wissen, was geschehen ist."

„Mrs. Ossley", sagte ich freundlich. „Ich weiß, dass Gavin ein paar Probleme hat. Er verletzt sich selbst. Ich kann mir vorstellen, was geschehen ist."

Alle Farbe wich aus ihrem Gesicht. „Wagen Sie es nicht, mich dafür verantwortlich zu machen!"

Ich hob die Arme als Friedensangebot. „Ich mache Ihnen keine Vorwürfe …"

„Denn", fuhr sie aufgebracht fort, „wenn Sie davon gewusst haben, hätten Sie etwas unternehmen können! Etwas sagen können! Sie hätten … Sie sollten …"

Sie brach ab, und ich ließ Stille den Raum zwischen uns füllen. Ich erinnerte mich daran, wie meine Mutter gesagt hatte, dass es einfacher gewesen wäre, einem anderen die Schuld in die Schuhe zu schieben. Ich hatte breite Schultern. Ich konnte Mrs. Ossleys Schuldzuweisungen tragen, wenn es ihr half.

„Er hat mir gesagt", sagte sie schließlich, „dass Sie nie etwas mit ihm angestellt haben."

Ich nickte erleichtert. „Ich danke Ihnen."

Sie nickte ebenfalls, ein wenig steif, als ob ihr der Nacken wehtäte, aber ich wusste dieses Zugeständnis trotzdem zu schätzen. „Er ist in der Grove-Klinik. Dort wird er die nächsten zwei Wochen beobachtet und von Therapeuten betreut. Danach darf er vielleicht wieder nach Hause kommen."

Die Grove-Klinik war eine sehr angesehene, nicht gerade billige Privatklinik. Was für Probleme Gavin und seine Mutter auch immer haben mochten, zumindest sparte sie nicht daran, ihm helfen zu lassen.

„Ich wollte nichts davon wissen", erklärte sie steif. „Die Zeit ohne Gavins Vater war hart für mich. Ich hatte gehofft, dass mit Dennis alles leichter werden würde."

Ich wollte sie nicht in den Arm nehmen oder ihre Hand ergreifen. Zwar mochte ich Fortschritte in den letzten Wochen gemacht haben, aber deswegen waren Umarmungen für mich noch lange nichts Normales. Deshalb nickte ich mal wieder in der Hoffnung, dass es bedeutungsvoll wirkte.

„Es hilft ihm nicht, wenn Sie sich Vorwürfe machen, Mrs. Ossley. Das Wichtigste ist, dass er nun Hilfe bekommt und dass Sie bereit sind, ihm zuzuhören."

„Ja." Sie rieb sich die Arme, als ob ihr kalt wäre. „Wenn Sie ihn besuchen wollen …"

„Wäre das in Ordnung für Sie?"

„Ja. Ich denke, Gavin würde sich freuen."

„Dann werde ich ihn besuchen", sagte ich.

Es schien, als ob es noch mehr zu sagen gäbe, doch keiner von uns versuchte es. Nach einem weiteren unbehaglichen Schweigen entschuldigte ich mich. Sie hatte die Tür bereits geschlossen, bevor ich noch die erste Stufe hinuntergegangen war.

Mein Besuch bei Gavin dauerte länger, als ich erwartet hatte. Ich fuhr nach der Arbeit zu ihm, der Verkehr war schrecklich, und noch hatte die Besuchszeit nicht begonnen. Aber es war die Fahrt und die Warterei trotzdem wert. Wir sprachen zwar nicht viel, ich fragte ihn nicht nach seinen verbundenen Handgelenken oder seinem neuen Haarschnitt. Ich brachte ihm eine Tasche voller Bücher mit, er nahm sie mit einer Begeisterung entgegen, die ich in letzter Zeit selten bei ihm entdeckt hatte.

„Hey", sagte er, als wir gerade unsere Coladosen aus dem Automaten öffneten. „Wie geht es bei Ihnen mit dem Streichen voran?"

„Mit dem Esszimmer bin ich fertig. Die Küche ist auch gestrichen, in einer Farbe namens Frühlingsgrün."

„Miss Kavanagh", grinste Gavin. „Sie werden noch die Martha Stewart der Green Street."

Darüber mussten wir beide lachen und noch viel mehr, als ich ihm erzählte, dass Mrs. Pease mir das Backen beibrachte. Es war gut, ihn lachen zu hören. Und gut für mich selbst, zu lachen.

Als ich schließlich gehen wollte, bedankte er sich noch einmal für die Bücher, dann zögerten wir beide, nicht ganz sicher, auf welche Weise wir uns verabschieden sollten. Schließlich schüttelten wir uns die Hände, er drehte meine und betrachtete die Narbe an meinem Handgelenk.

„Ihnen geht es heute gut, nicht wahr? Ich meine … alles wurde besser, oder? Danach?"

Ich nickte und drückte seine Hand, dann zog ich ihn an mich und umarmte ihn, wie ich es eigentlich schon die ganze Zeit hatte tun wollen.

„Ja", sagte ich. „Danach wurde alles besser. Und heute geht es mir gut."

Ich hatte Gavin nicht angelogen, aber trotzdem hatte ich hinterher Lust auf etwas Stärkeres als eine Cola. Ich entschied mich für das *Slaughtered Lamb,* wo es mir überhaupt nicht schwerfiel, mit Jack zu flirten und noch viel leichter, ihm einen Korb zu geben, als er mich fragte, ob ich mit ihm nach Hause gehen würde.

„Sicher?" Er schenkte mir sein charmantes Grinsen.

„Sicher."

Lächelnd nahmen wir uns kurz in die Arme, dann kümmerte er sich um die anderen Gäste und fragte mich nicht noch einmal. Ich bestellte mir etwas zu essen, genehmigte mir drei Drinks und spielte dazu ein Videospiel. Kurz überlegte ich mir, noch ein viertes Getränk zu bestellen, aber ich wollte mich nicht betrinken und verließ das *Slaughtered Lamb* mit einem viel besseren Gefühl, als ich gedacht hätte.

Auf dem Weg nach draußen traf ich auf Dan. Er hatte den Arm um die Schulter eines Mädchens gelegt, das vielleicht älter als einundzwanzig war, aber nicht so aussah. Sie kicherte. Er lächelte, aber als er mich sah, erstarrte er. Zu allem Überfluss kam in dem Moment auch noch Jack hinter mir her und reichte mir meinen Pullover, den ich auf dem Stuhl hatte liegen lassen.

Wir alle vier standen kurz wie angewurzelt da, die beiden Männer beäugten sich. Dann nickten sie einander zu, und auf einmal wünschte ich, ich hätte den vierten Drink doch noch bestellt.

Stattdessen machte ich einen langen Spaziergang. Ich zog mir eine Blase am Fuß zu, aber der Schmerz in der Ferse war eine willkommene Ablenkung. Als ich schließlich zu Hause ankam, dachte ich, dass ich vielleicht nicht einmal mehr würde weinen müssen.

Dan wartete auf der Treppe auf mich. Er stand auf, um mich vorbeizulassen, ich steckte den Schlüssel ins Schloss, und zum ersten Mal ließ sich die Tür wie durch ein Wunder ohne Probleme öffnen.

„Und ich habe nicht mal ‚Sesam öffne dich!' sagen müssen", verkündete ich.

Ich schloss die Tür hinter uns und ging in die Küche in der Absicht, ein paar Gläser Wasser hinunterzuschütten, um am nächsten Tag keinen Kater zu haben. Dabei ließ ich meine Tasche, meinen Mantel und meine Schlüssel einfach hinter mir auf den Boden fallen, als ob ich mich verirren könnte und so den Rückweg wiederfände. Bei dem Gedanken musste ich leise lachen.

„Hast du mit ihm geschlafen?"

„Wie bitte?"

Nun musste ich wirklich laut auflachen, ich wirbelte herum. Das Zimmer drehte sich ein wenig, weshalb ich mich am Türrahmen festhielt. „Was hast du da eben gefragt?"

„Ich fragte, ob du mit Jack geschlafen hast. Hast du?"

Mit einem Schlag war ich nüchtern. Wir starrten uns durch den Raum hinweg an, der mir einmal so klein vorgekommen war, doch die Kluft zwischen uns erschien mir breiter als der Grand Canyon. Sein Gesicht war versteinert.

„Was für eine Frage soll denn das sein?" Ich wandte ihm den Rücken zu und lief zum Spülbecken. Die erste Tasse, die ich aus dem Schrank nahm, fiel mir aus den Händen und zerschellte in der Spüle. Etwas Blut quoll daraufhin aus meinem Zeigefinger.

„Ich will es wissen, Elle. Hast du?"

Ich ließ das Leitungswasser laufen und schöpfte es mit den Händen in meinen Mund, ohne auf das Blut zu achten, das an mir heruntertropfte. Dan kam näher.

Ich drehte mich zu ihm um. „Ich glaube nicht, dass ich

diese Frage beantworten muss, vor allem nicht in Anbetracht der Tatsache, dass du heute Abend auch nicht allein warst. Es geht dich nichts an."

„Und ob es mich etwas angeht!"

Er packte mich am Oberarm. Ich dachte, er wollte mich vielleicht küssen. Oder wegstoßen. Ich war mir nicht sicher. Automatisch versteifte ich mich, und er begann mich zu schütteln. Einmal, zweimal.

„Es geht mich etwas an, Elle!"

„Lass mich los!"

„Antworte mir!"

„Du hast doch schon beschlossen, dass ich es getan habe, oder nicht?", schrie ich. „Denn sonst würdest du mich gar nicht erst fragen! Sonst hättest du nicht auf mich gewartet, um es herauszufinden! Du hast mich bereits verurteilt, Dan, warum sollte ich mir also die Mühe machen, dir darauf zu antworten?"

Er schüttelte mich erneut, diesmal so heftig, dass meine Zähne aufeinanderschlugen. „Hast du, Elle? Heute Abend? Oder auch schon vorher? Ist er in dich verliebt? Hast du mich deshalb verlassen? Seinetwegen?"

„Wieso interessiert es dich?", brüllte ich, die Mischung aus Alkohol und Wut brachte mich zum Rasen.

„Weil ich dich liebe." Sein Griff tat mir weh. Und endlich ließ er mich los, stieß mich weg, als ob er sich verbrannt hätte. „Weil ich dich liebe, Elle."

Dann drehte er sich um und ging davon.

Ich ließ ihn gehen. Ich sah ihn gehen. Ich stand regungslos da, während seine Worte in meinen Ohren widerhallten.

„So war das nicht geplant", brachte ich hervor.

Er blieb an der Eingangstür stehen und sah mich an. Niemals habe ich einen verzweifelteren Blick gesehen, niemals so trostlose Augen.

„Aber es ist so", sagte er. „Was bist du, Elle? Ein Geist? Bist du Engel oder Teufel? Denn real kannst du nicht sein."

Diese Worte hatte er schon einmal gesagt, als seine Hände mich zum ersten Mal zum Erbeben gebracht hatten. Diesmal musste ich mich setzen, meine Beine gaben einfach nach, und ich sank auf den Boden wie eine Marionette, deren Fäden durchgeschnitten worden waren. Zerbrochen. Kaputt.

„Ich bin real", flüsterte ich.

„Nicht für mich", sagte er. „Du lässt nicht zu, dass du für mich real bist."

Ich blickte auf meine weiße Bluse mit den roten Blumen. Blumen aus dem Blut meines Zeigefingers.

Blutrote Rosen blühten auf meiner weißen Bluse.

Ich begann zu zittern. Mein Haar fiel mir ins Gesicht. Er konnte mich nicht sehen. Ich wollte nicht, dass er mich sah, konnte es nicht ertragen, konnte es nicht aushalten, dass er meine Tränen sah.

„Bist du heute mit ihm ins Bett gegangen?"

Die Worte, die jetzt nicht mehr wütend, sondern traurig klangen, ließen mich den Kopf schütteln.

„Nein, Dan, bin ich nicht."

Plötzlich stand er neben mir. „Sieh mich an."

Das tat ich.

„Ich liebe dich, Elle."

„Nein", sagte ich. „Das tust du nicht."

„Ich liebe dich."

Ich schüttelte den Kopf. Tränen brannten auf meinen Wangen, hinterließen heiße Spuren, tropften über mein Kinn auf den Hals. Er nahm vorsichtig meine Hand, ohne auf das Blut zu achten.

„Warum lässt du mich nicht hinein?", fragte er.

Man hat immer die Wahl im Leben. Man kann weitergehen. Sich zurückziehen. Stolpern. Fliegen. Fallen.

Vertrauen.

„Das möchte ich", murmelte ich und zitterte stärker, obwohl mir nicht kalt war.

„Dann tu es. Ich verspreche dir, es wird alles gut werden." Er zog meinen Finger an seine Lippen und küsste ihn, küsste das Blut weg. Machte ihn rein.

Und da erkannte ich die Wahrheit, die ich geleugnet hatte. Er hatte mich rein gemacht, rein und glänzend. Er hatte mich schön gemacht, und ich wollte ihn nicht verlieren.

„Ich verspreche es", sagte er, und ich glaubte ihm.

Und so habe ich Dan alles über meine Vergangenheit erzählt. Andrew war immer das Lieblingskind meiner Mutter gewesen. Ich glaube, sie wollte danach keine weiteren Kinder mehr, denn zwischen seiner Geburt und meiner lagen sechs Jahre, und gerne bezeichnete sie mich als ihre „süße kleine Überraschung". Wenigstens blieb es mir erspart, ein „Fehler" genannt zu werden wie Chad. Zumindest hörte ich sie das einmal ihren Freundinnen gegenüber erwähnen, die zum Kartenspielen und Rauchen vorbeigekommen waren.

Andrew war also ihr Liebling, und das zu recht. Er war klug. Beliebt. Lehrer und Priester beteten ihn an. Seine Klassenkameraden bewunderten ihn. Und in der Highschool waren sämtliche Mädchen hinter ihm her.

Wir liebten ihn auch, Chad und ich, er war der perfekte ältere Bruder. Es machte ihm nie etwas aus, wenn wir an ihm klebten, er nahm uns überallhin mit. Er spielte mit uns, als er längst schon zu alt dafür war. Er verbrachte seine Zeit mit uns, und dafür vergötterten wir ihn. Außerdem schützte er uns vor unserer Mutter, die zwischen überbordender Liebe und schrecklichen Wutanfällen hin und her schwankte. Unseren Vater hingegen, dessen Alkoholkonsum von Jahr zu Jahr anstieg, ignorierte er vollkommen.

Erst als ich älter wurde, begriff ich den Zusammenhang zwischen den Ausbrüchen meiner Mutter und dem Trinkverhalten meines Vaters, aber da war es schon zu spät. Wir alle hatten so lange damit gelebt, dass es einfacher war, so zu tun, als könnten wir ihn nicht sehen. Als Andrew einundzwanzig wurde, veränderte sich alles. Er ging viel aus und kam früh morgens betrunken, singend und gegen Türen hämmernd nach Hause. Er vernachlässigte sein Studium am College, brach es dann kurz vor seinem Abschluss ab und kam zurück nach Hause.

Er hatte sich verändert. Er trank. Er nahm Drogen. Und er klaute, um sie zu bezahlen. Er trug das Haar nun lang und rasierte sich nicht mehr. Dann ließ er sich Ohrringe stechen und versuchte nicht mehr, unsere Mutter zum Lachen zu bringen.

Und auch die Spiele, die er spielte, waren plötzlich andere geworden.

Chad ignorierte er völlig, außer wenn er ihn als Waschlappen oder Schwuchtel beschimpfte. Woraufhin Chad sich noch mehr hinter seinen schwarzen Klamotten, seinem Eyeliner und seiner Gothpunk-Musik verbarg. Er war erst vierzehn.

Und ich war fünfzehn und fühlte mich merkwürdig. Mein Körper veränderte sich, ich trug keine Spange mehr und war größer als die meisten Jungs in meiner Klasse. Andrew sagte, ich sei schön. Dass er mich liebte. Und wenn ich ihn liebte, solle ich ein wenig nett zu ihm sein.

Natürlich liebte ich meinen Bruder. Ich wollte ihm gefallen. Ich wollte, dass alles wieder so wurde wie früher, als er mit uns im Garten gezeltet und die ganze Nacht Geschichten über Ungeheuer erzählt hatte.

Doch nun wurde Andrew zum Ungeheuer. Er hatte einmal geschworen, mich immer zu beschützen, aber er beschützte mich nicht vor sich selbst.

Ich tat, worum er mich bat, drei Jahre lang. Ich dachte, dann würde es ihm vielleicht besser gehen. Es funktionierte nicht. Er trank noch immer und verlor eine Arbeitsstelle nach der anderen. Er wurde mürrisch und hasste die Welt aus Gründen, die ich nicht begriff. Manchmal verschwand er für ein paar Wochen und kam dann mit leeren Augen wieder zurück, während meine Mutter das gesamte Haus auf den Kopf stellte, um ihn zufriedenzustellen.

Chad wurde älter, sein Make-up auffälliger, seine Klamotten noch schwärzer und die Musik noch lauter. Ich hörte auf zu lächeln. Zählen half, und beim Essen zu zählen noch mehr. Ich zählte Kuchenstücke, Popcorn und verschanzte mich hinter einer Schicht aus Fett und weiten Kleidern, um meine Schönheit zu verbergen, die mein Bruder gesehen hatte und offenbar nicht vergessen konnte.

Niemand fragte mich, was mit mir los war.

Chad wusste es, so wie ich wusste, dass in den Zeitschriften unter seiner Matratze Fotos von nackten Männern abgebildet waren. Wir sprachen nicht darüber. Chad und ich redeten fast überhaupt nicht mehr miteinander. Wir begegneten uns im Flur und saßen uns am Frühstückstisch gegenüber, und wir teilten mit Blicken unsere Geheimnisse, die niemand laut auszusprechen wagte.

Ich wollte nicht wirklich sterben, aber ich hielt es zu dieser Zeit für eine gute Idee, mir die Pulsadern aufzuschneiden. Es blutete wie verrückt und tat vor allem mehr weh, als ich erwartet hatte. Zum anderen Handgelenk kam ich gar nicht mehr, weil mir beim Anblick des Blutes schwindlig wurde und weil Chad genau in diesem Augenblick ins Badezimmer kam, um mich zum Abendessen zu rufen.

Es ist offensichtlich, dass ich diesen Selbstmordversuch nicht besonders gut geplant hatte. Meine Mutter schimpfte mich die ganze Zeit aus, während sie mich die Stufen hinunter in die Küche zerrte und mir ein Küchenhandtuch fest ums Handgelenk wickelte. Der Teppich auf den Stufen war ruiniert. Und den Bettvorleger in meinem Zimmer musste sie wegwerfen. Den Rest der Woche musste ich nicht in die Schule, und wir haben nie jemandem erzählt, was geschehen war.

Sie verbot mir nicht, darüber zu sprechen … aber ich tat es trotzdem nicht.

Der einzige Mensch, der mich fragte, warum ich das getan hatte, war Andrew. Er legte sich zu mir ins Bett und küsste die weiße Binde mit dem kleinen roten Fleck.

„Warum, Ella? Warum hast du das getan? Doch nicht meinetwegen?"

Als ich Ja sagte, begann er zu weinen. Ich bedauerte ihn, meinen geliebten Bruder, weil er so verloren klang, und ich beneidete ihn, weil ich seit Jahren nicht mehr fähig war, zu weinen. Er vergrub sein Gesicht an meinem Hals, sein Schluchzen wiegte uns, brachte das Bett zum Schwanken wie so oft zuvor aus anderen Gründen. Ich streichelte ihm immer und immer wieder übers Haar, bis er versuchte, mich zu küssen.

Und da sagte ich zum ersten Mal Nein.

„Nein?" Seine Stimme klang wie zerbrochenes Glas. „Liebst du mich nicht?"

„Nein, Andrew. Ich liebe dich nicht."

Ich rechnete damit, dass er mir wehtun würde, es wäre nicht das erste Mal gewesen. Er zerrte gern an meinem Haar und hielt mich an den Handgelenken fest. Und es gefiel ihm, zu kneifen.

Ich wartete.

Er fragte mich: „Nein?"

„Nein."

Andrew stand auf und ließ mich allein im Bett zurück. Ich dachte, nun wäre alles vorbei. Ich hatte mich geirrt.

Das Schreien meiner Mutter weckte mich auf. In der Küche zog Chad den Kopf ein, um sich vor ihren Schlägen zu schützen. Die Zeitschriften aus seinem Zimmer waren auf dem Tisch ausgebreitet. *Cowpoke. Beef. Hung.* Eine davon hatte sie zusammengerollt und hieb auf ihn ein wie auf einen Hund, der auf den Boden gekackt hatte.

Andrew saß mit verschränkten Armen am Tisch und sagte nichts. Und er tat auch nichts, sah nur dabei zu, wie meine Mutter Chad so schlimme Schimpfwörter um die Ohren haute, dass ich glaubte, ihre Zunge müsse verbrennen. Als ich hereinkam, warf Andrew mir einen leeren Blick zu, in seinen Augen war nichts. Überhaupt nichts.

In dieser Nacht rannte Chad weg. Er verbrachte ein paar Nächte auf der Straße, bevor er sich zu unserem Onkel John flüchtete, den Bruder meiner Mutter. Onkel John lebte allein. Er hatte nie geheiratet. Er nahm meinen Bruder auf, gab ihm zu essen und Kleidung und meldete ihn in der Schule an. Sorgte für seine Sicherheit. Er liebte meinen Bruder und brachte ihm bei, dass er tun sollte, was er für richtig hielt. Ich glaube, er rettete Chad das Leben.

Ich hatte schon vorher gedacht, dass meine Welt auseinandergebrochen wäre, doch es wurde immer schlimmer. Chad war weg. Mein Vater versuchte jetzt überhaupt nicht mehr, nüchtern zu bleiben. Und meine Mutter wurde zu einer Vollzeithexe.

Kurz darauf fand ich das Haus leer vor. Mein Vater war nicht von der Arbeit nach Hause gekommen. Meine Mutter war vermutlich in der Stadt, um einen neuen Teppich zu kaufen, nachdem ich den alten ruiniert hatte. Ich lief die Treppe hinauf und wollte gerade in mein Zimmer gehen, als ich das Geräusch hörte.

Ich wandte mich in Horrorfilmzeitlupe zur Badezimmertür am Ende des Ganges um. Also war ich doch nicht allein. Ich hörte einen dumpfen Schlag und rannte zur Tür.

Er hatte tiefer geschnitten, und zwar an beiden Handgelenken. Was noch eine viel größere Sauerei bedeutete. Blut war gegen die Wände gespritzt, bis an die Decke, es tropfte vom Spiegel, von der Badewanne und dem Duschvorhang. Es bildete eine Lache. Der Geruch nach frischem Fleisch ließ mich würgen.

Er lag komplett angezogen in der Badewanne. Das Rasiermesser blitzte auf dem Boden. Als er mich sah, öffnete er die Augen und sagte meinen Namen. Ich dachte nicht nach, ging nur zu ihm hin, rutschte in dem Blut aus, fiel hin, und dabei öffnete sich die Wunde wieder, die ich mir in der Woche zuvor selbst zugefügt hatte.

Ich nahm seine Hand. Sein Blut bedeckte meine Finger, malte Rosen auf meine Haut und auf den weißen Stoff meiner Bluse. Er fühlte sich ganz kalt an, obwohl das Wasser heiß genug war, dass es dampfte.

Als ich ihn fand, lebte er noch, aber ich rief keine Hilfe. Ich blickte in die Augen meines Bruders, konnte nichts in ihnen finden, und ich saß einfach neben ihm und hielt seine Hand, während das Blut aus ihm strömte und er starb.

Das war die Geschichte, die ich Dan erzählte, und jedes einzelne Wort ist wahr.

Danach war viel geschehen. Ich ging aufs College, lernte Matthew kennen. Ich lernte, dass ich jemanden lieben konnte, dass Sex und Alkohol mir das Zählen ersetzen konnten, und ich lernte, dass man sehr genau überlegen musste, wem man seine Geheimnisse anvertraute.

Und dann lernte ich Dan kennen.

Er unterbrach mich nicht, strich nur in tröstenden Kreisen über meinen Rücken, wenn ich an die schlimmsten Stellen kam und hielt meine Hand fest. Als es vorüber war, holte ich tief Luft, dann noch tiefer. Ich sah ihn an. Es fühlte sich an, als hätte ich etwas erbrochen, etwas, das mich krank gemacht hatte.

Ich fühlte mich leichter. Gereinigt. Ich war erschöpft aber … zufrieden. Erleichtert.

„Viel mehr gibt es nicht zu erzählen", erklärte ich. „So war es."

Nie zuvor hatte ich jemandem die ganze Geschichte erzählt. Mehr konnte ich nun nicht mehr tun.

Er schwieg noch einen Moment, dann fragte er mich nur: „Wäre es in Ordnung, wenn ich dich umarme?"

Als ich nickte, schlang er die Arme um mich und hielt mich sehr, sehr lange schweigend fest. Unter seinem Atem schwebten einzelne meiner Haarsträhnen nach oben, und ich versuchte, im gleichen Rhythmus zu atmen wie er.

Dann küsste ich ihn, und er überließ mir die Führung. Ich drückte sanft seine Lippen auseinander und schob meine Zunge in seinen Mund, um ihn zu schmecken. Gleichzeitig legte ich seine Hände auf meine Brüste, dann knöpfte ich sein Hemd auf und streichelte das lockige sandfarbene Haar mit meinen Fingerknöcheln.

Er flüsterte meinen Namen an meinen Lippen. Mit den Daumen rieb er über meine Brustspitzen, bis sie sich schmerzhaft und lustvoll zusammenzogen. Unsere Zähne stießen aneinander.

Ich stand auf, zog ihn hoch, führte ihn in mein Schlafzimmer und legte mich auf die knisternden weißen Laken. Er zog sich das Hemd über den Kopf, beugte sich herab und küsste mich wieder, während ich mich an seinem Gürtel zu schaffen machte. Schließlich war er nackt, knöpfte langsam meine Bluse auf, entblößte Stück für Stück meine Haut und platzierte kleine Küsse darauf.

„Ich liebe es, wie deine Haut hier die Farbe ändert." Mit den Fingern zeichnete er eine kleine Linie unter meinen Brüsten nach.

Ich kannte meinen Körper gut genug, um zu wissen, dass meine Haut dort noch blasser wurde. Er streifte meinen BH ab, und ich keuchte auf, streckte ihm gierig meine Brüste entgegen.

Dan umkreiste die Brustwarzen. „Und dieses wundervolle Rosa." Er lächelte, senkte den Kopf, nahm eine Spitze in den Mund und begann sanft zu saugen. Dann wandte er sich der anderen zu, küsste und leckte sie, und ich legte eine Hand auf seinen Kopf.

Küssend suchte er sich seinen Weg meinen Körper hinunter, murmelte dabei kleine Komplimente und Zärtlichkeiten, seine Hände waren genauso geschäftig wie seine Lippen, seine Zähne und seine Zunge. Er zog mir den Rock aus und starrte lange meinen Slip an. Es war kein besonderer Slip, kein aufregender Tanga, kein durchsichtiges Spitzenhöschen. Ich hatte nicht damit gerechnet, ihn zu sehen. Schlichte weiße Baumwolle mit hohem Beinausschnitt, der genug von meinen Schenkeln entblößte, dass er die nackte Haut über meinen Hüftknochen küssen konnte.

Dann presste er die Lippen auf meinen Schoß und blies heißen, feuchten Atem durch den Stoff. Quälend. Verlockend. Ich öffnete die Schenkel und hob das Becken an.

Dan zog den Slip nach unten, küsste dabei meine Schenkel und Beine und Fußknöchel. „Kratzig", murmelte er.

„Ich habe mich heute nicht rasiert."

„Gefällt mir." Er rieb über die kleinen Stoppeln auf meiner Kniescheibe und küsste dann diesen Teil meines Körpers, den ich immer am hässlichsten gefunden hatte. „Es ist so natürlich."

Schließlich spreizte er meine Schenkel und sah mich an,

doch ich hielt ihn nicht auf. Da küsste er mich, seine zarten Lippen auf meiner zarten Haut. Mit der Zunge strich er über meine Perle, zärtlich, und sie schwoll unter seinen Berührungen an, reagierte. Mein Körper öffnete sich, und er schob einen Finger in mich, während er mich leckte.

Ich gab mich seinen Lippen und seiner Zunge vollkommen hin. Drückte mich gegen seinen Mund, half ihm, den richtigen Rhythmus und die Berührungen zu finden, die am besten für mich waren.

Immer schneller presste ich mich gegen ihn, hinter meinen geschlossenen Lidern leuchteten Sterne auf, kleine Schauer der Lust jagten durch meine Schenkel und Beine bis in die Zehen und hinein in meine Arme bis in jeden einzelnen Finger. Die Lust durchzog mich ganz und gar, hob mich hoch, trug mich. Spülte mich davon.

Er hielt mich fest, während mein Körper zuckte und tobte. Ich schrie seinen Namen, der so wundervoll schmeckte auf meinen Lippen, nach Zucker und Whiskey und Lakritze und Gewürzen. Sein Name. Dan. Der mich angehört hatte, als ich reden wollte. Der wissen wollte, warum ich nicht mehr lächelte.

Dan richtete sich auf, drückte sein Gesicht an meinen Hals, legte eine Hand auf mein Herz, und ich legte meine Hand darauf, unsere Finger miteinander verschlungen.

Sein Körper strahlte so viel Hitze aus. Seine Erektion pulsierte an meinem Schenkel, und ich griff zwischen uns, um ihn zu streicheln. Er seufzte an meinem Hals, rührte sich aber nicht.

„Dan", flüsterte ich. „Du möchtest mit mir schlafen."

Da sah er auf, sein vertrautes Lächeln ließ mein Herz, das

sich doch gerade erst beruhigt hatte, höherschlagen. „Und du möchtest, dass ich mit dir schlafe."

„Ja, das möchte ich."

Er küsste mich. Ich war bereits wieder feucht, als er zu schnell und tief in mich stieß. Wir zuckten beide zusammen, doch ich ließ nicht zu, dass er sich wieder aus mir zurückzog. Stattdessen umklammerte ich ihn mit meinen Beinen und presste ihn noch fester an mich. „Liebe mich, Dan."

Und das tat er, mit langsamen, tiefen Stößen. Unsere Bewegungen glichen sich einander an wie unser Atem. Geben und Nehmen. Vorstoß und Rückzug. Schweiß überzog unsere Körper. Ich umarmte ihn mit meinen Armen und meinem Schoß. Wir waren tief miteinander verbunden.

Sein Atem wurde unregelmäßig, er fügte jedem Stoß noch eine leichte Drehung hinzu, die sein Becken gegen meine noch immer empfindliche Perle presste. Ich keuchte laut auf, wölbte mich ihm entgegen, und er bewegte sich schneller. Er vergrub die Zähne in meinen Schultern, ich packte seinen Hintern, um ihn noch tiefer zu spüren, und wieder kippte ich über den Rand. Die Muskeln in seinem Rücken wurden stahlhart, er erschauerte, und gemeinsam kamen wir mit einem atemlosen Schrei.

Später hielt er mich in der Dunkelheit fest und streichelte durch mein Haar. Der Duft nach Sex lag über uns, die Betttücher waren noch immer feucht, doch wir standen nicht auf. Wir lagen einfach nur in der Dunkelheit und hielten einander fest, wir sprachen nicht und brauchten nicht miteinander zu sprechen.

Wir rannten nicht Hand in Hand über Blumenwiesen. Und keine Musik ertönte, wenn wir uns küssten. Ich konnte nicht alles auf einmal loslassen und zu einem strahlenden, glänzenden Beispiel dafür werden, dass nur ein Ritter in schimmernder Rüstung kommen und den Glasturm mit einem Hammer zerschlagen musste. So funktioniert das Leben nicht. Aber wir gaben unser Bestes und tun das nach wie vor. Wir sind ehrlich und offen. Hören einander zu. Freuen uns auf das, was vor uns liegt, statt ständig zurückzublicken auf das, was wir hinter uns lassen. Ich weiß nicht, was die Zukunft bringt.

Ich weiß nur mit absoluter Sicherheit: Dan hat mich gezähmt. Wir brauchen einander.

Er ist für mich einzigartig geworden auf der ganzen Welt.

– ENDE –

Tanja Albers
Unter dem Jademond

Spiel mit dem Feuer!

Band-Nr. 35007
8,95 € (D)
ISBN: 978-3-89941-381-6
528 Seiten

Bertrice Small
Der Teufel
in meinem Bett

Vorsicht mit erotischen
Fantasien! Sie könnten
wahr werden …

Band-Nr. 35007
8,95 € (D)
ISBN: 978-3-89941-380-9
304 Seiten

*Sandra Henke /
Kerstin Dirks*
Begierde des Blutes

Der Kuss eines Vampirs kann
tödlich sein – verheißt aber
ewige Liebe und unendliche
Leidenschaft!

Band-Nr. 35006
8,95 € (D)
ISBN: 978-3-89941-355-7
304 Seiten

Ria Wallmann
Blutrote Rosen

Die Psychologin Dr. Nora
Jacobi berät die Polizei bei der
Jagd nach einem gefährlichen
Serienmörder. Während der Er-
mittlungen wird Nora mit ihrer
Vergangenheit konfrontiert und
gerät dabei in einen gefährlichen
Sog von Sehnsucht und Angst.

Band-Nr. 35005
8,95 € (D)
ISBN: 978-3-89941-354-0
496 Seiten

Original-
ausgabe

Mona Vara
Versuchung

In dem Moment, in dem Nikolai
Brandanowitsch Katharina
heiratet, wird aus dem Verführer
ein Verführter!

Band-Nr. 35003
8,95 € (D)
ISBN-10: 3-89941-321-0
ISBN-13: 978-3-89941-321-2
464 Seiten

Kayla Perrin
Enthemmt!

Drei Freundinnen, bereit,
für erfüllende Lust wahre
Liebe und für ein glückliches
Leben fast alles zu geben. Doch
wehe, wenn ein Mann diese
Grenzen überschreitet. Denn
dann ist für sie die Zeit der
Rache gekommen …

Band-Nr. 35004
8,95 € (D)
ISBN: 978-3-89941-353-3
416 Seiten

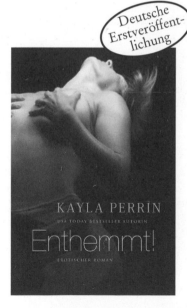

Deutsche
Erstveröffent-
lichung

Deutsche Erstveröffentlichung

Suzanne Forster
Im Reich der Lust
Tess ist ehrgeizig. Was sie will, ist Erfolg. So besucht sie den Nachtclub ‚de Sade' mit ihrem Kollegen Danny auch nur aus beruflichen Gründen. Was sie dort aber in den Armen eines maskierten Liebhabers erlebt, bringt ihr Leben komplett aus dem Gleichgewicht …
Band-Nr. 35002
8,95 € (D)
ISBN-10: 3-89941-320-2
ISBN-13: 978-3-89941-320-5
352 Seiten

Deutsche Erstveröffentlichung

Jina Bacarr
Die blonde Geisha
Die blonde Geisha gilt als der Überraschungserfolg aus den USA: eine erotische Liebesgeschichte aus dem alten Japan. Der Roman wird derzeit in mehrere Sprachen übersetzt.

Band-Nr. 35001
8,95 € (D)
ISBN-10: 3-89941-306-7
ISBN-13: 978-3-89941-306-9
352 Seiten